KB215839

그림 AntStudio 각색 한흔 원작 KEN

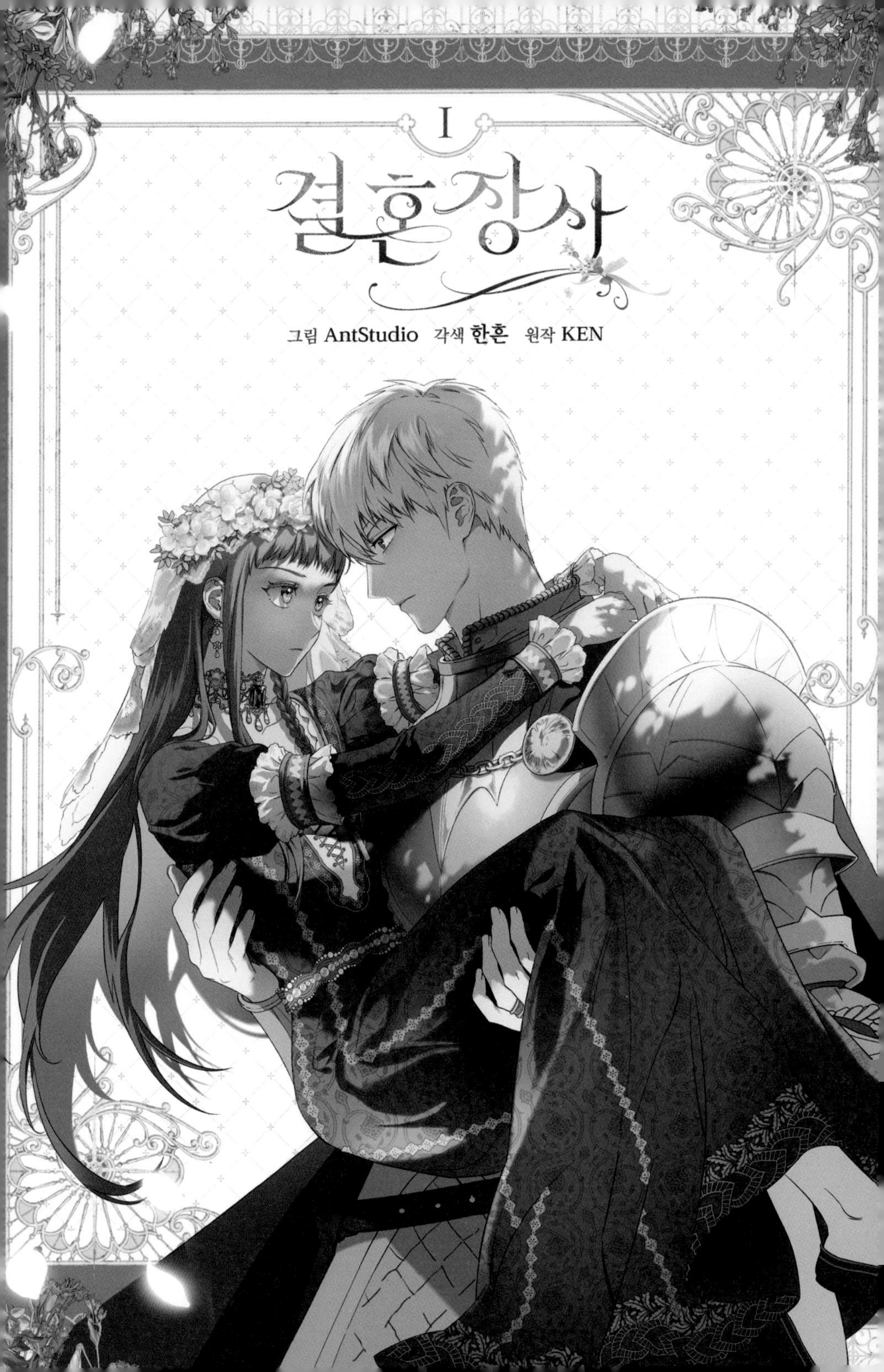
I
결혼장사
그림 AntStudio 각색 한흔 원작 KEN

Contents

결혼장사

Chapter 1

신이시여.

당신을
원망했던 적도
있었지만,
부디
제게 다시 한번
기회를 주세요.
제가 정말
어리석었어요.
콜럭

다시 한번
기회가
주어진다면…
그런 멍청한
실수는 두 번 다시
하지 않겠습니다.
털
썩—

싫어….
이렇게…
죽고 싶지
않아….

이렇게…
죽고 싶지
않아….

짹짹
짹짹

짹짹
짹짹
짹짹
짹짹

짹짹
짹짹
짹짹
…시끄러워.

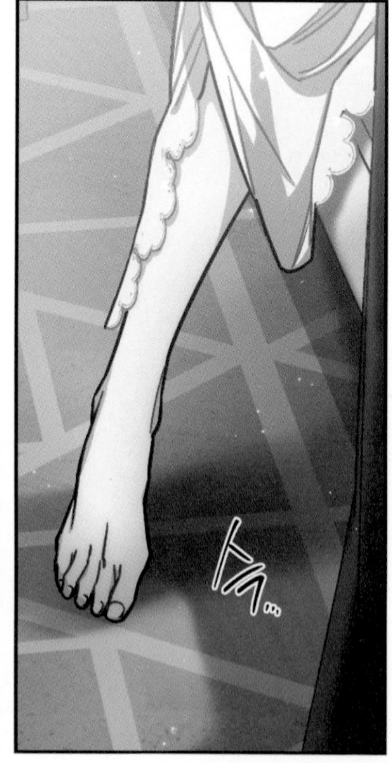

스으…

비틀
…쓰러져서 그대로 잠들었나?
한숨 푹 잤더니 숨쉬기가 편하네.

……?

뭐야아아???
파악

이 깨끗하고
맑은 피부….
찰랑거리는
긴 머리….
왜…

돌아온
거지?

아냐….
탁

이런 걸 바란 게
아니었어!
와장창

비앙카
드 아르노.

세브랑의
아르노 백작 부인,
비앙카 마님은

영지에서도
나라에서도
소문이 자자한

악처(惡妻)
였답니다.

세브랑 국왕 폐하의
충성된 신하이자,

일 왕자이신
고티에 전하의
심복이었는데도요.

비앙카 마님은
매일매일
새로운 드레스를
맞춰 입으시고,

세브랑의 소문난
보석 장인들이
다듬은 장신구를
사들였답니다.

…어떤 날은
방에 틀어박혀,

며칠째지?
마님께서 식사도 물리시고 청소도 시키지 않으신 게….

나흘은 된 것 같은데, 들어가봐야 하는 게 아닐까?
힐긋

크
서, 설마 무슨 일이 생기신 거면….

하!
오히려 잘되었지.

마님 때문에
백작님이 얼마나
고생을 하시는지,
아르노에서
그걸 모르는 사람이
있니?

흥왝
마님은 분명히
벌 받을 거야.

아르노는 영주가
자주 바뀌어서
영지민들의
마음고생이 많았던
땅이었어요.
자카리 백작님께서
새 영주가 되신 뒤,
조금씩 안정기에
들어서는 중이었지요.

자카리
드 아르노.

남편이신 백작,
자카리 님은
근검절약하고 성실한
주인이었어요.
백작님은
전쟁에서 돈도
많이 벌어왔지요.
앞으로도 영지를
더욱더 부유하게
만들 수 있을 것
같았습니다.
백작님이 벌어온
돈을 펑펑 쓴다는
사치스러운 악처
마님만 없다면
말이죠.

심지어
백작 부부는
결혼한 지 9년이나
되었는데

마님이
백작님을 심하게
핍박하여서

합방조차
한 적이 없다는
소문이
자자했어요.

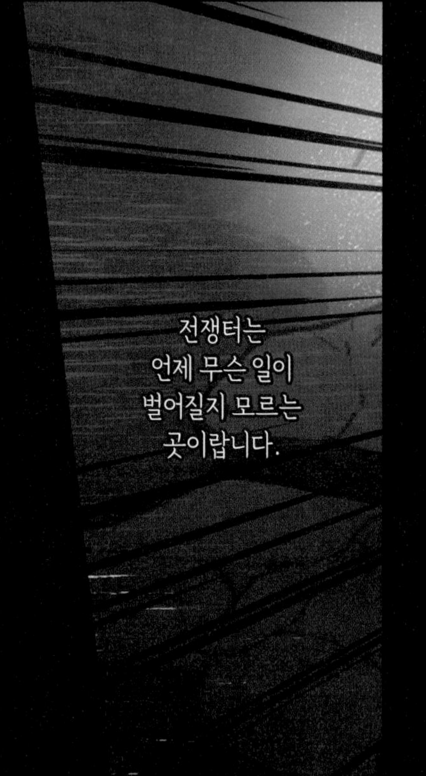

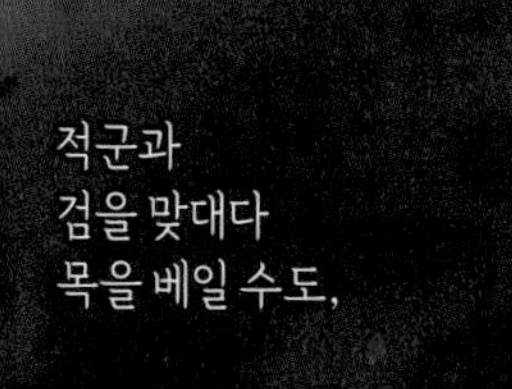

적군과
검을 맞대다
목을 베일 수도,

…때로는
악하고 더러운
음모로 인해,

후사가 없는 지금,
백작님께
무슨 일이라도 생기면
어쩌냔 말이야!
투덜
마님은
도대체 무슨
생각이신 건지.

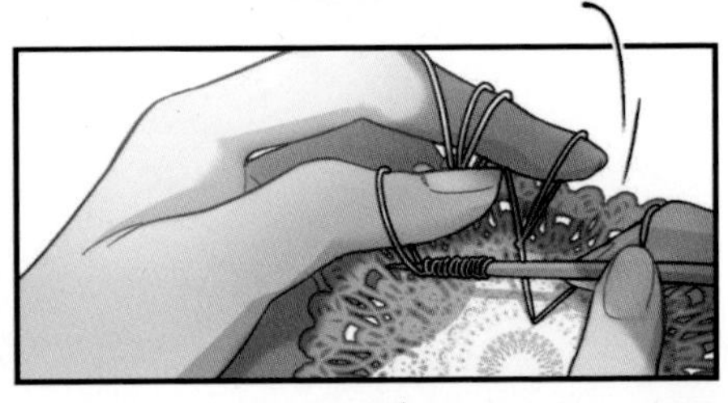

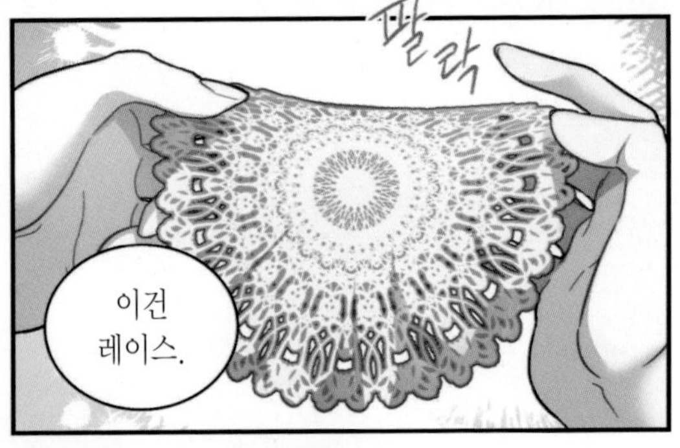

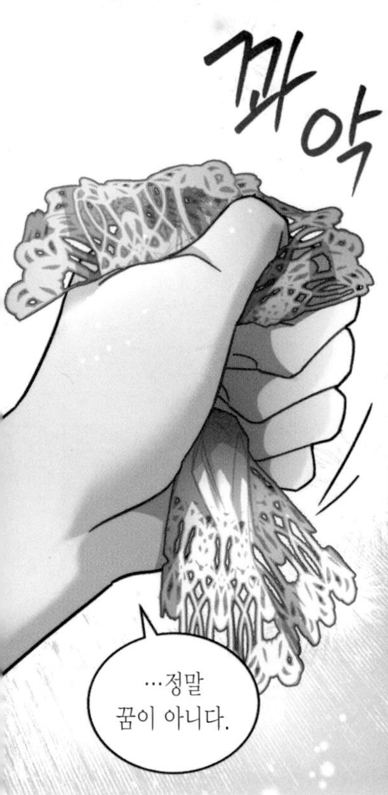
꽈악
…정말
꿈이 아니다.

벌컥
깜짝

뚜벅
뚜벅
뚜벅

…다
들으셨나?

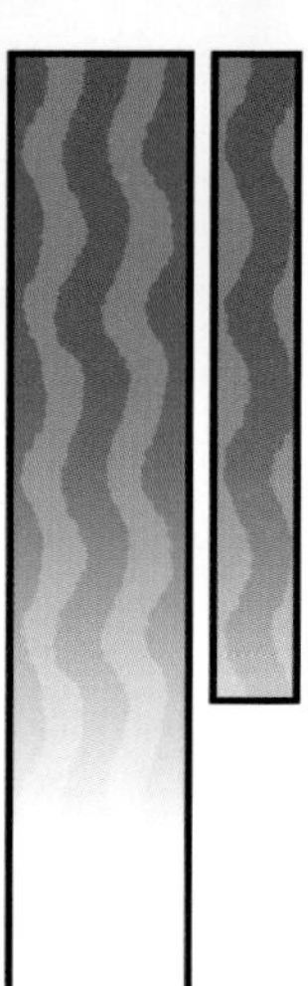

사각
사각

뱅상
아르노가의
집사장

쾅
뱅쇼!
내가 올해
몇 살이지?
깜짝

…뱅상입니다,
마님
벌렁
벌렁
올해 열여덟
아니십니까?

쯧…
…아직
열여덟밖에
안 되었나?

백작님은
어디 계시지?
몇 개월 전부터
전선에 나가
계시지 않습니까.

백작님께
관심이 없는 건
알고 있었지만,

전쟁 때문에
부재중인 것마저도
모르고 계셨다니.
마님은 도대체
무슨 생각이신
건지…?

…언제쯤
귀환하시는지
알고 있나?
…마지막으로
전갈을 받았을 때,
겨울에는 귀환하신다고
했습니다.

중얼...
겨울.

헉
뱅쇼,
가지고 싶은 게
있어.

난 추운 게
딱 질색이니
여우 털 모피를
준비해줘.
흰 여우
털로.

…
알겠습니다,
마님.

…아내가 원한다면
무엇이든지
준비해주도록.

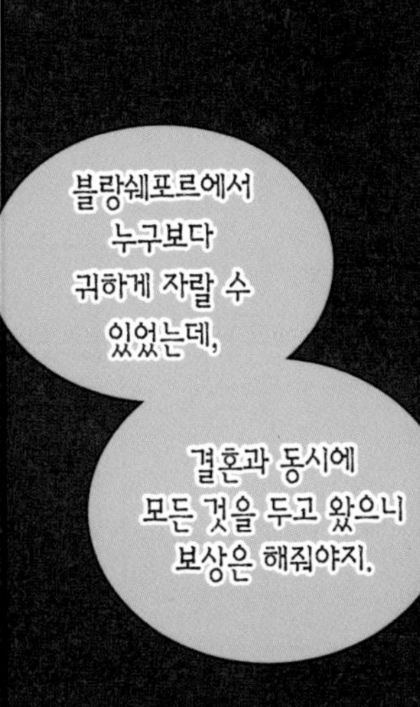
블랑쉐포르에서
누구보다
귀하게 자랄 수
있었는데,
결혼과 동시에
모든 것을 두고 왔으니
보상은 해줘야지.

어떠한 것이든
최고의 것으로
가져다주게.

그게 남편인
내 의무니까.

마님께서
사치가 심한 건
모르시고
그리 말씀하신 게지요,
백작님….
끙…

결혼을
장사라고 한다면
아르노 백작,
자카리의 결혼 장사는
득은 아직이고
실만 잔뜩인,
완전 망한
장사였습니다.

빠안-

방긋

자넨 예나 지금이나 고급진 것들을 잘 구해 오는군!
매우 칭찬해, 뱅쇼!
척
방상입니다.
…기왕 칭찬해주실 거면 이름도 제대로 외워주십시오, 마님.

그리고 백작님이 언제 귀환하시냐 물으셨죠?
오늘 아침에 새 전갈이 왔습니다.

백작님이 영지에
들어서셨다고
합니다.

…알았네.
꽈악

휘익

철없고,
사치스럽고,
남편에겐 아무런
관심이 없는,
악처(惡妻)
비앙카
드 아르노.

휘이이잉
그녀가 아르노의
성자 비앙카로
불리게 되는 것은,
아직은
먼 미래의
이야기입니다.

…나는 다시
살아났다.
진짜 아르노로
되돌아왔다!
신께
맹세한 대로,
꽈
다시 한번
주어진 이 인생을
제대로 살 것이다!

부릅
다시는!

두
둥
그 멍청한
실수를
반복하지
않겠다!

후워어이이!

어떠십니까?

오랜만에
영지에 돌아오신
소감 말입니다,
백작님.
…….

내 아내가,
하늘에 대고
소리치고 있어.

?
네?
…건강해 보이는군.

결혼장사

Chapter 2

두두두
두두
백작님이
돌아오셨다!
철혈의
백작,
자카리 드 아르노
백작님이
돌아오셨다!

철혈
(鐵血)
백작 자카리의 은발이
적군의 피에 젖어,
잘 벼려진 검처럼
보인다는 데서 붙은
이명이었습니다.
적군에게
그의 은발은
공포 그 자체
였습니다.

귀환을
환영합니다.
백작님.

연회장에
식사가 준비되어
있습니다.
고맙네,
뱅상.

다들,
먼 길 달려오느라
고생 많았다.
오늘은
배부르게 먹고
맘껏 마시도록!
와아—!
피히잉—

이번 원정은 어떠셨습니까?
최고였지!
이번에 출정 안 했던 걸 후회할 거다!

아르노군 부장 소뵈르
훗!
이 소뵈르 님의 폭발하는 멋짐을,
직접 볼 수 있는 절호의 기회를 놓친 거니까~

아르노군 부장 가스파르
넌 진짜 피곤하지도 않냐, 끊임없이 떠드네.
아르노군 부장 로베르

가스파르, 소뵈르 좀 말려봐.
쿄쿄쿄
어이~ 거기, 내 덕에 살아계신 로베르 경.
너한테 날아가던 화살을 이 몸이 칼로 쳐낸 거, 잊어버린 건 아니지?

스윽
젠장,
하필 저놈한테
빚을 질 줄은….
자박
…….

이 일은
로베르의
마누라,
로베르의
아들이랑
로베르의
손자한테까지도
대대손손
자랑할 거니까
기대하라고!
흠!

흠흠흠!!
깜짝

배…

백작 부인!!!
꾸벅
오랜만에 뵙습니다!

그래….
백작님은 어디 계신가?

백작님께서는
방으로
올라가셨습니다.
귀환하시면,
식사보다도 목욕을
먼저 하시거든요.

알았네.
휘왝

깜짝이야….
조용…
덜
덜

와~!
못 본 사이에 엄청 자라셨잖아?
전에는 우리 허리까지밖에 안 왔던 것 같은데…?!

히야…
…저 하얀 여우 털을 보아하니,
성장하시면서 통은 더 커지셨네.

흰 여우는 잘 잡히지 않아서 구하기도 어려웠을 텐데….

소뵈르, 그만.
백작님께서 허용하신 일을 우리가 토 다는 거 아니다.

나 참~
네 표정 관리나
잘해라, 로베르.
얼굴에
못마땅하다고
다 써 있으니까.
…….

푸릉
…그런데,

마님이
어쩐 일로 백작님을
찾으시지?
가스파르 경이
궁금해하는 건
당연했습니다.
마님이
귀환하신 백작님을
마중 나오신 건
이 아르노에서 처음 있는
일이었으니까요.

뚜벅
뚜벅
뚜벅

15년…
아니, 16년?
…남편을
만나는 게 정확히
몇 년 만이지?

그러나 이날
마님은 백작님과
중요한 대화를
나누고자 하셨기에
고민 없이 바로
백작님의 방으로
찾아가셨지요.
두런
두런

누구랑
얘기 중인가?
슬적

깜짝
두근
…해서
들어오자마자,
영지의
재정비를 해야겠다
생각했네.
잠들기 전에
확인해볼 테니,
올해 집행 내역과
내년 예산안을
준비해주게.
두근
두근

네,
백작님.

…비앙카?

두근
흠!
무, 문이…
열려
있어서.
두근
절대
훔쳐보려던 건
아니에요.

…무슨 일로
날 찾아왔지?

급한
일이오?

필요한 게 있다면
언제나처럼 뱅상에게
요청하면 되오.
울컥

꼭
급한 일이어야
백작님을
만날 수 있나요?

백작님이
귀환하셨다고
해서,
얼굴을 보러
온 것이에요.

난, 당신의
아내잖아요.

안절 부절
꽈악
이 남자…
여전히
딱딱하고
무서워.
왜 아무 말도
안 하는데?
할 일도 많고
피곤한데
갑자기 들어와서
짜증이 난 건가?
방으로 돌아갔다가
내일 다시
와야 할까….

부릅
지난날의 실수를 반복하지 않기로 다짐했잖아, 비앙카.
내가 한 발자국 내딛지 않으면 난 또….
…안 돼.

자네!
헉
움찔
백작님과 나눌 이야기가 있으니 잠시 자리 좀 비켜주게.

네, 알겠습니다.

탁
도대체 무슨
이야기인데요,
마님??
슬쩍
마님이
백작님과 이야기를
나누시겠다고?

…살다 보니
이런 날이
오는군.
당신이 나와
대화를 하고 싶어
할 줄은….
텁

그래서,
무슨 이야기를
하고 싶지?

그,
그러니까….
일종의 제안…
인데요.

우리 결혼한 지
9년째예요.
제가 열여덟….
이 겨울이 지나면
열아홉이 되니까.

아내의 의무를
다하고 싶어요.

까닥
의무?
의무라니
어떤?

꿀꺽

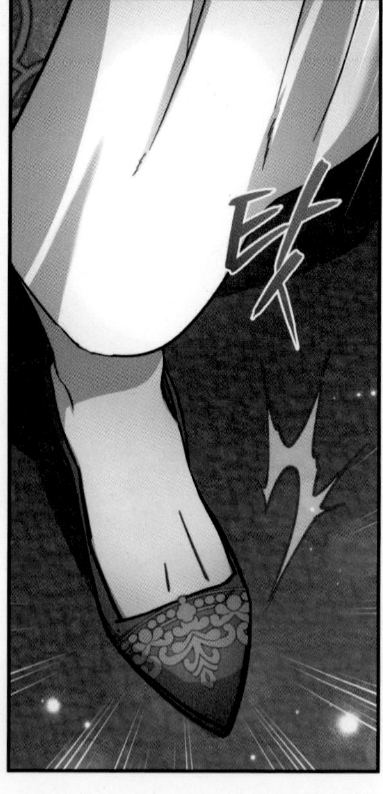
탁

후계자.
사락
차기
아르노 백작을
낳을 준비가
되었어요.

당신의 아이를
갖겠어요.

결혼장사

Chapter 3
귀부인들의 삶이
결혼에 의해
좌지우지되던
시절이 있었지요.

결혼 전에는
친정의 아버지나
남자 형제가
영애를 돌보고,

결혼 후에는
남편과 남편의
가족들이
귀부인의
안전을
책임졌지요.

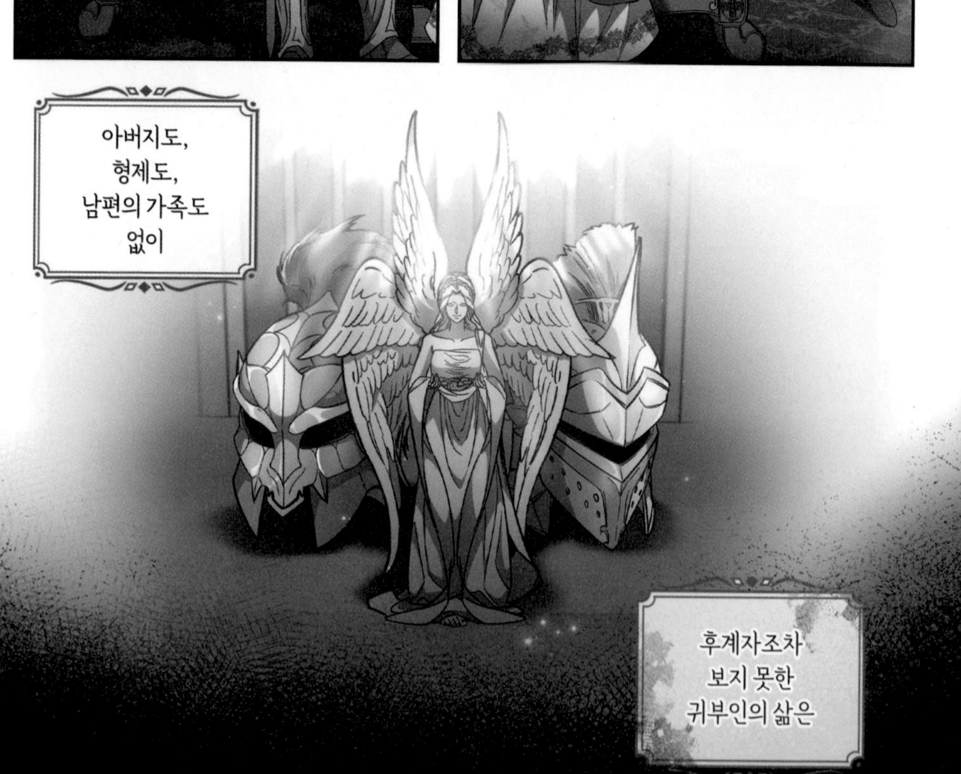
아버지도,
형제도,
남편의 가족도
없이
후계자조차
보지 못한
귀부인의 삶은

처참하기
그지없던,
그런 시절이
있었지요.
그러니까,
꽉

당신의 아이를
가지겠어요.

…….

…솔직히,
당황스럽군.

아이가
생기려면,
무얼 어떻게
해야 하는지
알고 있소?

애 취급
하기는….

깡
짝

모를 리가
없잖아.
이 몸은
열여덟이지만,

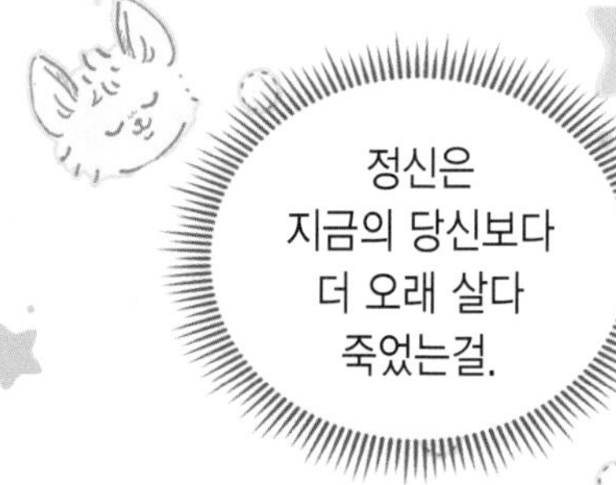
정신은
지금의 당신보다
더 오래 살다
죽었는걸.

게다가…

이미 지난 생에
스무 살이 넘어서
합방도 했었다고!
침대에서 나를
얼마나 집요하게
괴롭혔는지
똑똑히 기억하는데,
그걸
모르겠어?

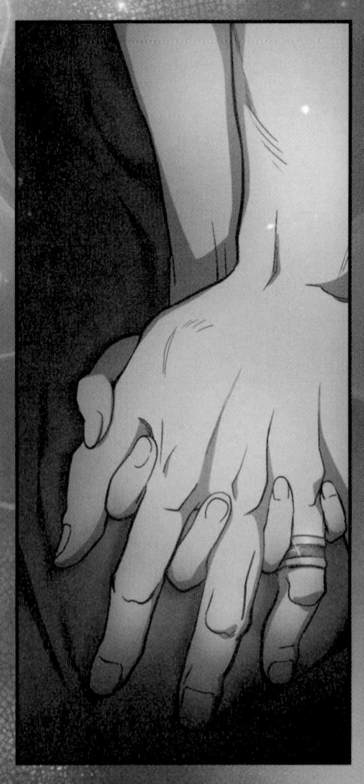

저,
저도.
시녀들에게
들은 것이 있어서
알 건 다 알아요!

제 일은
아르노의
차기 백작을
낳는 거잖아요?
그러니
그 정도는…

알고
있어야….

성큼
와락
그래서,
할 수
있겠소?
저벅
나와,
그대가
안다는,
저벅
탁
주춤
그
방법으로,

처억
아이를
가질 수 있다고?

탁
쿵

스윽
꼭 화난 것
같아.
반길 거라고
생각은
안 했지만….

무서워….
여전히
날 무서워
하는군.
…그대는

…네?
스윽

돌아가서 쉬는 게 어떠하오?
나도 좀 쉬고 싶으니.

잠… 잠깐만요!

스
나중에 이야기합시다.
네?

안 돼…!

이대로
아이가 생기지
않으면…

나는 또
그런 세월을
살아야 해…!

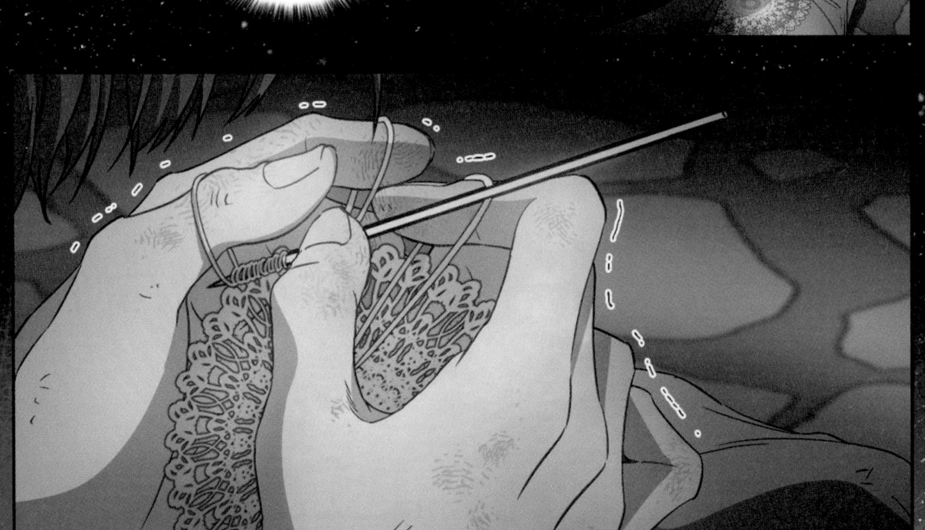

절대로
싫어!

덥
백작님!
석

우리 결혼이
얼마짜리였지요?

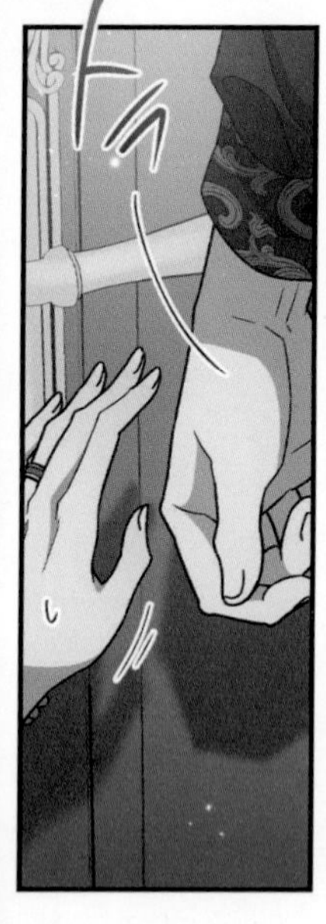
스

꿀꺽

송아지
400마리,
돼지
900마리,
은그릇 100개,
비단 300필,
보석 두 궤짝과
영지의 일부.

지참금은
신부가 시집올 때
신랑의 집으로
가지고 오는 돈으로,

신부의 부양을 위해
친정에서 미리
내어주는
유산 같은 것입니다.

큰 금액이
오가는 일이기에
정확히 기억하기
쉽지 않았습니다.

정부(情婦)가
있다는 게
사실이군요.

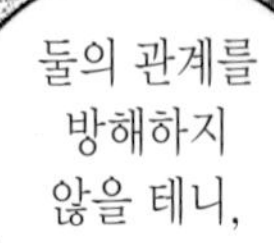
둘의 관계를 방해하지 않을 테니,
그 비싼 지참금을 내고 사 온 제값을 치르게 해주세요.

표정은 왜 저래.
하긴, 면목이 없겠지.
꾸깃

아내에게 면전에 대고 정부 이야기를 들으면 불쾌할 수밖에.

후우

…도대체,
그대에게 그런 헛소리를 지껄인 자가 누구인지 모르겠군.

후계자 이야기는 때가 될 때 자연스럽게 하게 되겠지.
당장은 쓸모없는 이야기요.

잠깐만요, 쓸모없다니…!
뱅상!
문 앞에 있는 거 알고 있으니 마님 모시고 나가게!
깜짝

네,
백작님.
끼익…
…마님, 방으로
돌아가시죠.

백작님!

제 이야기
좀 들어보세요!

저한테는
중요한
일이라고요!
백작…!

탁

꾸욱
후우….
돌림병으로
유모가 죽었다고
합니다.
블랑쉐포르에서
함께 왔던
그 유모 말입니다.
마님께서
아르노에서
유일하게 마음 주던
사람이었는데….
훌쩍
훌쩍
마님께서는
식음을
전폐하시고,
훌쩍
밤낮 울기만
하신다더군요.

가까이
오지 마세요.
멈칫
전쟁터에서
돌아왔으면,
갑옷을 벗고
찾아오지
그랬어요.

당신 몸에서
피 냄새가 나요.

스윽…

처음 아르노에
왔을 땐
눈만 마주쳐도
울어댔지.
전장에서 돌아오면
피 냄새가 난다며
피했고.

킁
그랬는데 오늘은
아무렇지도 않게
내 몸에 손을 댔다.
아직
씻지 않아서
싫어하는 냄새가
났을 텐데….

내가
없는 동안,
무슨 심경의
변화가
있었던 거지?

백작과 처음
합방을 한 건
스무 살
때였어.

그 이후에는
백작이
전쟁이 나갈 때만
동침했고,

후계자는
결국 생기지
않았다.
내가 스물다섯
되는 해에
전쟁터에 나갔던
백작은….
지금부터
7년 뒤 백작은
죽을 운명,
백작이
죽기 전에
하루라도 빨리,
아이를
가져야 해…!

백작을
덮치는 한이
있더라도…!

결혼장사

백작이 죽기 전에
하루라도 빨리,
한 번이라도 더 기회를
만들어야 한다.

백작을
덮치는 한이
있더라도…!

안절 부절
…마님,
방까지
모시겠습니다.

헉
움찔

되었네! 따라오지 말게!
내 발로 알아서 갈 테니까!

홱
뚜벅

뚜벅
뚜벅…

?
…마님.
여우털을 두르고 오시지 않았던가?

그 백작은
꼼짝도 않겠지?

달려들어 봤자
내가 튕겨
나올 텐데.

너무
오래 전 일이라
몰랐는데

기억했던 것보다
훨씬 키도 크고,
무섭고,

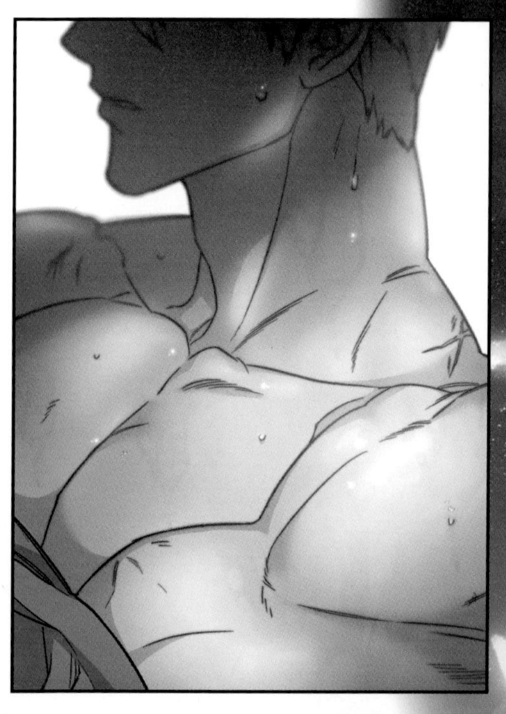
…몸은 원래
그렇게 울룩불룩
했었나?

벗은 몸은
어두울 때만
봤었으니
알 게 뭐야.
화끈
흠흠

이렇게
덜 자란 몸으로는
꼬시는 것도
힘들겠지?
하긴,
다 자랐을 때의
내 몸도
그저 그랬으니까.

풍성하고 말랑한
느낌도 없이
뻣뻣했잖아.
으슬
내가 사내여도
별 감흥이 들지
않을 몸으로
자랄 거야.

…백작의
정부는
어떤 여자일까?
농노?
아니면 다른
귀족의 딸?

그 여자를
사랑하고
있겠지?

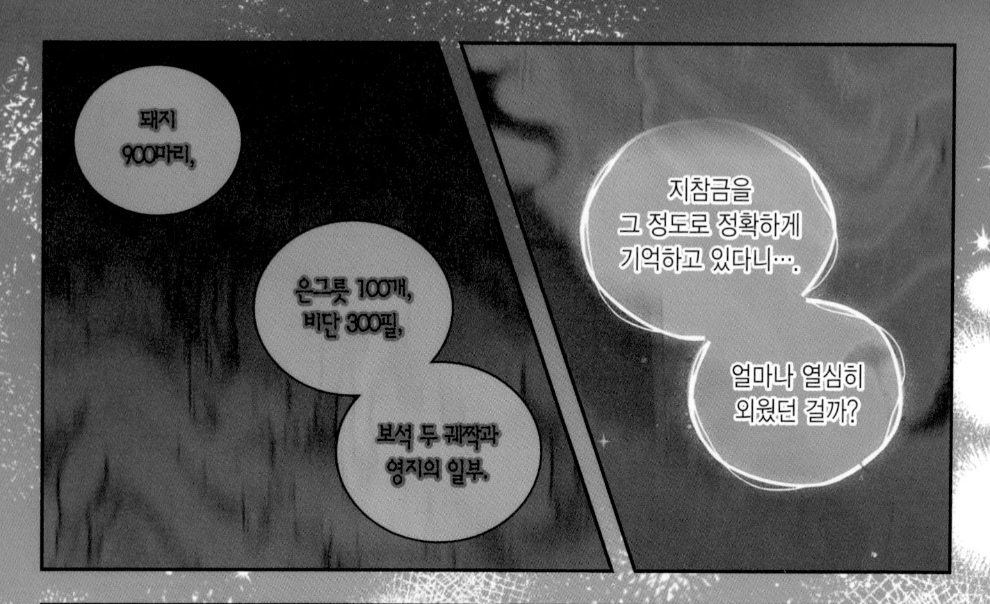
돼지
900마리,
은그릇 100개,
비단 300필,
보석 두 궤짝과
영지의 일부.
지참금을
그 정도로 정확하게
기억하고 있다니….
얼마나 열심히
외웠던 걸까?

그 여자를
아르노 백작 부인으로
들이겠다
확신하는 순간,
나와 지참금을
블랑쉐포르로
돌려보낼 준비를
하는 것이다.

흥.
…백작이
누구를 사랑하든
상관없지만
다른 여자를
사랑하는 남자의
아이를 가져야
한다니….

상상만
해도…
으슬…
기분 나빠.

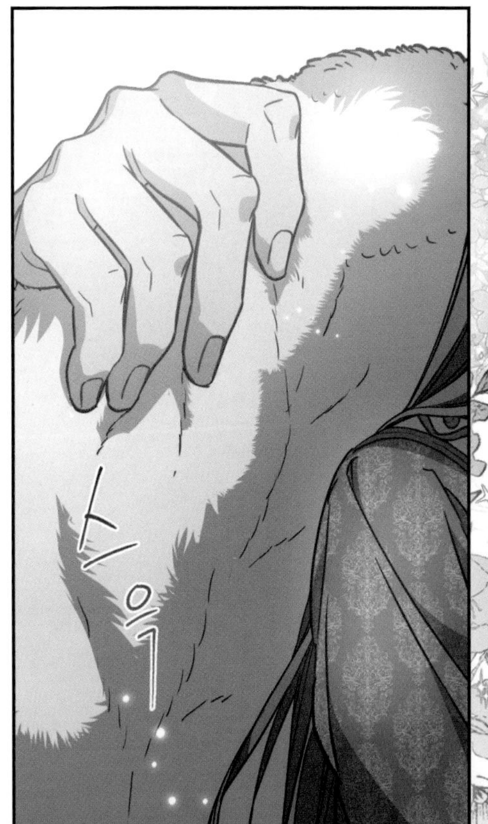
스윽

살폿…
…새 모피를
내 방에
두고 갔었소.

그대와
잘 어울려.

스윽

…오늘
고마웠소.

저벅
저벅

고마워???
…뭐, 뭐가 고맙다는 거야?

…모피 얘기는 갑자기 왜….
사치스러운 걸 샀다고 면박을 준 건가?

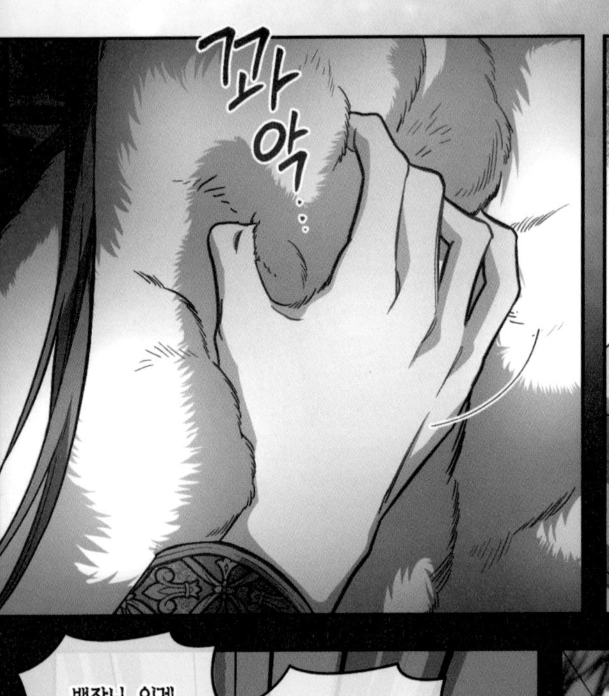
꽈악...

예전에 그런 일이
종종 있었으니까.

백작님, 이게 무엇인가요?
다람쥐 모피 아닙니까??
담비 모피여도 부족할 판에 다람쥐 모피가 웬 말인가요!
버럭
홱
우리 아가씨가 추위를 얼마나 타시는데요!
블랑쉐포르에서는 항상 최고급 모피로 코트를 해 입으셨어요!

역시 백작위를 받으셨다 한들
블랑쉐포르 백작가와는 하늘과 땅 차이로군요!
주인어른도 너무하시지…!
우리 아가씨는 자작가의 차남이 꾸리는
이런 한미한 집안에 시집오실 분이 아니었는데!

우리 아가씨는 백작 부인이 아니라,
공작 부인도 되실 수 있는 분이었다고요!

…앞으로도 필요한 게 있으면 뱅상에게 부탁하게.

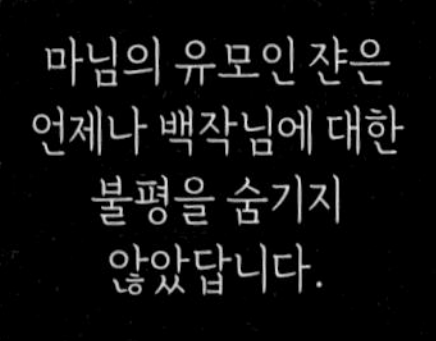

마님의 유모인 쟌은
언제나 백작님에 대한
불평을 숨기지
않았답니다.

심지어
당사자 앞에서도
큰소리를
쳤다는 건

아르노의
사용인들 사이에서는
유명한 일화였지요.

그 후로
백작님은 전쟁에서
많은 승리를
거두며,

마님께서
어떤 사치품을 구매해도
어려움이 없는
부유한 영지를
일궈내셨습니다.

훗!
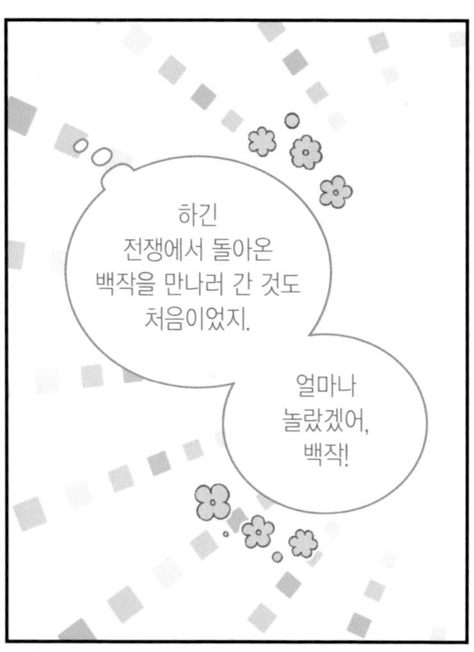
하긴
전쟁에서 돌아온
백작을 만나러 간 것도
처음이었지.
얼마나
놀랐겠어,
백작!

쟌에게
그런 말을 들을
때조차도
표정 하나 안 바꾸고
사무적인 태도로만
일관한 사람이었는데.

그랬던 백작이
처음으로 드러낸
감정이다.

얼굴을
마주하고
자주 대화하다
보면,
후계에 대한
백작의 생각을
바꿀 수
있을 거야!

그때가 되면
반드시 덮칠 테니
각오하라고,
백작!!!
쯔빳

...?
스륵

다음 날.

아르노성은
전에 없던 일들로
소란스러웠습니다.

마님이
백작님을
찾아다녔다는
애기가?
시끌
시끌
마님께서
직접 마당까지
나오셨다니까?
심지어는
그 뒤에 바로
백작님 방까지
찾아가셨대!

그게
사실이야?

말도 안 돼.
그 마님께서?
백작님
방 앞을 청소하는
내 아내가
봤다더라니까?
시끌
시끌

하하하
마님께서 방에
여우털을
두고 가신 걸
백작님이
가지고 나오셔서
마님 어깨에
둘러주셨다네?
방 안에서
무슨 일이
있었대??

백작님 방 앞에는
집사장님이
지키고 계셨으니,
별일은
없었겠지요.

마님께서
그렇게 행동하신 게
처음이었고…
백작님도
그렇게 반응하신 게
처음 아니었습니까?
그래서 도대체
무슨 일이 일어나고
있는 건데?

여하간 좋은 일이 아니겠니?
화알짝

마님께서도 곧 성인이시니,
자녀를 보셔도 이상한 나이가 아니잖아!
조잘
조잘

조잘
그게 아니더라도 두 분 관계가 좋아질 희망이 보인다.
분명 마님께서 마음이 바뀌신 게야!
조잘

흥.
피식
마님께서 마음을 바꾸셨다고…?
그 여자 마음이 바뀌면 뭐가 달라져?

얘, 앙트! 누가 들을라!

그 음침한 여자를
백작님이 받아주셔야 하는 거 아냐?

하!
뭐 어때?

다들 그렇게 생각하잖아~
음침하고 자기 멋대로인 여자라고!

가신들도 하인들도 다 바보같이 들떠서는!
벌떡
마님이 어떤 사람이었는지 하루 만에 다 까먹었니?
방 안에 틀어박혀 소리 지르며 까다롭게 굴던 그 여자를?

그리고
말이 나와서
말인데,
백작님의
침대를 데우는
일은
그런 여자보다
내가 훨씬
잘할걸?

앙트, 너!
입 조심해!
그런 말은
백작님과 마님께
더 실례란 걸
모르니?

하지만
사실은
사실이잖니.
뚜벅

마님은
차가운 성격처럼
피부도
차가울걸?
뚜벅

뚜벅
뱀이나
개구리 같은
파충류처럼
말이야.
마르고
볼품없는 것도
파충류랑
똑같···.
뚜벅

이,
꽉 물어.

결혼장사

Chapter 5

어머나!
형님!
이런 곳에
혼자 계셨나요?

자카리에게
저를 형님 밑으로
넘어주겠다
하셨지요?
그 덕에 저도 이제
아르노성에서
살게 되었답니다.

자카리이이???
?!
뭐야,
이 여자?
설마 백작의
정부인가?!

염려 마셔요,
형님.
활짝
형님을
대신해 제가
자카리와 함께
아르노의
살림을 잘
꾸려나갈게요!

그러니
형님께서는

언제나처럼

방 안에
틀어박혀 지내시면
되어요.

하지만…

제게 정말 필요한 건 당신밖에 줄 수 없어요.

당신밖에 없다고요, 백작님.

찌잭

찌잭
찌잭
찌잭

……
하아….

무슨 놈의 꿈이 이렇게 생생해.
어제 문전 박대당한 충격이 컸나?

백작이 드물게 자기 감정을 드러냈다고 해도…
언제 정부가 들이닥칠지 모른다.

…일단은 백작과
자주 마주치는 게
필요하겠지?

그래야
후계에 대한
이야기를
나누든지
백작을
덮치든지 할 수
있으니까.
끼이익

아이를 달라고
애걸복걸하는 건
수치스럽지만…
어쩌겠어.
나에겐 지금
이 방법밖에는
없잖아.

그 음침한 여자를
백작님이 받아주셔야
하는 거 아냐?
얘, 앙트!
누가 들을라!

다들 그렇게
생각하잖아~
마님이 어떤
사람이었는지
하루만에
까먹었니?
?
슬
쩍

그리고
말이 나와서
말인데,

백작님의
침대를 데우는
일은
그런 여자보다
내가 훨씬 잘할걸?

음침하고 악독한
여자라고,
가문을 먹칠했던
못된 여자라고…
꾸우욱…
길바닥에서
구걸을 할 때도
귀에 박히도록
들어서
아무렇지도 않게
넘길 수 있는
말들이었는데.

지금은 도저히
아무렇지 않게
넘길 수 없어!

마르고
볼품없는…

파충류처럼
차가운 여자라고
했니?

내가 개구리나
뱀처럼 차가운
여자라는 건
알았는데,
독사라는 건
몰랐나 보구나?

그랬으니
스윽
내가 다니는 길에서
막 뚫린 입으로
아무렇게나
나불거렸겠지.

버럭
거기 너!
회초리를
가져오렴!
흠칫

흠칫
넌
참 운이 없는
아이구나.
나는 오늘
어떤 날보다도
기분이
좋지 않단다.

내가 널
봐줄 것 같니?

나를
우습게 봐도
유분수지.

감히
나와 저를
비교해?

고작
하녀 주제에?

손을 내려.
떨
덜
떨
덜
덜
떨
떨
덜

흐억
찰싹
이건
주인과
미친한 자신을
비교한 죄.
찰싹
흠칫
찰싹
이건
주인들의 이야기에
쓸데없이 귀를
기울인 죄.
찰싹
찰싹
이건
입을 가볍게
놀린 죄.
찰싹
이건
주인을
비방한 죄!

누가 가서
집사장님을
모셔 오게!
수군
수군

그리고
감히,
손에 닿지 않는
주인을
탐한 죄!

탁
홱

뭐 하시는
겁니까?!
…경은
누구지?
풀썩
네?
자카리
드아르노의
명예로운
세 명의 부대장을
모르는 사람은
없었지요.

삼익(三翼) 중에
로베르 경은
마님이 오시기 전부터
백작님을 모신
충성된 기사였습니다.

백작 부인께선
내 이름조차
모르셨단
말인가?
로베르입니다,
백작 부인.

아무리
백작께 관심이
없기로서니…

흠
칫~

로베르…?
백작의
삼 부장 중에
한 명
아니었던가?
기억은
안 나지만…

기강을
바로잡는 중이니
이 손 놓게!
그래도 매질은
과하십니다!

아무리
주인이라
하셔도,
사람을 가축처럼
대하시는 것을
보고만 있을 수는
없습니다!

웅성
웅성

어쩌다가 이런 소란이 된 거지?
나, 난 그냥 있는 사실 그대로 말했을 뿐인데….

내가 얼마나 사치스럽고 못된 년인지 떠들어대는 건,
탁
그것이 사실이니 이해할 수 있네.

그렇다고 나는 모욕을 당하는 것을 모른 체할 만큼
마음이 넓지도 않다네!

째릿
내가 못되고 차가운 아내라고 해서,
네가 나 대신
내 남편의 침실로 들어갈 수 있는 건 아니란다.
움찔

무슨 소란인가?
저벅
저벅
…?!

백작?
어째서 백작이
이곳에…?

결혼장사

Chapter 6

하필 이런
타이밍에 백작이
나타나다니….

다행이다!
와아아아
백작님이라면
나를 도와주실
거야!

맞아요.
백작님은 너그러운
영주셨어요.
밀 반 포대를
훔친 자에게 다음 해
밀 한 포대로
갚도록 하고
놓아주신 적도
있지요.

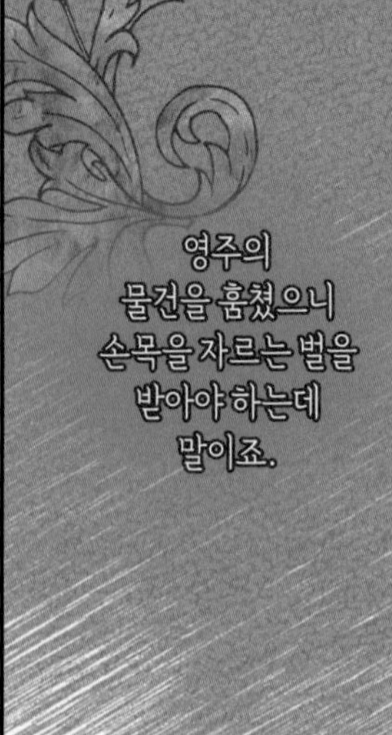
영주의
물건을 훔쳤으니
손목을 자르는 벌을
받아야 하는데
말이죠.

!

홱

…이
아이구나.
당신이
숨겨놓은
여자가….

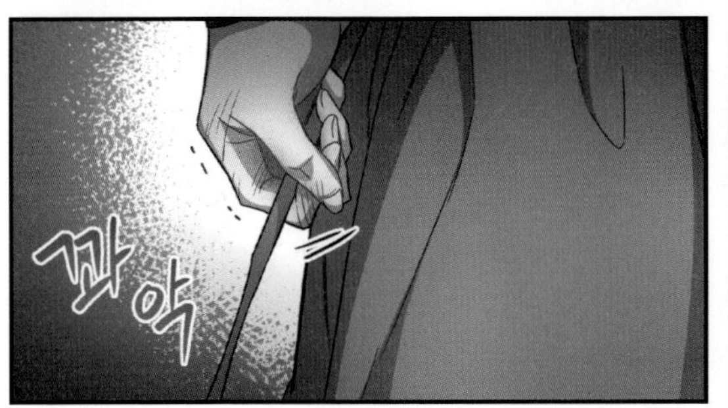
꽈악

비앙카.
손은…
괜찮소?

손?

욱씬
욱씬

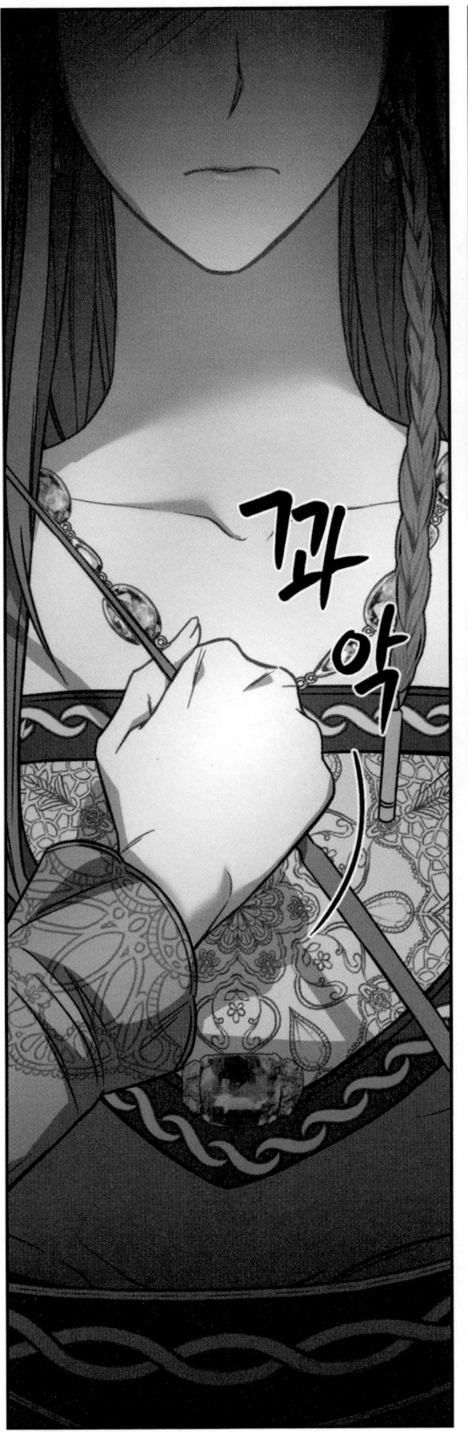
꽈악

뱅상.
아내의 손을 치료해야 하니 의원을 불러주게.

전 됐습니다.
의원은 백작님이 아끼시는 저 아이의 얼굴을 위해 불러주세요.
척

저 아이가 백작님의 정부라지요?
아랫사람을 교육하기 위해 매질을 했습니다.
제가 한 일이 과하다고 생각하지 않지만 오늘은 그냥 물러서죠.

저 아이가 나 대신 당신의 침대를 데울 수 있는 사람이라니까.

파
칵

마, 마님!!
치료는??
벌
벌떡
되었네!
하녀를 매질했다
동네방네
소문 낼 일 있나?

저 아이
고운 얼굴이나
잘 치료해주게!

또각
또각
…너,
또각

어떻게
된 일인지
설명해
봐라.

샤라
글썽
라
라
백작님…
저, 전
그냥…
바닥을 열심히
닦고 있었을
뿐이온데….

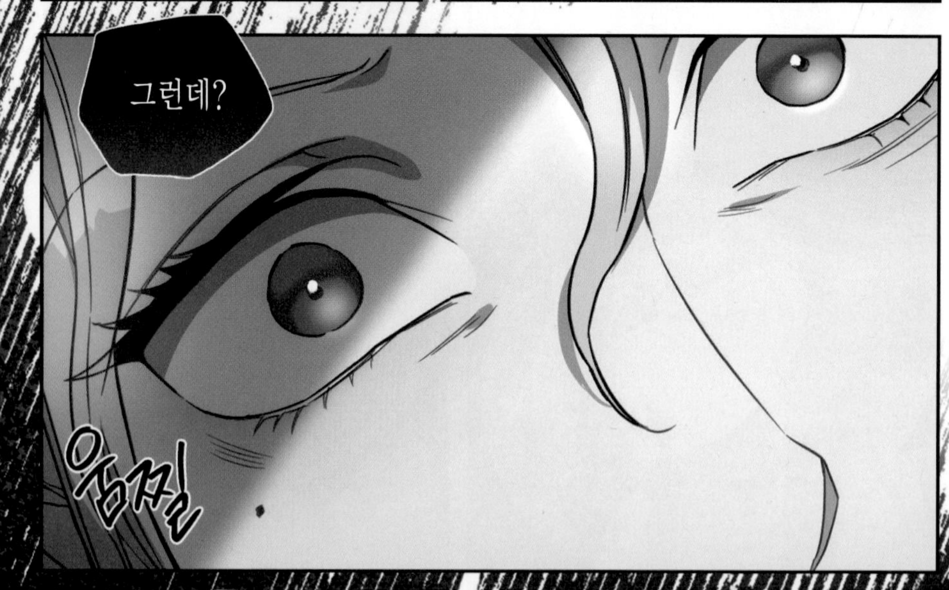
그런데?
움찔

바닥을 닦고
있었을 뿐인
너를
으득
어째서
내 아내가…
내 정부라고
생각하는
거지?
히끅

뱅상.
덜
덜
덜

성안에
시끄러운 일
없게 하게.
저벅
저벅

넌 집으로
갈 채비를
하거라.
깜짝
?!

이 아이에게
전후 사정을 듣고
온 길이었다.
사용인의
미덕은
입조심인데,

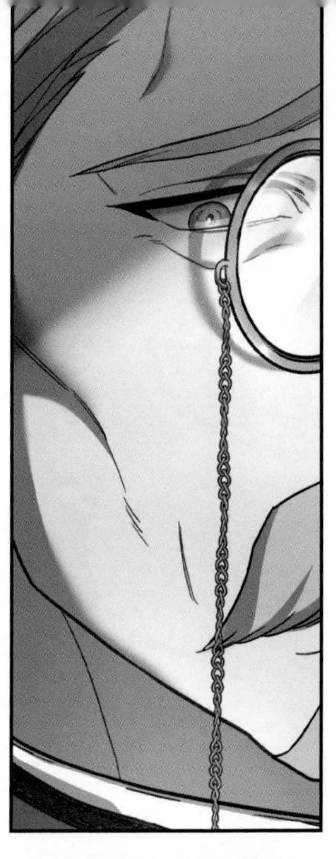

네 입은 너무 가볍구나.
이 성에는 맞지 않아 보이니
그만 집으로 돌아가거라.

자, 잠깐!
집사장님, 잠깐만요!
제 말 좀 들어주세요, 집사장님!!

로베르 경께서는 여기서 무얼 하고 계셨습니까?

…부인께서 하녀에게 손찌검 하시는 걸 보고 말리고 있었습니다.
저 하녀가 그런 말로 부인을 욕보였다면 충분히 화가 나실 일이었군요.

하지만 조용히 넘기시지 않고
직접 손을 올리신 게 조금 놀랍습니다.

성 안팎살림에 관심 하나 없던 분이 그런 말씀을 하시다니.
부인께서는 방에 계시거나 물건 사시는 일밖에 더하셨습니까?

마님께서 오늘 하신 일이 안주인의 역할이긴 하지요.
조금 거칠기는 했지만요

무슨 이유인지 모르겠지만 확실한 것은…

마님께서 아르노에 대한 마음가짐이 달라지셨다는 겁니다.

아파!
팡
팡
손이 너무 아파…!

내 손이 이렇게 부었으니…
그 계집애 손은 누룩 반죽 같아졌겠지?

그렇게
생각하니까
속은 시원하다.

꾹

그
계집애는
백작이
달래주고
있으려나….

나에게 맞아서
통통 부은 손에
입 맞춰주면서,
언젠가는
나를 쫓아내고
백작 부인의
자리를 주겠노라
속삭이고 있겠지.

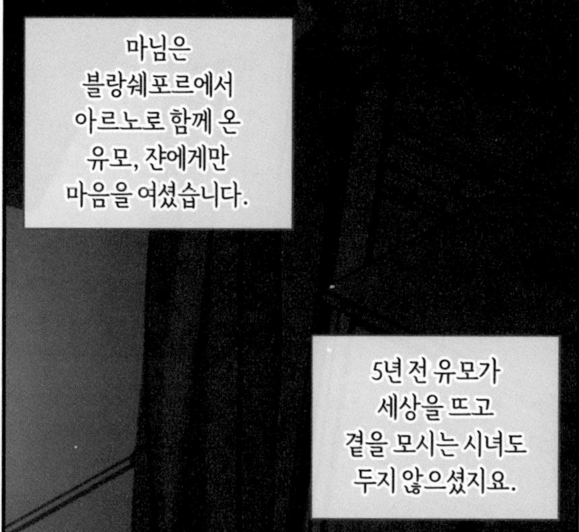
마님은
블랑쉐포르에서
아르노로 함께 온
유모, 쟌에게만
마음을 여셨습니다.
5년 전 유모가
세상을 뜨고
곁을 모시는 시녀도
두지 않으셨지요.

어린 마님께서
아르노에서
의지할 사람은
아무도 없었습니다.

이 이야기를
전해드리는
저는,
그저 마님의
방 앞을 쓸고 닦는
한낱 하녀였지요.

그저… 외롭게
혼자 아픔을
견디실 마님을
멀리서
지켜볼 수밖에
없었답니다.

하지만….

손의 붓기와
열기가 많이 가실
거랍니다.
민간요법이긴 하지만요.

의원을 만나는 게
달갑지
않으시다면
이런 찜질은
어떠신가요?

한 번만
맡겨주세요!
찜질만 해드리고
조용히, 빠르게
사라지겠습니다!
네, 마님?

……ᑌ
어어…
그래, 한번
해보렴.
팅!
초롱
초롱

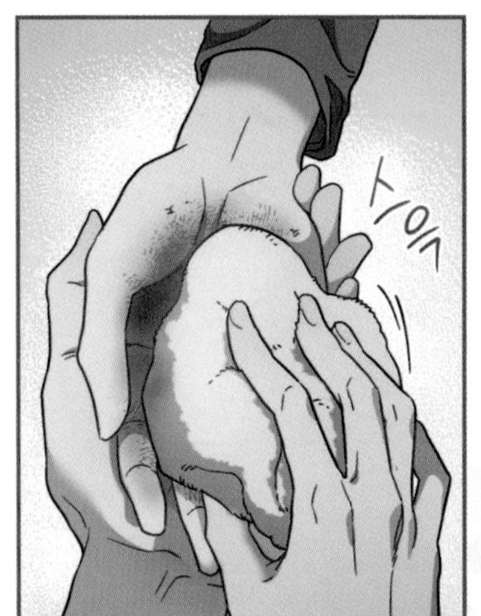
스읏

움찔
아프시지요?

살살할게요,
마님.
조금만
참아주세요

따뜻해.

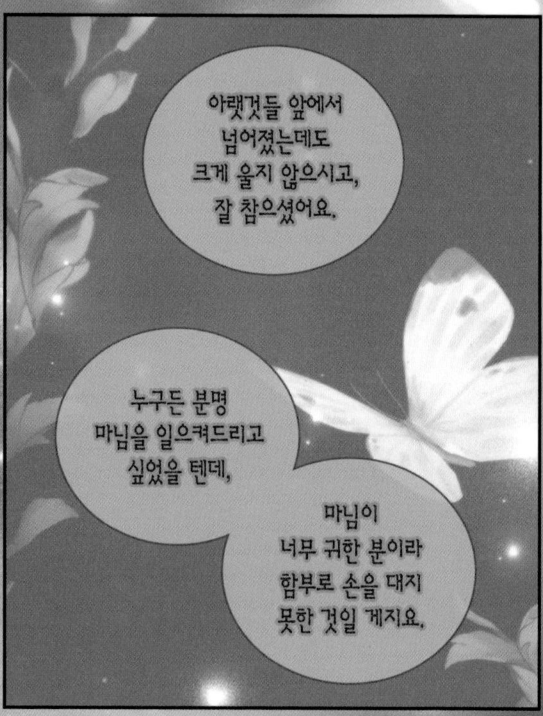
아랫것들 앞에서
넘어졌는데도
크게 울지 않으시고,
잘 참으셨어요.
누구든 분명
마님을 일으켜드리고
싶었을 텐데,
마님이
너무 귀한 분이라
함부로 손을 대지
못한 것일 게지요.

나중에 마님의
마음을 헤아려줄
사람이 나타날
거랍니다.

그런 사람이
나타나면,

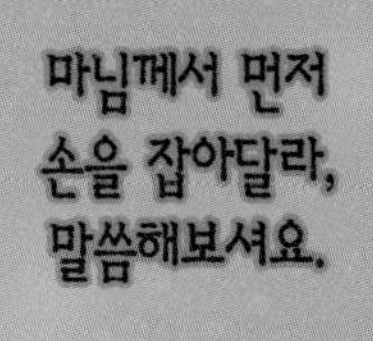
마님께서 먼저
손을 잡아달라,
말씀해보셔요.

…넌 이름이
뭐니?

네, 마님
이본느라고
합니다.

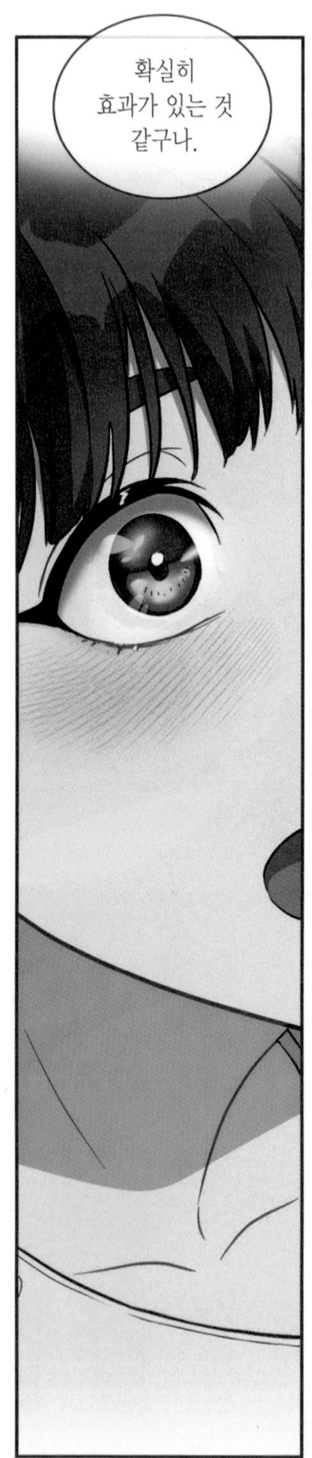
확실히
효과가 있는 것
같구나.

…혹시 내일도
약초 찜질을
해줄 수 있겠니?

마님의 명령 아래
거절에 대한
두려움이
느껴졌습니다.

하지만, 마님께서
먼저 손을 내밀어
부탁하신 거였어요.

드디어 제가 마님께
해드릴 수 있는 게
생겼다는 기쁨이
올라왔답니다.

백작은
사랑하는 여자가 있으니
나와 아이를 가지려고
하지 않을 것 같고….
아이가 없다면
아르노에서의
내 입지는
불안정한데….
어떻게 하지?
무얼
해야 하지?
무얼 해야
살아남을 수 있지?
비앙카?

어머,
고와라.

훽
아,
죄송합니다.
마님!

바, 바닥을 보니
이게 떨어져
있어서요.
너무
아름다워요
팔랑
꼭
여신님의 날개옷
같아요.
이렇게
고운 천은
처음 봤어요.

그래….
내게 그것이
있구나.
씨익

그래.
백작의 후계자,
아버지, 오라버니가
아니라도…
내 힘이
되어줄 무기가
있어!

결혼장사

Chapter 7

십 년 전

세브랑 수도
라호즈

이보게!

저벅

저벅

타

다

닷

젊은 기사님,
잠시만!

헉
다리가… 길어서 그런지 걸음이 빠르군….
헥
경, 혹시… 워그 자작의 아드님 아닌가?
…워그가는 3년 전에 형님께서 작위를 이으셨고,
저는 아르노의 영지를 다스리는 자입니다.
…그렇다면 전 워그 자작의 아드님이시군. 자카리 드 아르노 남작.

난 귀스타프 드 블랑쉐포르 라고 하네.
반갑네.
블랑쉐포르 백작…!

세브랑의
충신이자
1왕자
고티에 전하의
오른팔…!
몰라뵙고
실례를
범했습니다.
꾸벅
괜찮네~
괜찮네~
잘 가던 사람을
붙잡은 건
나 아닌가~

잠시 시간을
좀 내어줄 수
있을까?
전부터 남작과
대화를 해보고
싶었거든.

화차(花茶)
일세.

일 왕자비
전하의 정원에서
자란 꽃들을 조합한
것이라네.

요즘
이국에서는
이렇게
꽃이나 잎을
따듯하게 우려
마시는 게
유행이라 하는군.
향긋
하하하
용맹한 기사와
이렇게 향기로운 시간을
보내게 되다니,
유쾌하구먼.

탁

…제게 하실 말씀이 있군요?

나는 이날 이때까지,
충성을 다해 세브랑 왕을 섬겼다네.

그리고 1왕자이신
고티에 전하가
세브랑의 군주가
되실 것이며,
새로운 왕좌의
마땅한 주인이심을
의심한 적이
단 하루도 없었어.
2왕자, 자코브를
새로운 왕좌의
주인으로
지지하는 세력이
존재한다는 것을
알고 있어도
말일세.

물론 아직
작은 세력이지만,
안심하긴 이르지.

자네가
1왕자 전하의
검이 되어주지
않겠나?

…제안은 감사합니다만,
전 이제 막 남작위를 받은 햇병아리에 불과합니다.
아무 명성도 없는 제가 감히 고티에 전하를 곁에서 보필해도 되겠습니까?
아무 명성도 없는 자라니,
겸손이 과하구먼~

열여섯부터
단신으로 전장을 누비며
남작위를 손에 넣은

그리고,
블랑쉐포르는
과거에도 앞으로도
고티에 전하의 곁에
함께라네.
이 귀스타프가
다른 분도 아니고
평생 주군의 검이 될
자를 고르는데
아무것도 고려하지
않았을 것이라고
생각하는가?

세브랑의
검은 늑대,
자카리
드 아르노.
햇병아리의
명성으론 날카롭기
그지없지.

단도직입적으로
말하겠네.
나와 같이
고티에 전하를
섬기는 영광을
누리시게.
세브랑의
빛나는 미래가
자네를
원하네.

…충성을 바칠 주군이 다른 이도 아니고 국왕이 되실 분이라면,
그 물음에 어찌 거절할 수 있겠습니까?
앞으로도 많은 지도 편달 부탁드립니다.
백작 각하.

활짝
그래, 그래~
나도 앞으로 잘 부탁하네~
그리고 한 가지 더.
일종의 제안인데 말일세.

결혼
어떠한가?
…네?
하하하
…각하와요?
하하
자네,
편견 없는
자로군~
난 이미
임자가 있는
몸이라
곤란하다네~
내게
혼인을 하지 않은
사랑스러운
딸이 있네.
우리 딸아이와
혼인을 하면 남작은
단순한 동지 정도가
아닌,
블랑쉐포르의
가족이 되네.

내 인맥과 재산을 총동원하여 남작을 전폭적으로 지지해줄 수 있다는 말이지.
그런 가치가 있는 결혼이라고 생각하네.

이 기회를 잘 이용해주었으면 좋겠군.

가치 있는 결혼.

블랑쉐포르
백작님의 제안은
거절하기 힘든
것이었습니다.

위그가에서
맨손으로 쫓겨난
백작님께는
말이지요.

명예와
배경까지 얻는
이 결혼은,

어떤 식으로든
남는 장사임에
분명했습니다.

결혼이 장사라고 한다면,

백작님은 자신을 블랑쉐포르의 군마로 판 것과 같았습니다.

마님의 모습은
백작님께 여러 생각이
들게 했습니다.

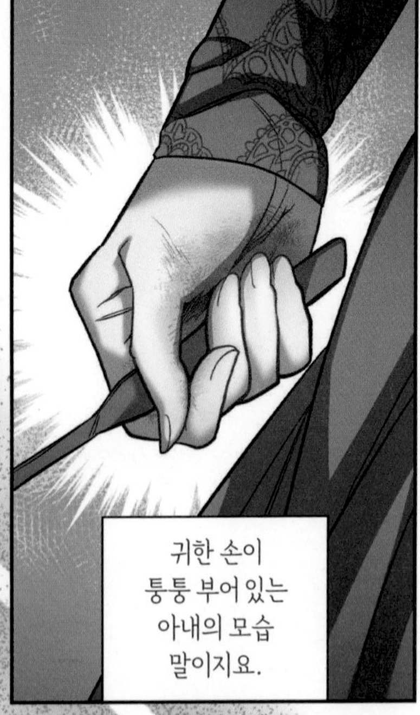

앙트를 쫓아낸
그날 저녁,
백작님은 급하게
세 명의 부장을
소집하셨습니다.

저벅
저벅
이렇게 급하게
무슨
일이시지?

저벅
설마
아라곤이 다시
침공한 건가?

어제
귀환했는데,
또 전장으로
가야 하나?

뚜벅
뚜벅
뚜벅

부르셨습니까,
백작님!
벌컥

빨리 왔군.

무슨 일입니까,
백작님?
설마 아라곤이
또 침공한
겁니까?
출정을
해야 하는
것이라면….

그보다
더 중요하고
큰일이네.

전쟁보다 더 중요한 일…!
도대체 뭐길래….
…백작님이 쓰신 저것, 안경인가?
다리 달린 녀석도 엄청 멋스럽잖아?
백상 님의 모노클도 좋지만.

내 아내의
호위가 되었으면
하네.
자네 셋 중
한 명이 말이지.

···네?

예?!
진짜
출병보다
큰일이잖아요??

방에만 계시는 백작 부인께 웬 호위입니까?
…오늘 일 때문에 그러시는군요.
앞으로도 그런 일이 또 일어날 거라고 생각하신 겁니까?

오늘 일? 아~ 하녀를 곤죽으로 만드셨다는 그거?
핫-!

그런 일이 또 발생했을 때 목격자들의 입막음을 할 사람을 붙이시는 건가?
아니면 피해자들에게 합의금을 내줄 사람이 곁에 있어야 하니까?!
시끄러워, 소뵈르. 넌 좀 닥쳐봐.

듣자 하니
비앙카는 방 안에서
꼼짝 않는 날이
대부분이었다고
하는군.
그런데 방 밖으로
나오자마자
그런 일이
생겼으니….
앞으로는
아내가 다치지
않도록,
내가
제일 신뢰하는
사람을 곁에
붙여주고 싶어.

이 아르노에서
비앙카는…

그럴
가치가 있는
사람이니까.

결혼장사

Chapter 8

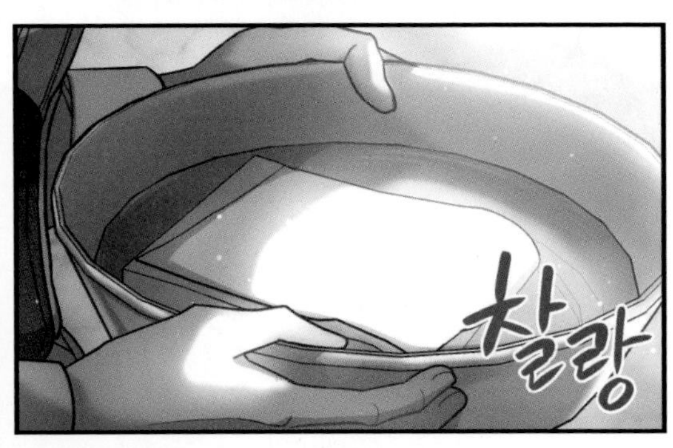

끼익!..
마님.
좋은 아침이에요!

또끈
또끈
끙…

아, 아직 주무시는구나.
살금!..
잠 깨실라….

새근
새근
스르륵…

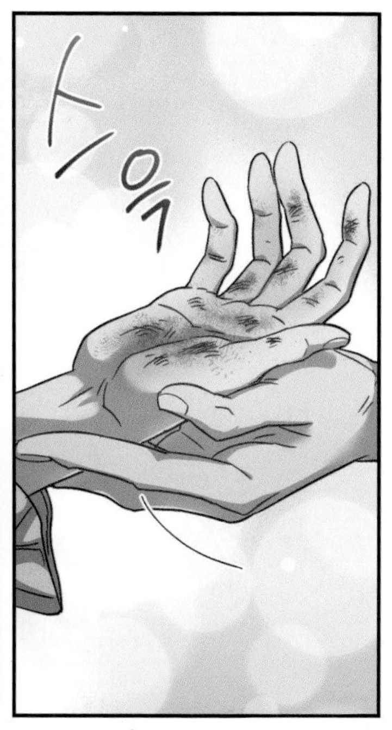
스윽

손이 아직도 이만큼 부어 있네.
의원에게 보이면 금방 나을 텐데….
쪼르륵

살폿…

감히 마님을
비슷한 처지로
생각하는 건
아니었지만,
저에게는
마님과 비슷한
나이의 동생이
있답니다.
제 동생 루시는
나이 차이가 많이 나는
목수와 결혼해서,
자주 만날 수가
없었지요.

이 큰 성에
홀로 외로워하시는
마님을
생각할 때마다
제 동생이
떠올랐답니다.

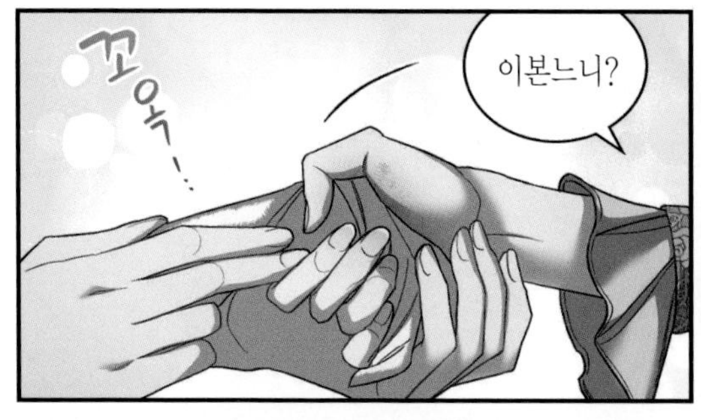
꼬옥…!
이본느니?

마님!

죄송해요,
저 때문에
깨셨어요?
부스스
안 그래도
일어났어야 하던
참이란다.
네 덕에
늑장 부리지
않게 되어
다행이지 뭐니.

사락
옷 갈아입는 걸
도와주겠니?

마님,
나가시려고요?
그래.

오늘은
해야 할 일이
아주 많거든.

뚜벅
뚜벅

으슬
아직은 좀 쌀쌀하구나.

마님, 제가 칠칠맞아서 마님의 여우 털을 두고 왔네요.

싱긋
저 아이, 눈치가 빠르네.
똑똑하고, 배려하는 마음씨도 예쁘고.

얼른 방에 다녀올게요!

만약
지난 생에
만났더라면,
결과가
조금이라도
바뀌었을까?
조금 더 일찍
알았더라면….
휙
탁
정신 차려,
비앙카.

만약이라는
가정은 이제
필요 없다.
새롭게 주어진
삶에 집중해도
시간이 부족하니까.
지나간 후회로
내 시간을
낭비하지 말자.

…마님?
방금,
뭐라고….
투둑

자네는
내가 시집오기
한참 전부터
이 아르노의
살림을 알뜰살뜰
돌봐왔지
않은가.

그,
그렇습니다만….
본래라면
시집온 안주인이
돌봐야 했던
일이지만,
내가 어려
그러지 못했지.
그렇지요…?

내 나이
열여덟!!
척!
적극적으로
살림을 돌볼 수
있을 만큼 나이가
차고 넘친다네!
내게 살림을
야무지게 가르칠 자,
자네 말고 누가
있겠는가!
두
둥
그러나 나에게
적극적으로
살림을 가르쳐주길
바라네.
뱅상!
두근
마님이
내 이름을 제대로
불러주셨어…!
찔끔
왜 이런
당연한 일로
기분이 좋아지는
거야….

그러고 보니
흰 여우 털 모피
이후로 뭔가 좀
달라지시긴 했다.

사치품을
들이시는 것도
이전 같지 않으시단
말이지.
전에는
강강강강강의
사치를
하셨다면…
지금은
강약약중강약약
정도랄까.

어제 일도
하녀의 실언
때문이었고.

체벌은
과하였지만
방관하지 않고
기강을
바로잡으시려 한
결과 아닌가?

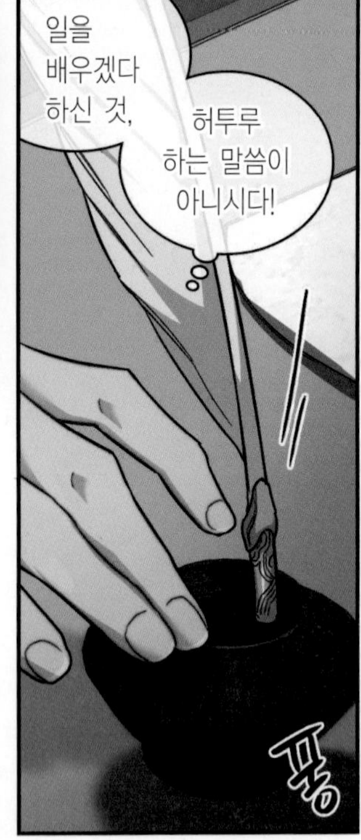
일을
배우겠다
하신 것,
허투루
하는 말씀이
아니시다!
퐁

삐쌩!
저만 믿어주십시오, 마님!

벌떡

백문이 불여일견이라 했습니다.
말이 나온 김에 직접 영지를 돌며 설명드리겠습니다!
벌컥

척
가시지요!
척
척
백작과의 사이에서 아이를 보는 것이 쉽지 않은 일이라는 건,
이미 지난 생에서도 증명된 일.
그렇다면 내가 지난 생에 하지 않았던 일부터 시작하자.
아르노의 살림.
일을 배우며 이 아르노에서 내게 필요한 사람들을 찾아내자.
그 사람들을 통해 아르노를 성장시키면,

백작도 내가
천지 분간 못 하는
어린아이가
아니라

정치적 동반자가
될 수 있다는 걸
알게 될 것이다.

실은 마침
드릴 말씀도
있었답니다.
마님의
호위에 대해서
말입니다.

호위라니
무슨….
휘이이잉

네.
세 분 중
한 분께서
오늘부터
마님을 모실
겁니다.

로베르 경과는
어제
만나셨지요?
이분은
가스파르 경.
성정이 과묵한
편이십니다.
여기
소뵈르 경은
자유민 출신
이시지요.

두근
그럼 마님,
어떤 분과 함께
하시겠습니까?
두근
?!
갑자기…
고르란
말인가?
쇠뿔은 단김에
빼는 거랍니다.
마님!

백작의
충성스러운
삼 부장들….
대놓고
꺼림칙한 얼굴인데
어떻게
고르라는 거야.

되었네.
자네가
옆에 있지
않은가.
수가 늘어나
소란 떨며
다니는 건
피하고 싶네.

외람되오나
마님, 이건….
?

영주님의
명령입니다.

영지에서
절대적인 힘을
가진 자의 정치적
동반자라니….

영주의 명령

내가 너무
앞서 나갔구나.

지금도
겨우 내 호위를
붙이는데
두근
두근
다른
사람들도
아니고
백작 본인과 제일
가까운 사람들 중에
선택하라고
명령했다.
두근
호위는
허울 좋은 핑계고,
혹시 날 감시하려는
것 아닌가?
마님의 마음은
무척 참담하셨을
겁니다.
호위라는
이름의
감시가 붙어

마님께서 성안에서
벌이는 모든 일이
백작님의 귀에
들어가게 된다면…
이아르노에서
마님과
백작님이
부부로서
동등한 입장이라
말할 수 있을까요?

결혼장사

Chapter 9
지난 화 <결혼 장사>!
살림을 배우시겠노라
결심하신 마님의 호위…!
삼 부장 중 한 사람이
마님의 선택을
기다리고 있다…!
호위의 나날은
꽃길인가 가시밭길인가…!!!
누구한테
얘기하시는
겁니까?
과연 마님은
누구를 선택할
것인가…!!!

하긴, 아내는 평생 남편의 허락을 받고 살아야 하는 입장.
그간 백작이 나한테 아무런 요구를 하지 않았잖아.
좋게 생각하자.

로베르
저 남자는 어제 내 말을 듣지 않고 제지부터 하려 했지?
다니면서 잔소리할 것 같아.

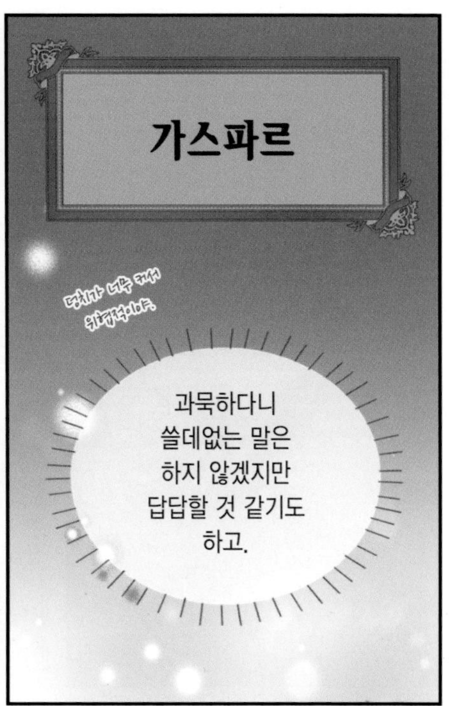
가스파르
덩치가 너무 커서 위협적이야.
과묵하다니 쓸데없는 말은 하지 않겠지만 답답할 것 같기도 하고.

소뵈르
자유민 출신이랬지? 자유민이라….

베시시
척!

엄청 눈치 없어 보여.
저 남자는 절대 안 되겠다.
으윽…

꿀록
인생을 두 번 살았어도
이것보다 압박받는 선택은 없었던 것 같은데.

다 별로인 와중에 굳이 한 명 정해야 한다면….

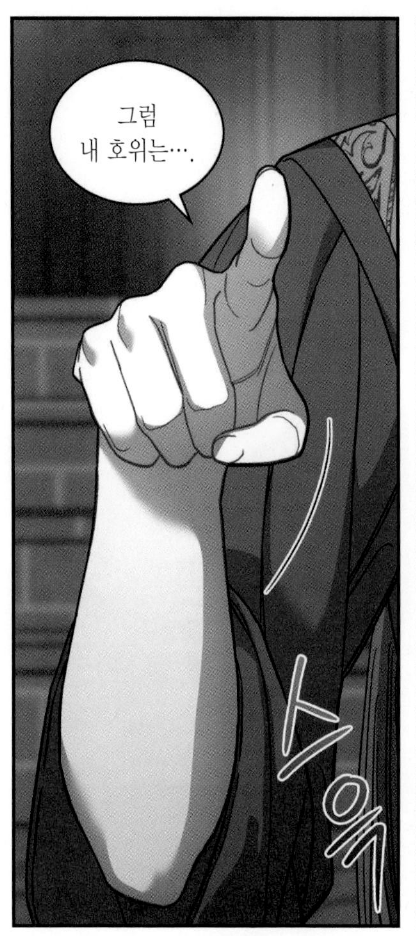
그럼
내 호위는….
스윽

포옥

두근
두근

누,
누구야?
설마…!
마님,
죄송해요!
이곳에
계신지 모르고
집사장님 방까지
다녀오는 바람에
좀 걸렸어요.

화기 애애
고맙구나, 이본느.
너야말로 오르락내리락 고생했겠구나.

전 괜찮아요, 마님!
튼튼한 게 제 특기니까요!

누구야, 저 귀여운 하녀는?
백작 부인이 친근하게 행동하시는데?
…글쎄, 시녀인가?
소곤
내 이름도 모르셨는데, 저 사용인의 이름은 정확히 아시는 걸 보니….
움찔

꾸벅
흔들
숨 막히는
상황이었는데,
이본느 덕분에
긴장이 풀렸네.
꽈악
그건
그렇고…

짜릿
어떻게
먼저 나서는
인간이 한 명도
없냐.

스윽
…제가

제가
마님의 호위가
되겠습니다.
가스파르?

저 남자는
덩치도 백작이랑
비슷한 것
같은데,
무슨 생각을 하는지
알 수 없는 것도
백작이랑 똑같네.

대뜸 나서서
호위가
되어준대도…
무슨 생각인지
모르겠으니
마음이 불편해.

너
진심이야?
묵
묵
아냐,
농담하는
거지?

다 들려….

적어도
시끄럽지는
않겠네.
나는
상관없네.

착
네,
알겠습니다.

자작
이걸로
마님의 호위는
자작
자작
가스파르
경으로
결정되었습니다~
자작

시간을 너무
허비했군.
그럼 침방부터
보여주겠나?

뚜벅
뚜벅
비앙카.

뚜벅
뚜벅
백작?

우뚝
……….
왜, 왜요?
왜 남의
얼굴을 그렇게
뚫어져라….

잠깐
얼굴 좀 만지지.

네?

스윽
!!

두근
두근
두근

스륵

…열이 있군.

네?
핫
스윽

…!
정말이네요.
외투 없이
밖에 오래 계셔서
그랬나 봐요.

백작의
집무실
힐긋

백작님,
계속 보고 계셨던
건가?
?
포옥

오늘은 방으로
돌아가는 게
좋겠구나.

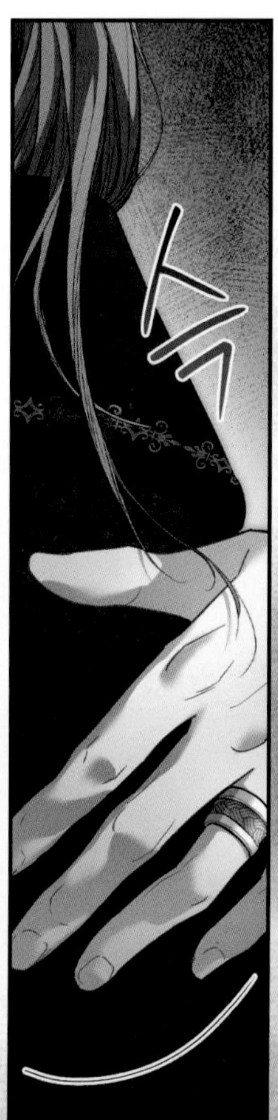

할
말이라니….

설마….

저벅
저벅

백작님이
부인을 에스코트
하고 계셔…!
꺄

힐끔
할 말이라니 뻔하지.
어제 일 때문일 거야.
그 계집에게 사과를 시키려고 하는 거겠지.
후실로 들여와야 하니 나와 그 계집 사이를 고쳐놓으려고.
어떻게 생겼는지 벌써 잊어버렸네. 금발이었던 건 기억나는데…
?

내가 열이 없었다면 무슨 핑계를 대려고 했나요?
우뚝

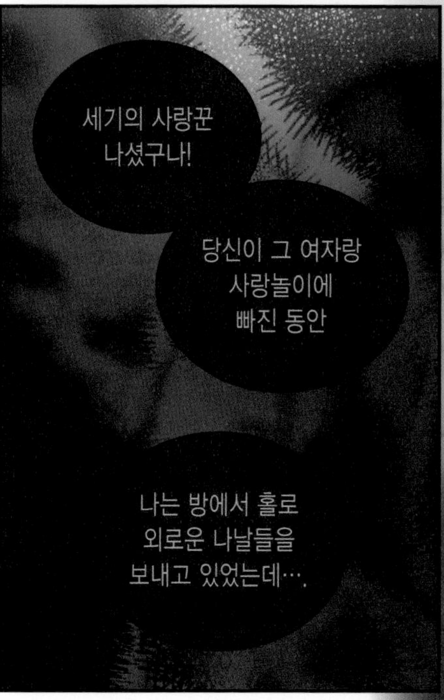

세기의 사랑꾼 나셨구나!
당신이 그 여자랑 사랑놀이에 빠진 동안
나는 방에서 홀로 외로운 나날들을 보내고 있었는데….

까득

그 애한테 사과하라고 하시는 거면 안 할 거예요.
나도 자존심이라는 게 있어요.

그 애가 당신이 사랑하는 여자일지 몰라도
아르노 백작 부인은 나라고요.
…아직은.

그 하녀라면
내쫓았소.

네?
내쫓았다니….

설마 이런 식으로
내 마음에 빚을
지울 셈이에요?

…….

나에게
정부 같은 건
없소.

…어물쩍
넘어가려는
거죠?
어린애 취급이나
하고….
그런 말에는
절대 안 속아요.

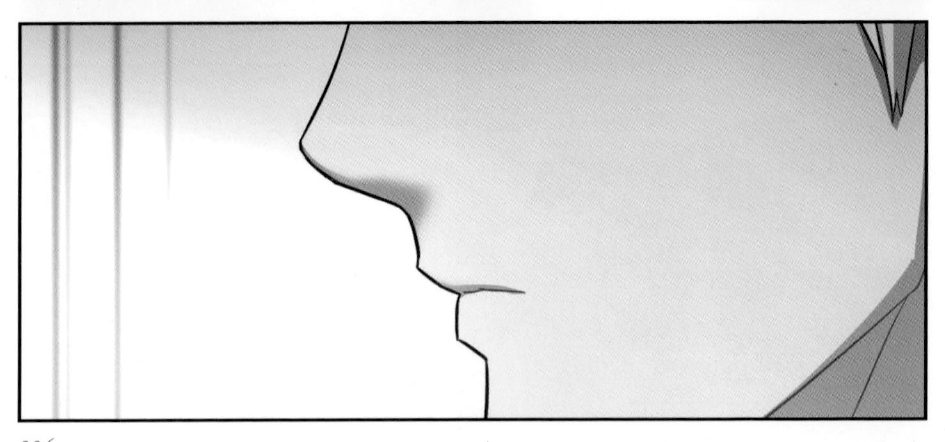

날 얼마나
무뢰한으로
보고 있는지는
모르겠지만.

당신의 남편이
아내 몰래 정부를
둘 만큼…
그렇게
파렴치한 사내는
아니오.

두근
열이 나서
그런 걸까?
두근
아니면
시야가 가려져서
그런 걸까…?
두근
누구의 것인지
모르겠는
심장 소리가

두근
너무 크게
들려.

결혼장사

Chapter 10

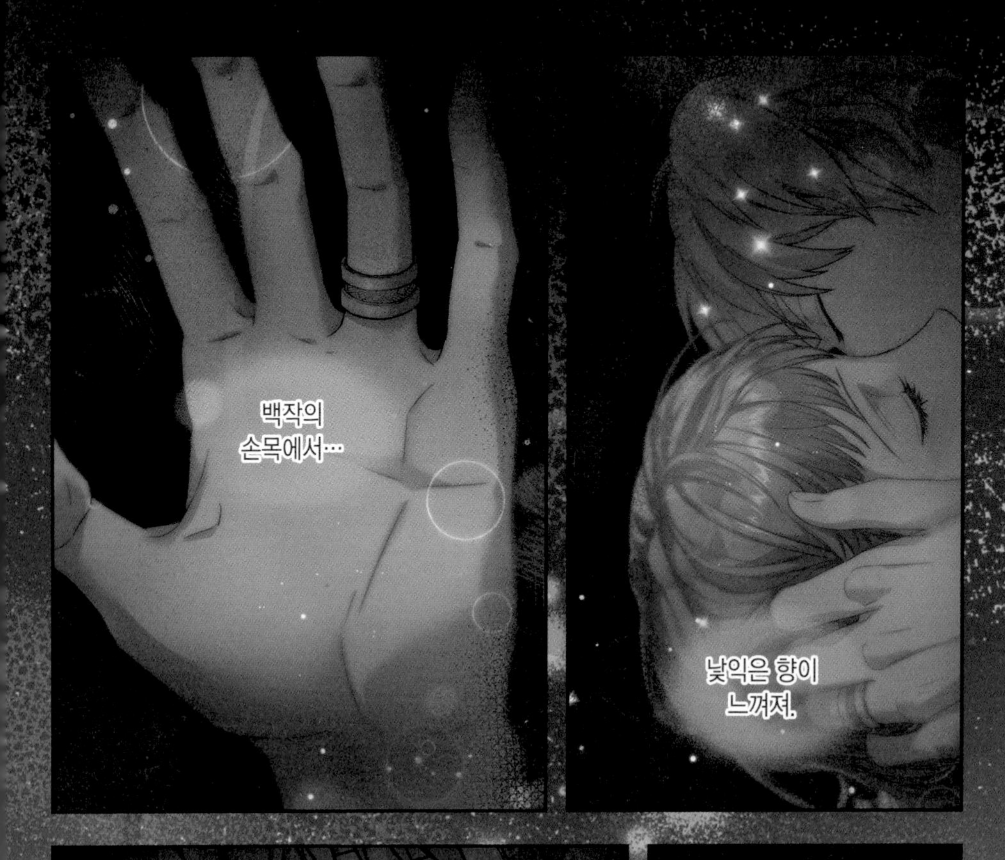
백작의
손목에서…
낯익은 향이
느껴져.

지난 생에도
맡았던…

사향
냄새….

미쳤나 봐.
나 지금
무슨 생각을
하는 거야?

…그 아이는
당신의 여자가
아니었다는 거죠?
그래요.
그렇게 정부 얘기가
듣기 싫으면
슥
없다고 생각하고
다시는 입에 올리지
않을게요.

하아…

그대는
고집스럽기
짝이 없군.
흥!

예나 지금이나
우리 사이에 아이가
있었다면
그런 의심은
추호도 하지
않았겠죠.
귀부인 나이가
열여덟인데
아이 하나 없다
하면
다른 이들이
뭐라
생각하겠어요?
그대가
믿든지 말든지,
정부가 없다면
없는 거요.
후계도
아직 이르고.

당장 후계를
보실 생각도 없으면서
호위는
왜 붙이세요?
어쩜 하나같이
곁에 두기에
부담스럽기
짝이 없는 자 중에
고르라고….
구시렁
구시렁
어제처럼
혼자 다니다가
무슨 일이 생기는 것을
방지하기 위함이오.

이젠
내 시녀가 있단
말이에요!

훈련받은 기사와 집안일을 하던 하녀, 누가 더 그대를 잘 지키겠소?
하녀는 그래봤자 하녀요!

K.O
땡
땡
철혈의 백작이라 불린다더니…
철혈이 아니라 철벽이잖아…!

부글
내 고집이 세다고?
자기 고집도 만만치 않으면서…!
부글

당신의 성을 다니는데 또 무슨 일이 생기겠냐고요!

…비앙카.

아르노성은
나 혼자의 성이
아니라,
우리의
성이오.

우리?
우리라니….
백작이 자신과 나를 하나로 묶는 말을….
지난 생에선 한 번도 한 적이 없었는데.
만지작

열이 더
오르고 있군.

말다툼은
여기까지만
합시다.

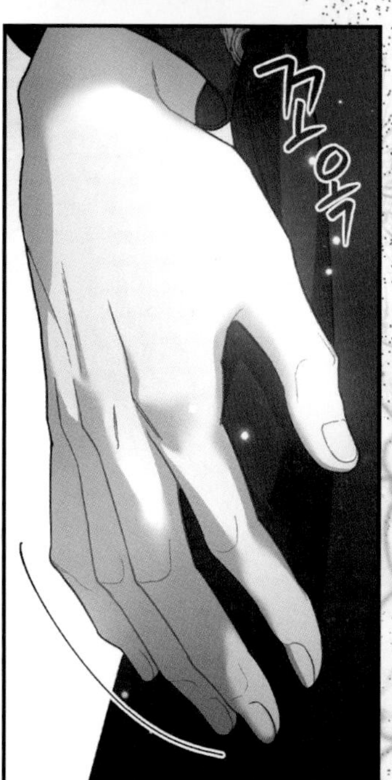
꼬옥

"당신이
오늘 내 계획을
다 망쳤다고요!"

"우리의 대화가
말다툼씩이나
된 일이었나요?"

"나에게 무슨
말을 하려
했잖아요?"

하지만 마님은
열이 점점 올라
며칠을 지독하게
앓으셨습니다.
어디서부터
시작된
열이었는지,
반추하는
꿈을
꾸면서요.

가스파르가
비앙카의 호위를
맡기로 했다고.
달칵

가스파르가
담당했던 업무를
로베르와 소뵈르,
분담할 수 있겠나?

병참은 제가
맡겠습니다.

마사는
이 몸에게 맡겨,
가스파르!
마님의
호위에 최선을
다하시라고!

오랜만에
뱅쇼를
끓여봤습니다.
마님이 한동안 제게
심술을 부리시는 바람에
뱅쇼라고 불렀었는데
말이지요.

그러더니 오늘은
갑자기 살림을
가르쳐달라
하시고.
달그락

마님의 마음이
연잎에 떨어진
물방울 같아
어디로 튈지
알 수가 없군요.

…분명 평소엔
방 밖으로도
잘 안 나온다
했지?
네.
그랬습니다.

그랬던
마님께서
지난 며칠간….
참으로
많은 일을 몰고
다니셨지요….

그러고 보니…
마님과 무슨 말씀
나누셨는지요?

그래,
나도 그게
궁금했어.
무슨 중요한
얘기길래
하녀까지
떼어놓으시고.
역시
겨울밤에는
뜨끈한 뱅쇼가
최고지…!

내가 여자를
숨겨놓았다고
생각하더군.

아마도
블랑쉐포르로
보내질까 염려하던 게
아닐까 싶어.

내가 못되고
차가운 아내라
해서
네가 나 대신
내 남편의 침실로
들어갈 수 있는 건
아니란다.
그래서 어제
그렇게…
하녀의 말에
불같이 화를
내셨나?
…혹시 비앙카가
블랑쉐포르로
보낸 편지가 있나?
전혀요.
보내지도 않으시고
받은 것도
없습니다.

블랑쉐포르
백작….
그가 편지를
보낼 거란 생각은
하지도 않았다.
5년 전,
전염병으로
비앙카의 유모가
죽었을 때의 반응을
떠올리면….

비앙카가
많이 힘들어
합니다.
처에게
어머니 같은
자였으니….
…전염병이
아르노도 할퀴었다면
세브랑 전역이
영향권에 들겠군.
폐하께서
전염병으로
피해를 입을 백성에게
구휼미를 베푸시도록
간언을 드리라고
1왕자 전하께
말씀드려
봐야겠네.

그는
비앙카에게
관심이 없다.

뱅상 자네가
어련히 알아서
잘하겠지만
탁
비앙카가
배우고 싶어 하는
일이 있다면
적극적으로
가르치게.

특히
어떤 것에
관심을 갖는지,
자세히 관찰하고
내게 보고해주길
바라네.

그리고 살림을
익히는 것들은
봄이 오기 전에 끝낼 수
있도록 하게.

푸읍
수도 라호즈에 비앙카도 데리고 갈 테니까.

사아아아…

하마터면 올해 전부 백작 부인 욕받이가 될 뻔했잖아…!
라호즈까지 모시고 갈 내내 무슨 일이 일어날지 눈에 훤하다.
호르륵
달달달

콜록
부인의 호위는 일시적인 게 아니었구나…!
기껏해야 한 분기 정도라고 생각했는데!

짜잔
짜잔
소뵈르 뵈내 극장
짜라
짜라라

촤라락

비앙카
백작 부인 역
소뵈르
팔랑
팔랑
이놈의 마차는 언제까지 타고 가야 하지요?
티타임을 가지고 싶으니 잠깐 멈춰보아요!

가스파르~~!
더 이상 못 참겠어!
오늘은 그만!
마차를 그만 타도록
하겠어요!

가스파르 역
소뵈르
백작 부인,
좀만
참으시지요.
지금 멈추면
숲속에서
야영해야 합니다.

철벽
키야앗
그건 너네
사정이고!
그 너네에
부인도
포함입니다.

난장판~
가스파르,
눈치도 더럽게 없어서
장단 하나 제대로
못 맞추겠지.

힐끔
그런데 부인은 갑자기 왜 데려가시려는 거지?
하도 어릴 때 시집오셔서 깜빡했지만
열여덟이면 아이도 둘, 셋은 보시고,
성에서 살림이나 하며 남편을 기다리는 게 부인의 일 아닌가?
하긴 두분은 아직 후계가 없으시니….
분명 부인이라면 유행의 중심인 수도에서 이것저것 어마어마하게 사재끼실 텐데….
그건 좀 부럽군.
끙

아.

백작님,
설마…
원정에
부인을 모시고
가는 게…

이참에
후계를 보시기
위함입니까?

화
악
당신의 아이를 갖겠어요!

흠
흠..
…별로 깊게 이야기하고 싶지 않은 주제로군.
그 건과 상관없는 일이네.

호록…
뭐지…?
저렇게 얼굴을 붉힐 정도로 화낼 말은 아니라고 생각했는데….
백작님은 화나면 무서우니까 그만 물어보자.

백작 부인께 하실 말씀이 그거였군요.
봄에 수도로 함께 가신다는….

역시 알려줘야 하나?
당장 떠날 게 아니니 급하게 알려주지 않아도 되겠다 생각했네만.

아, 그건 아니었는데?
그냥 자리를 피하려고 한 말이었는데.
네?

며칠 뒤
몸살이 깨끗하게
나으셔서,

살림을 배우기
시작하셨습니다.

늦어서 미안하네, 뱅상.

마님,
좋은 아침 프프픕!!
푸웁

뒤뚱
뒤뚱
준비가
거창하다 보니
시간 지난 줄도
몰랐네.

흡!
든든하게 여미셨군요!
오늘은 유난히 추우니까요.
빵
그렇다고 해도 이건 유난스럽지 않은가?
빵
전혀요, 마님!!

마님께서 그렇게 추위를 많이 타실 줄은!
불끈
그렇게 며칠을 끙끙 앓으실 줄 알았다면
여우털만 챙겨가는 게 아니었는데…!

제가 얼마나 후회를… 앗 마님!
가세.
뒤뚱
뒤뚱

아르노령은 대부분이 평지여서
성이 위치한 언덕과 이곳이 그나마 높은 축에 속합니다.
뒤뚱 뒤뚱
농축산업과 임업 모두 가능한 땅이니, 감사할 따름입니다.
동쪽으로는 숲도 우거져 있고, 강도 흐르지요.
지난 생에는 관심도 없던 아르노령의 지리….
휘이이-잉
딱 한 번, 이 주변에 대해 뱅상이 말해준 적이 있었지.

백작이
전장에서 죽고
얼마 후…
백작의 형인
위그 자작이
날 아르노에서
쫓아내던 날.

…동쪽으로
곧바로 걸어가시면
숲이 나옵니다.
숲길을 따라
열흘 정도
걸으시면,
블랑쉐포르가와
연이 있는
가문의 땅이
나올 겁니다.

그때는
맨발로 밤낮없이
걸으면서…
땅이 평평해서
그나마 다행이라고
생각했었지.
신세가
거지 같을 때는
지긋지긋한
땅이었는데….

마님,
옷매무새를 정돈해
드릴게요.

어떻게든
살아남겠다
마음먹고
바라보니…
이렇게 훌륭한
땅이었구나.

……
아름답다.

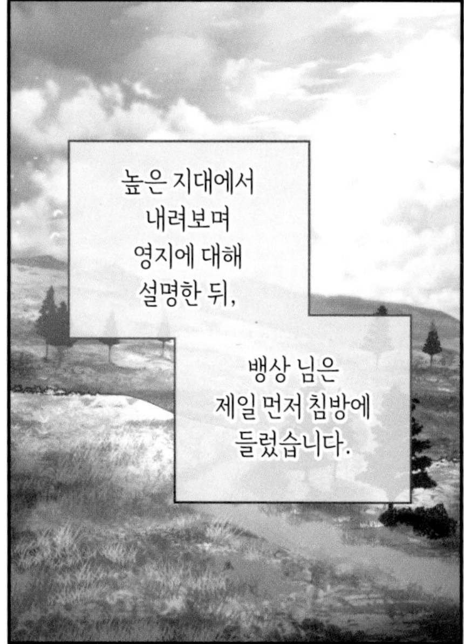
높은 지대에서
내려보며
영지에 대해
설명한 뒤,
뱅상 님은
제일 먼저 침방에
들렀습니다.

지난번 마님께서
궁금해하시던 걸
기억했던
것이지요.
의복이나 배너에
들어가는 자수를
꼼꼼하게 설명하고
있을 때였습니다.
수군...
저 여자가
백작 부인이구나?

휙
성에서 일하는 앙트란 아이를 모질게 때리고 내쫓았다면서?
수군
수군
매마르고 볼품없는 여자라 들었는데…

전혀 매마르지 않았잖아. 오히려 뚱뚱하구먼.
애가 얼굴이 빵만 해졌다던데….
저런 덩치로 그 앙트를 때렸으니 알 만하다.

마님이 뚱뚱하다니….
마님은 체구가 작으신 편인데.
휙
휙
오늘은 내가 옷을 많이 입혀드려서 그런 것뿐인데….
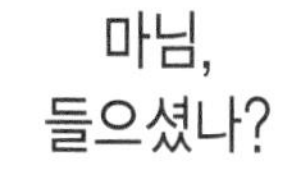
마님, 들으셨나?

삐
…저 자수.
싱

누가,
얼마 동안 수놓은
것이지?

덜
저… 접니다
마님.
저… 저건…
나흘 정도 걸렸고
아직 마무리
중인….
덜
덜

…자네,
내일 중으로
날 찾아오게.

다음은
어디인가,
뱅상?
휙

뒤뚱
뒤뚱
마님,
천천히
가시지요!

왜, 왜지?
내가 무슨 잘못을 했나?
바들 바들
저 검은 머리 침모, 손재주가 무척 좋군.
손도 빠르고. 가르치기 쉽겠어.

팔락
다음
방문하실 곳은
고기 저장소와
양초장입니다.

확
영지 내에
양초장이
있단 말인가!
짝

이곳은
고기 저장소
입니다.
겨우내 먹을
염장육을 제작하고
저장하는 곳이지요.

훽
훽
아무래도
직접 도축을 하니
가축 기름이 많이
생기고….

됐고!
그래서!
양초장은
어디 있지?

척
척
…저
옆입니다.

두근
양초를
만드는 곳이
이렇게 가까이
있었구나!
두근

수도원에서
귀한 물건이라며
제대로 배급도
해준 적이
없었더랬지.
어떻게
만드는 물건인지
내 눈으로 확인하고
외워두자.

초롱
초롱
걸쭉
이건 돼지기름 수지입니다.
이 녀석에 심지를 넣었다 뺐다 반복하여 두껍게 만들지요.

직접 만져보시지요.

내 방에
있는 것과는
다른 것 같군.
향이
너무 강해.
재료의
차이가 있기
때문입니다.
마님과
영주님이 쓰시는
방과 식당에서
이용하는 초는
밀랍으로
만들어지는
고급품입니다.

벌이 꿀을
만드는 봄에나
채취하는 재료인지라
그 양도 적고
값비쌉니다.
그을음과
냄새도 덜하여
주로 왕성이나
종교의식에
사용되지요.

영주님께서 마님이 발길 하시는 곳은 무조건 밀랍 초를 사용하라 이르셨기에,
마님께서 돼지기름 수지 초 향이 익숙하지 않은 건 당연하신 거랍니다.

그래서? 그 귀한 걸 나 때문에 쓰고 있다, 이거야?
또또 사치 부린다고 비끈다 이거지…?

내가 펑펑 쓰는 양초가 귀~하고 비~싼 것이었으면 언질을 좀 주지 그랬나~?
그랬으면 좀 아껴 썼을 텐데~
삐죽

헉
아, 아니!
마님, 그건 영주님
명령이었던….
홱
되었네!
오늘은 그만
돌아가세!
지난 생에 내게
차갑게 굴었던
뱅쇼….
기회가 될 때마다
두고두고
골려먹을 테다.
흥…
어차피
오늘 목표는
달성했으니
돌아가야지.
들썩
퉁
아야!
까악!!
흠칫
무…
무슨 소리야?

덜걱
…너!
웬 놈이냐!

결혼장사

웬 놈이냐!
Chapter 12

와악

니…
덜 덜덜
데롱…
니콜라?
네가 왜
거기서 나와?

마님,
제 뒤로.
척
…?
이본느,
왜….

칼이잖아?

누군가
저 어린아이에게
사주를 한 건가?
저 칼로
나를 해코지
하라고?
아이고, 기사님!
그 아이는
제 동료 초장이의
아들놈입니다!
녀석이 저에게
혼이 날까 숨어서
허튼짓을 하고 있었던
모양입니다!
덜
덜
덜
덜
칼을 들고
있었던 건
부디 한 번만
용서해주십시오!

하긴, 저만한
칼로는 해코지도
어렵겠네.
아이를
내려놓게,
가스파르 경.
손을
다친 것 같으니
이본느,
가서 봐주렴.

고맙습니다,
고맙습니다,
마님.
다시는
이런 짓 못 하게
따끔하게
혼내겠습니다.
꾸벅

그런데
허튼짓이라니,
이 아이가
숨어서 무얼 하는지
자네는 아는가?
그것이…
양초를 못 쓰게
만들어놓습니다요.

못 쓰게
만든다니,
이것
말인가?
맙소사!
초를
저렇게 넝마로
만든다고??

너, 넝마로
만들려고 한 게
아니라…
신을 구한
건데요!

어젯밤에
꿈에서…
신께서 양초에
갇혀 있으니까
답답하다고…
구해달라고 하셨어요.

그래서,
그래서 양초를 파서
신을 구해드린…
건데… 요….

이 아이가 조각을 배운 적이 있던가?
그럴 리가요.

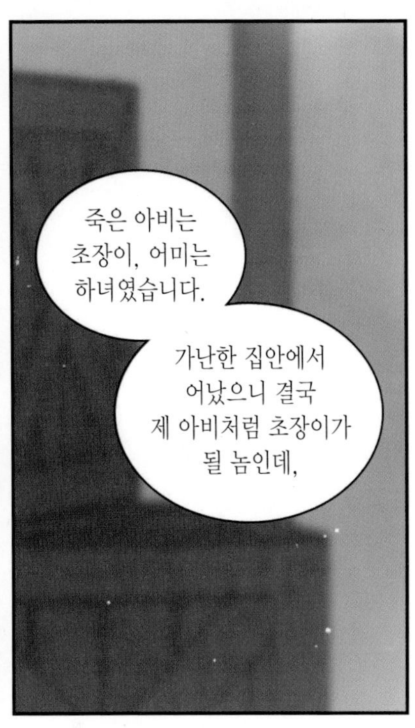
죽은 아비는 초장이, 어미는 하녀였습니다.
가난한 집안에서 어났으니 결국 제 아비처럼 초장이가 될 놈인데,

자꾸 초를 못 쓰게 만드는 버릇만 들고 있습니다요.

마님, 때로는 여러 이론보다 한 번의 실습이 더 도움이 되는 법이지요.
스스슥
엣헴.

비록
초 한 자루라 할지라도
아르노의 재산입니다.
저 아이는
아르노의 물건을
사적인 이유로
사용한 것.

본래라면
절도와 다름
없습니다.
아주 무~섭고
따~끔하게
직접 혼을 내셔야
본이 될 겁니다.

스윽
깜짝

바들
이… 이분이 소문의 그 마님….
바들
며칠 전에 성에서 일하는 하녀를 마구 때리셨댔어…!
바들
이유는 잘 모르지만….

~샤샹~
하라는 일은 안 하고…!
철썩
나, 나도 그렇게 때리시면 어쩌지?

덜컥
너.
네에??

내일 중으로
날 찾아오도록!

가지.
홱
넵?
마,
마님??

저벅
저벅
한 번의 실습이
중요한…
마, 마님.
제 말 듣고
계신가요??
달달달
저벅

왈칵
아저씨, 어떻게 해요.
나 무서워요….
흐아아아앙
니콜라….
그렇게 길었던 살림 수업의 첫날이 지나고

다음 날,
아주 이른
아침.

마님의
부름을 받은
두 사람은

매도 먼저 맞는 게
낫다는 심정으로
성을 찾아왔습니다.

이 누나도
이 꼬마도
마님께
불려온 건가?
?

타
박
어머,
두 분 같이
오셨네요!
어서오세요.
마님께
안내해
드릴게요!

……
저기요!

어제 손가락
치료해주셔서
감사해요.
소, 손수건은
어제 빨았는데
아직 안 말라서
못 가져왔어요.
?
나중에
가져다
드릴게요.
감사는
내가 아니라
마님께
해주겠니?
생긋
어제 손을
봐주라고 하신 분도
마님이시고,
Yes.
mine.
손수건도
마님의
물건이니까.
네??

마님 옷에는
주머니가 없어서
내가 가지고
다니거든.

그리고
네 상처가 덧나지 않고
예쁘게 아물었으면
좋겠다고 하셨어.
마,
마님께서요?
그럼~

퍽

아!
꺄악!
콰당

아야야….

꺄재릿
…배신자.

지난날
쫓겨난 앙트는
성 안팎으로 친구가
많았었답니다.

앙트가 쫓겨난 원인이 마님께 있다는 소문이 앙트의 친구들을 중심으로 퍼졌고,
저는 동료를 쫓겨나게 한 못된 마님의 곁을 지키는 배신자라는 꼬리표가 달렸어요.
그로 인해 저는 성안의 사람들에게 눈총을 받게 되었지요.
저… 저기,
괜찮으세요?

응,
괜찮아.
내가 앞을
제대로 보고
걸었어야
했는데….

어서 가자.
마님께서
기다리시니까.

팡
팡
다행히
튼튼한 게 특기여서
다친 곳은 없는걸!

일찍 왔구나?

둘 다 부지런하네.
오늘 중에
찾아오라고
했는데.

어제는
통통한 난쟁이
같았는데.
완전
딴판이야.

입은 무거운
편이니?
팔랑

네! 과묵하다는
평가를 많이
받습니다.

잘됐네.
지금부터
보여주는 도안에
대해서는
내가 허락하기
전까지
절대 아무에게도
말하면 안 된단다.

레이스
만드는 법을
가르쳐줄 테니,
일주일간 네가
만들 수 있을 만큼
만들어보렴.

네에….

그런데
레이스가
뭐지?
?

그리고
너.
휙
그동안 계속
아르노의 초를 가지고
멋대로 조각을 했다
이거지?
절도 범죄는
손을 자르는 법이라고
뱅쇼가 그러더구나?
덜컥

와들
덜덜
하지만
네 나이가 어린 것을
감안해서
다른 벌을 주마.
덜덜
다…
다른 벌…!
와들
덜덜

달칵
깜짝
!!
마님,
이건…!

역시 초장이의
아들이구나.
바로 알아보네.
맞아,
밀랍으로 만든
최고급
양초란다.

맘껏 조각하되
결과물은 무조건 내게
돌려줘야 하는 것이
네 벌이란다.
와아아…
뱅쇼에게
일러둘 테니
양초가 떨어지면
새 양초를
받아가도록 하렴.

마님, 이건
벌이 아니라
상인걸요…!
왜…
저 같은 놈에게
이런 귀한 걸
내주시는 건가요?
전 당연히
여… 영지에서
쫓겨날 줄
알았는데.

너희, 투자가
뭔지 아니?
장사를 하기 위해
시간과 돈을 들이는
거란다.
절레
절레
도리
도리

나는 너희의
재능에 투자를
하려고 해.
아름답고
가치 있는 것을
만드는 그 재능에
말이지!
털썩

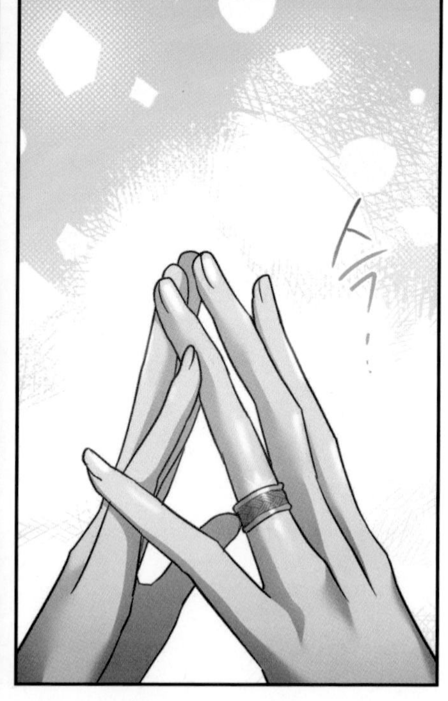

스윽

그걸로
장사를 할
생각이거든.

결혼 장사 ❶

2024년 10월 07일 1판 1쇄 인쇄
2024년 10월 14일 1판 1쇄 발행

그림 AntStudio | **각색** 한흔 | **원작** KEN

발행인 황민호
콘텐츠4사업본부장 박정훈
책임편집 이예린 | **편집기획** 신주식 강경양 최경민
표지디자인 Gnoeyi
본문디자인 레드아이스 스튜디오(조유진, 강바다, 이새연, 천다희)
에이블
마케팅 조안나 이유진 이나경 | **국제판권** 이주은 한진아 | **제작** 최택순 성시원 진용범
발행처 대원씨아이(주) | **주소** 서울특별시 용산구 한강로 3가 40-456
전화 (02)2071-2071 | **팩스** (02)749-2105 | **등록** 제3-563호 | **등록일자** 1992년 5월 11일
www.dwci.co.kr

ISBN 979-11-7288-611-0 07810
979-11-7288-610-3 (세트)

Ⅱ

그림 AntStudio 각색 한혼 원작 KEN

II
결혼장사
그림 AntStudio 각색 한혼 원작 KEN
대원씨아이

Contents

결혼장사

Chapter 13
'레이스'
실을 엮어 만든
아름답고 가벼운
공예품.
세브랑과
이웃 나라에 크게
유행하게 되어,
화려함을 끌어올리는
패션 아이템으로
발전하게 될
물건이지요.
레이스 산업의
시발점은,
다른 곳도 아닌
바로 이곳 아르노로
역사에 기록됩니다.

그리고
레이스 장인으로
거듭나는
아르노의 침모들에게
레이스 제작법을
가르친 분이
바로,
비앙카 드 아르노
백작 부인

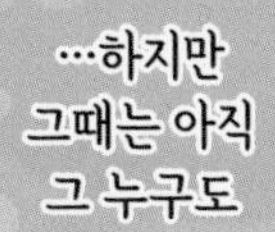
…하지만
그때는 아직
그 누구도
아르노가
레이스 산업의
중심이
될 것이라고
상상조차
하지 못할
때였답니다.

마님…
주문 내역서의
이 아마실의 양은
실화입니까?
사아아아
바들
바들

덜덜
그리고
초장이 꼬마가 찾아오면
밀랍 초를 얼마든지
내어주라니요….
덜덜덜

자네도
보았지 않은가?
니콜라가 조각한
아름다운 초.
그 아이는
재능이 있네.
내가 보증하지!
하, 하지만
어린아이 장난감으로
내어주기엔
너무 고가의 물건
아닌지요…!
비싸고
아름다운 걸 보면
내 기분이
좋아지니
단호!
그런 생각은
전혀 들지
않는군!
아마실은
저 침모에게
내어주게.
꾸벅…
앞으로도
더 필요하게
될 것 같으니,
최대한으로
많이 구해서
조달해주길
바라네!

그럼
잘 가시게!
쾅

뜨흐흑…!
와락

마님의 소비벽이
예전으로
돌아가고 있어…!
강약약중강약약에서
강강강강강으로….
훌쩍

불이야!

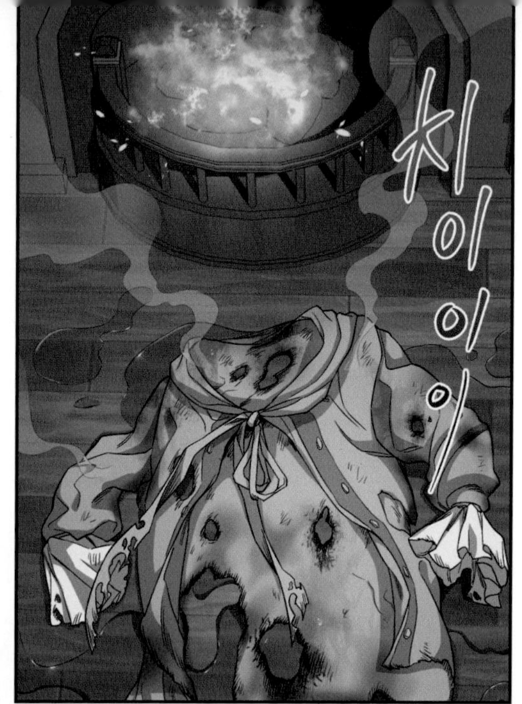
치이이이이

뚝
뚝

…어떡해….
한 벌뿐인 겨울옷인데….

키득
그러니까 물건 간수를 잘했어야지!
키득

이런 일을
당할 줄도
몰랐나 봐.
동료를
팔아먹었으면
눈치라도 빨라야
할 텐데.

킥킥
그 고약한
마님 곁에 착
달라붙은 것도
둔해 빠져서
그런 거
아니겠니?
마님 성격에
금방 질려서
쫓아내실 테니,
두고 보자고.
킥킥

꾹...

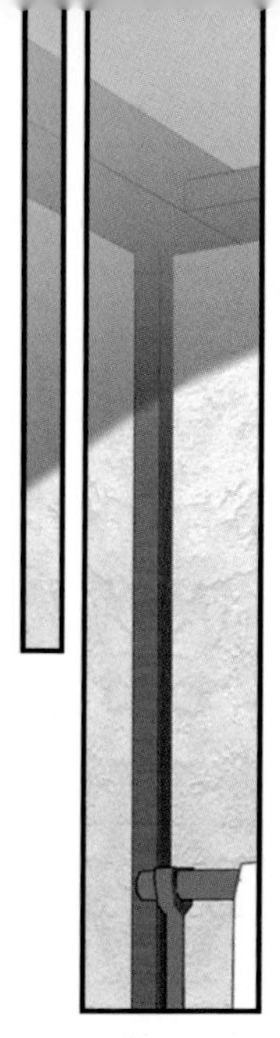

아이고…
이건
못 고치겠다….

…역시
버리는 수밖에
없겠네.
미안해,
이본느.
이런 일까지
당하는데 내가
도울 수 있는 게
없어서….

그때 회초리를
가져온 것도,
집사장님을 모시고
온 것도 나잖아.
넌 그저
동생처럼 생각해서
마님 곁에 있는 건데
따돌림당해서
어쩌니?

일단 너,
내 겉옷 입어.
감기 걸릴라.
아냐,
괜찮아!
너도 오늘
종일 복도에서
일해야 하잖아!

난 튼튼한 게
특기니까!
이 정도
추위는 거뜬히
버틸 수 있어!
휘
…스읍….
덜
덜
덜
덜
덜
이이이잉

갈수록 옷이 얇아지는구나, 이본느.
쿨쩍
덜...
덜덜!
덜덜
제가 칠칠맞아서 옷을 태워먹었거든요.

거, 걱정 마세요, 마님!
덜덜
덜덜
저, 전 추위에도 감기 한번 걸린 적 없을 정도로 튼튼하니까요!

…….

…그러고 보니
달달달

요샌
통 입지를
않았구나.
예전에 샀던
회색 다람쥐 털
외투 말이야.
아,
그 외투 아직
있을 거예요!
쿨쩍
다람쥐 털도
좋은 제품이지만
담비 털 외투가
있으니까요!
마님께서는
담비 털 외투가
훨씬 고급지게 잘
어울리시거든요~
%
%
그렇지,
그렇지.

그럼 앞으로 다람쥐 털 외투는 입을 일이 없겠구나.
이본느, 네가 그 외투를 처분해주겠니?
네가 항상 최상의 컨디션으로
제가요, 마님?
깜짝
난 올해 여우 털도 하나 장만했지 않니?
버리든지 네가 입든지 편한 대로 하렴.
…그래도 기왕이면 네가 입었으면 좋겠구나.

마님…
설마,
두근
날 염려해
주신 건가?
내 곁에
있어주면
좋겠거든.
반짝
상냥
하셔라….
반짝
반짝

어,
어떤가요?
보기
좋구나!
불편하거나
작지는 않니?

전혀요, 마님!
따뜻하고
편하답니다!

잘 되었다.
내 시녀에게
그 정도는 입혀놔야지
내 마음이 편하단다.

훅
뱅쇼가
기다리겠구나,
가자!
네,
마님!

마님께서
'내 시녀' 라고
불러주셨어!!
찌~잉
이 외투는
대대로
물려줄 거야!
잘
어울려.

오늘은
어딜 둘러볼
예정인가?
목축지입니다,
마님.

목축지라고?
겨울인데
양을 방목한단
말인가?
양과 소는
가을에 모아놓은
건초를 먹입니다.

하지만
말은 겨우내
방목하지요.

말이 혹한에서도
버틸 수 있는
힘을 기르도록
영주님께서 지시하셨기
때문이지요.

그렇다면
아르노의 말은
튼튼하겠군.
잘됐다.
이번에는
쫓겨나더라도
말 한 필은 꼭
받아서 나가야지….

이런, 나도
모르게….
최악의 경우를
가정하고
있잖아.
핫

다시는
쫓겨나지 않겠다고
다짐하는데도….
이래서 경험이
무섭구나.
꽈악
…!
마님!
저길 보시지요.

두
두두
두두두두
푸르릉
푸르륵
두두

백작?
백작이
말을 몰고
있잖아?
저런 건 그냥
종기사에게
맡길 것이지.
이렇게 추운데
다 풀어헤치고
뭐 하는 거래….

마님은
걸음을 멈추고
백작님을 한참
지켜보셨습니다.

제 몸처럼
말을 모는
백작님의 모습에서
눈을 뗄 수
없었지요.

백작의
저 자유로움이…
백작….
자유로워
보인다.
부러워.

결혼장사

당신이 그랬지…?
아르노는 ‘우리’의 성이라고.

이미 여러 해
영지를
자신의 뜻대로
경영해왔던
백작님과 달리
마님은 이제 겨우
살림의 기초를
배우고 계셨기
때문이었지요.
오물
오물
친구들,
안녕!
좋은
아침이야!
저벅
이곳에
남은 친구들은
소뵈르 아빠가
빗질해줄
거예요~

오늘 백작님이
나 대신 다른 친구들을
방목해주시고
계시거든!
쿵
그렇지 않아도
너무 추워서
안 나가고 싶었는데
잘되었지 뭐!

우리
귀염둥이
망아지~~
추운데 엄마랑
잘 있었어요~?
쪼옥
쪽 쪽

소뵈르 아빠가
1등으로 배내털
빗질해줄게요~
샤샥
샥
아휴~
털색 고운 것
봐라~
얼른 튼튼하고
씩씩하게 자라서
같이 전장을
누비자고~
샥
샥

그리고 너는
검은 늑대 아르노 부대에서
귀한 몸으로
자랄 거니까…!
절대 아무
말 뼈다귀한테나
마음 주면 안 된다!
이 아빠는
반대다!
소뵈르 뇌내 극장
~결혼 편~
남자친구는
품종, 출생, 부모마도
다 보고
고르는 거야!

족보는 인간이나
말이나 모두
중요하니까~~!!
푸하하핫
킥킥
키키킥
소뵈르.

배, 배,
백작 부인???
언제부터
여기에…!
쿵
못 본 거로
할 테니
하던 일이나
마저 하게.

?
요즘
영지 여기저기를
둘러보러
다니신다는 건
들었지만,
마사에는
도대체 무슨 일로
찾아오신 거지…?

9년 전
부인은 처음 아르노에 시집오실 때부터
마음에 안 드는 건 온몸으로 표현하는 사람이었지.
씨익
씨익
울거나, 짜증을 내거나….
그래서 어떻게 대하면 좋을지 하나도 모르겠는데….
오늘은 귀찮아서 마사 청소도 대충했는데
혹시 트집 잡으시려나?
할짝
히이익?
쿵
꺄아악!!

아….

괜찮니,
이본느?
네, 마님.
조금 놀랐을
뿐이랍니다!

고마워요,
기사님.

마사에 남은
말도 두수가
제법 되는군.
쓰담
방목 중인
말도 꽤 많아
보였는데.

네, 바로
보셨습니다.
영주님께서
세력이 커지자
제일 먼저 하신 일이
군마를 구비하신
것입니다.
세브랑에서도
이렇게 큰 규모로
군마를 거느린 부대는
아르노 정도일
겁니다.

푸릉
군마 한 마리에
집 한 채 값이라고
들은 적이 있었는데.
푸르르
이러면
집이 몇 채야….
하나,
둘...

그때 백작님에게
허투루 돈을 쓴다고
조롱하던 놈들도
불뚝
결국은
전투에서 패하고
아르노대(隊)에
군마를 탈탈
털렸지요!
백작님께서는
젊은 시절부터
여러 전쟁에
참가하시면서
기동력이
얼마나 중요한지
아셨거든요!
히힝!
얼마나
통찰력 있는
분입니까!

게다가 이렇게 추운 날 본인이 직접 방목장에 가서 말도 모시고!
참으로 훌륭한 영주 아니십니까?

혹시 이 말 중에,
내가 타볼 만한 녀석이 있나?

네에에에???
군마를 타보시겠다고요??
마님! 말은 너무 위험해요!

승마를 할 줄은 아십니까?
모르면 배우면 될 일 아닌가?

일반 말과 군마는
시러
시러
성격 자체가 다릅니다, 부인!

예민하고 똘똘한 놈들이라,
낯선 상대가 등에 오르면 발을 잔뜩 구른다고요!

물론 승마라면
교양으로 배우는
귀부인들도
계십니다만,
승마를 배우시려면
백작께 허락을
받으셔야 합니다.

그런 것도
백작의 허락씩이나
필요하단 말인가….
쳇

알겠네,
남편에게
승마를 배우도록
허락을 받아보지.
네,
알겠습니다.

제1차 부부 싸움
-호위 대전-
그 고집불통이 허락할지는 모르겠네.
1패
말발로 한 번 져서 자신도 좀 없고….

…아무튼
고생이 많네.

남편의 허락을
받게 되면
승마를 배울 때 종종
마주치게 되겠군.
그때는
잘 부탁하네.

살포
너도 다음에
또 보자꾸나,
작은 친구.

소뵈르?
추운데 거기 서서 뭐 해?

아니, 방금 전에…
백작 부인과 기타 등등이 왔다 갔는데….

부인… 왠지 예민한 이미지여서
마사가 더럽다는 둥, 냄새가 난다는 둥, 가까이 오지 말라는 둥 할 줄 알았거든.
소뵈르 뇌 내 이미지

파아
아
아
아
생각보다 좋은 사람일지도 몰라.

…진심으로 하는 말이냐?
원래 동물과 아이한테 친절한 사람은 좋은 사람이랬어!
아 아이한테 친구라고 했다고!

게다가
그 큰 군마들
사이에서
겁도 먹지 않고
반짝
반짝
자신이
타볼 수 있는
말이 있는지
따박따박 묻고.
반짝
진짜 귀족은
귀족이구나.
할짝 할짝

나
반한 것
같아.
난 저렇게
당당하고 기 센
여자 좋아해.
할짝 할짝 할짝

부인께서
군마를
타보고 싶어
하셨다고?
도대체
아르노에
무슨 일이 일어나고
있는 거지?

이본느?

아직 돌아가지
않았구나.
방금 침대를
따뜻하게
데웠답니다.
머리를
말려드릴까요,
마님?
괜찮단다,
이만
가보렴.
너도 오늘 하루
피곤했을 텐데
푹 쉬는 게
좋겠다.

네, 마님!
그럼 안녕히 주무세요!

그래, 내일 보자꾸나.

뜨끈
하아~ 따뜻해~
뜨끈
덜 마른 머리만 내놓고 따뜻한 이불 속에 들어가 있는 거 너무 좋아~

자~
숙제 검사를
해볼까~
예쁘게
잘 떴네,
그 아이.
혹시
새로운 무늬를
만들 수도 있지
않을까…?
다른
참모들에게도
가르칠 수 있는
아이라면…

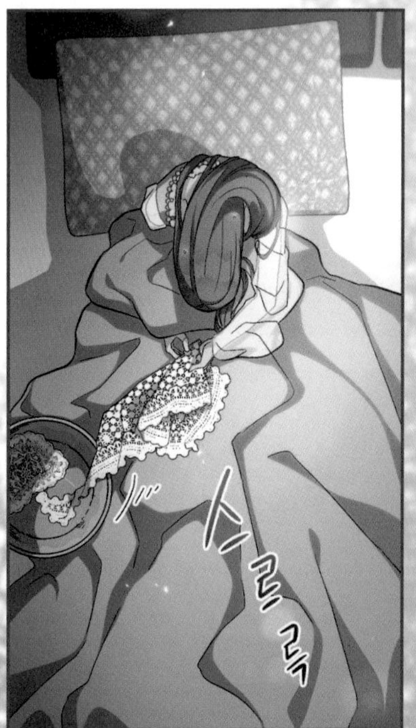

똑똑

방금
노크 소리인가?

누가 방에
들어왔구나.

머리를
말려주고
있잖아.

어릴 때 밤에
덜 마른 머리로
잠들면
쟌이 말려줬는데.

…당신,

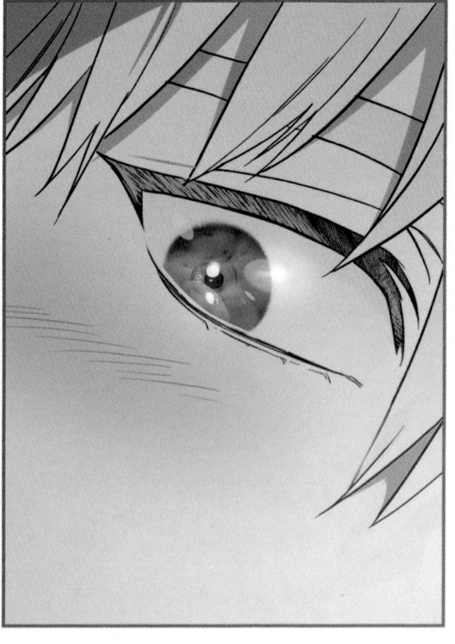

…여기서
뭐…
하고 있어요?

결혼장사

그렇다면!

기회가
주어졌을 때
쟁취해야지!!

휘익

두근
돼,
됐다!
…그,
그다음은
어떻게 하지?
두근
두근
진정해,
비앙카.
두근
몸은 어리지만
정신은 백작보다
네가 거의 열 살
연상이야!
두근
괜찮아….
할 수 있어,
비앙카!

두근

???

놀라게 해서
미안하오.
물어볼
일이 있어
찾아왔는데
머리가
젖은 채로
잠들었길래….

…또
감기에 걸리면
고생스럽잖소?
그래서
어서 말리고
나가려고 했소.

젠자앙~
상상에서는
내가 더
빨랐는데…!
현실의 백작,
너무 잽싸…!
부들

팡

뭔데요!
뭘 물어보려고 이 늦은 밤에 왔는데요!

그…
가스파르는 어떻소?

네?
갑자기 가스파르는 왜요?
며칠 동안 함께 다니면서 불편한 점은 없었소?

새삼스럽게...
내가 불편해해도 호위를 무르진 않을 거잖아요?
누구든 내 옆에 있어야 당신 마음이 편할 테니까.

덩치가 커서 어디 있어도 눈에 띄는 것만 제외하면,
가스파르는 아주 잘해주고 있어요.

…그래?
잘해주고 있다고….
?

?

뭐야, 자기가 어떻냐고 물어봐서 괜찮다고 말했더니.
왜 저런 못마땅한 표정을 짓는 건데…?

삐죽
그건 그렇고 목이 너무 아파.
백작…. 쓸데없이 키가 크니까 그렇게 서 있으면 더 한참 올려봐야 하잖아…!

여보.

방금…
날
부른 거요?

그럼
누구겠어요?
나도
마침 당신에게
물어볼 게
있었어요.

그러니까,

탁
탁
여기 앉아서
이야기
들어줄래요?

…….

꾸욱
깜짝

등 돌려서 앉아 있으려고…?
어쩐 일로 이렇게 순순히 말을 들어주나 했네….

뱅쇼에게 이야기 들으셨을지도 모르겠지만
승마를 배우려고 하는데 허락해주셨으면 해요.

친정인
블랑쉐포르도
기사 집안이고
당신도 기사예요.
주절
주절
승마는
귀부인들이
교양으로 배우는
경우도 있다고
하던데요.
무인의 아내라면
응당 승마 정도는
할 줄 알아야
하지 않을까요?

…….
승마는
체력이 필요한
운동이오.
그대에겐
힘들 텐데.

울컥
이 남자
또…!
어린애
대하듯…!

원하는 게 있으면 뭐든 뱅쇼에게 말하라고 했죠?
지금 내가 원하는 건 승마를 배우는 일이에요!

…그리고 힘들 수도 있다는 말이
불가능하다는 뜻은 아니잖아요!
흠
듣고 보니 그렇군.

하지만 승마는
겨울보다는
초봄에 배우는 게
좋고,
겨울에는
시장에 조랑말이
잘 나오지도
않소.

조랑말을
구할 때까지
기다려줄 수
있겠소?

무,
물론이죠.
끄덕
그렇다면 초봄부터
그대의 말로
승마를 배울 수 있도록
행상에게 이야기해두지.

백작을
설득하는 데
성공했다!!!
1승!

신난다…!
…

헤헷.

이런, 나도
모르게…
핫—
1승의 기쁨이
바깥으로 다
드러나버렸어…!

힐끔
또
애 같다고
생각하겠지…?

…어라?

백작….
꽈악…
내가 웃는 게
그 정도로
보기 싫은가?

하긴…
생각해보면
그렇다.
백작은
예전부터 나에게
관심이 없었다.
비싼 값을
치룬 장사품이
제구실도 못 하는
어린애니
내가
무슨 짓을 하던지
상관없는 것이다.

…1왕자
전하의 아들인
알베르 왕세손의
약혼식 때문에
늦봄에는
수도 라호즈로
가야 하오.

그러게.
지난 생에도
그랬지.
…네.
열아홉 봄에
백작이 꽤 오랫동안
성을 비웠어.

돌아오는 여름은
폐하의 즉위
50주년으로 행사도
잦을 예정이라
자주
다닐 수 있는
거리가 아닌 만큼
오랜 기간 머물
생각이오.
아르노로
돌아오는 것은
가을이나 초겨울이
되지 않을까 싶소.

그래요.
그럼….

또
똑같은 삶이
반복된다.
백작과의 사이에서
후계자가 태어나지
못한 채,
백작은
전쟁에서 죽게
될 것이고….
나는 지참금도
돌려받지 못하고
영지에서 쫓겨나
피를 토하다
죽을 때까지
후회하며 살겠지.

아르노의 악처
비앙카로…
영원히
손가락질
받으면서….
그저
똑같은 시간을
반복할 거면
도대체
난 이곳에 왜
돌아온 거지….
…….
…비앙카.

비앙카?
깜짝

슥슥
왜,
왜요?

원래라면 그냥
출발 직전에
이야기할
생각이었는데,
그대가 원하는
계획이나 생각도
있을 텐데
너무 내 멋대로
정해버리는 건
아닌 것 같아서.

그대가 요즘
영지에서
무척 바쁘게
지내고 있는 건
알고 있지만,

함께…
라호즈에
가지 않겠소?

사람의 마음에
형태가
있다면
그것은 처음엔
색이 없는 딱딱한
유리 같은 것이었을
겁니다.
그러나
그날 그 밤부터
마님과 백작님의
마음은
조금씩
따뜻한 색의
말랑한 것으로
변하고 있었습니다.

결혼장사

Chapter 16
제가요?
왕세손의 약혼과
폐하의 즉위
50주년 행사로
더 활기 넘칠 거요.
그대는
예술품과 가구를
보는 눈이
높은 편이지.
다양한 고급품이
즐비한 라호즈를
둘러보면
꽤 즐거워할 것
같고….

수도
라호즈
다른 곳도
아니고
모든 산업이 모이는
대륙의 심장에
데려가주겠다니….
함께
갈래요.

하지만
그때의 마님은
백작님의 제안이,

모든 것을
그만두고라도
잡아야 할

평생에
두 번 없을
기회임을
직감하셨답니다.

늦어서
죄송합니다.
수도행 보급 관련으로 부관들과 이야기를 나누고 왔습니다.

오늘 아침에 마님께서…
살림 배우기를 중단하겠다 하시더군요.

로베르, 좋은 아침!
추욱…
…?
집사장님은 무슨 일 있으셨습니까?

마님께 보여드리려고 정리한 살림 목록이 이렇게 한가득인데….
아쉽군요.
아련…
가만 보면 이 사람도 적당히를 몰라.
두둠

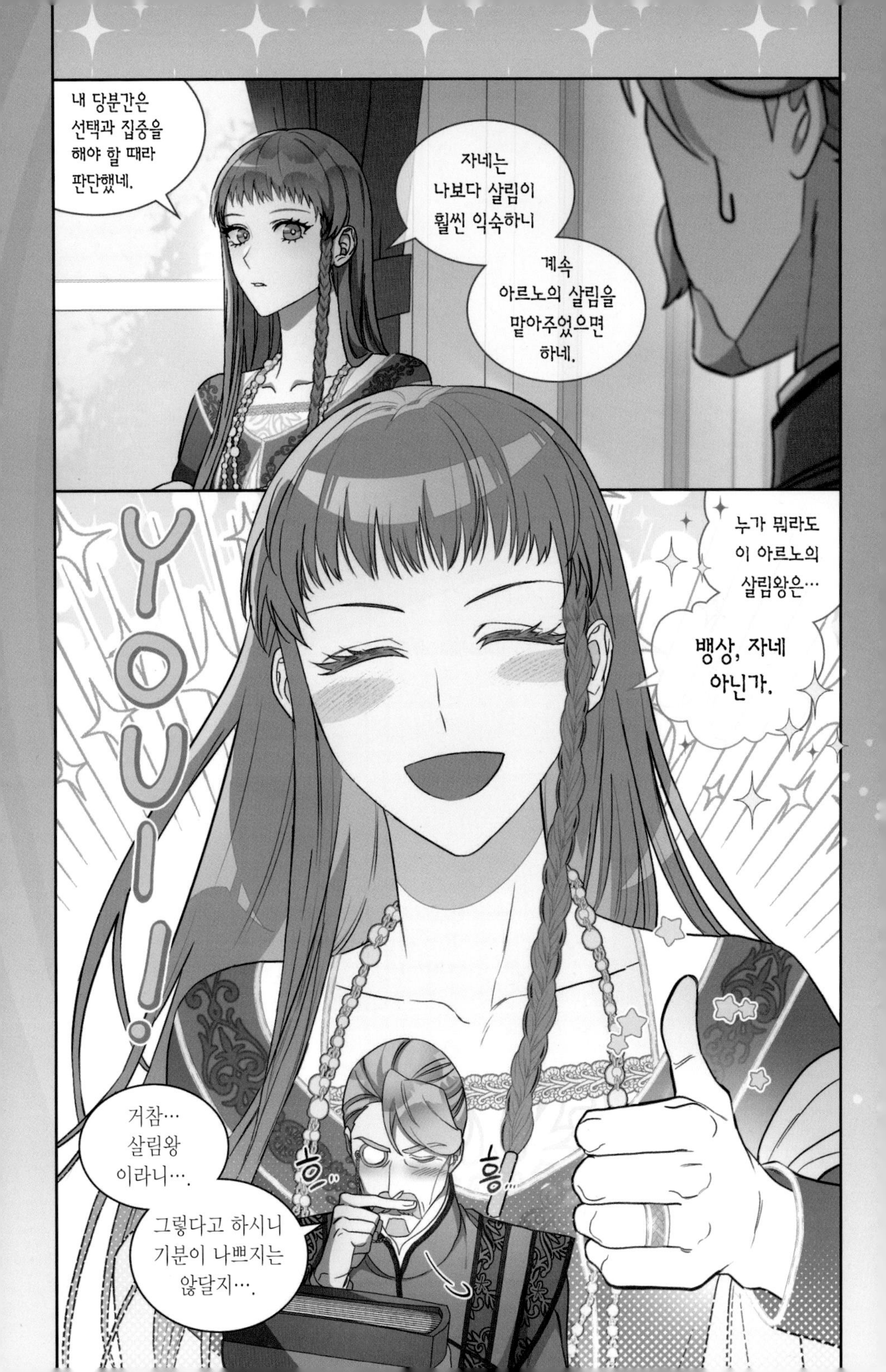
내 당분간은
선택과 집중을
해야 할 때라
판단했네.
자네는
나보다 살림이
훨씬 익숙하니
계속
아르노의 살림을
맡아주었으면
하네.
누가 뭐라도
이 아르노의
살림왕은…
뱅상, 자네
아닌가.
YOU--!
거참…
살림왕
이라니….
그렇다고 하시니
기분이 나쁘지는
않달지….
흐
흥…

…그냥 하기
싫으셨던 게
아닐까요….
와작
와작
그건
아닙니다.
최근
침모를 데리고
하시는 일이
있는데,

그 일을
봄이 되기 전에
마치셔야
한다더군요.
?
봄?
왜 봄까지
마치셔야
한답니까?

그야 봄에는
마님도 라호즈로
가셔야 하니까요.
네에?
부인께서
수도에 가고 싶어
하셨답니까?
와구
와구
그러셨대.

백작님,
그럼 부인의
호위는 계속
가스파르입니까?
…비앙카 말로는
잘해주고 있다고
하더군.
별다른 일이
없는 한
계속 맡길
생각이다.
그럼
별다른 일이 생길 경우
저에게 부인의 호위를
맡겨주십쇼!
번쩍
진심이냐?

당연히 진심이지. 내가 어제 말했잖아.
부인께서 생각보다 까다로운 분은 아닌 것 같아서 친하게 지내고 싶다고.
친하게 지내…?
애초에 부인이 까다롭다느니, 친하게 지내고 싶다느니…
백작님께 실례인 발언이라고.

꾸깃
…비앙카랑 친하게 지내고 싶다고?

백작님이 안 계시면 부인이 우리 보스잖아.
차기 보스랑 미리 사이좋게 지내면 좋지, 뭐.
너 인마, 자유민 출신이래도 선 좀 지켜!

백작님 책상 위에서 쿠키 먹지도 말고!
눼에눼에~ 알겠습니다 도련님~

가고 싶어요.
함께 갈래요.
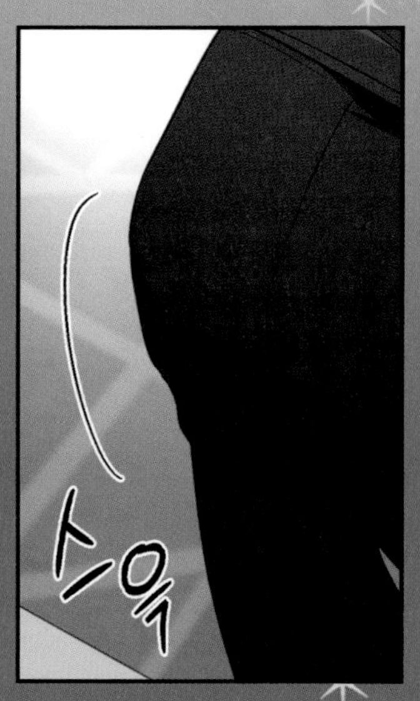
스윽

…그래.
그러면
그대의 행장까지
준비시키도록
하겠소.

여보.
멈칫
수도에
데려가준다고 해서
고마워요.
…진심이에요.

……,

좋은 밤
되시오.
끼익

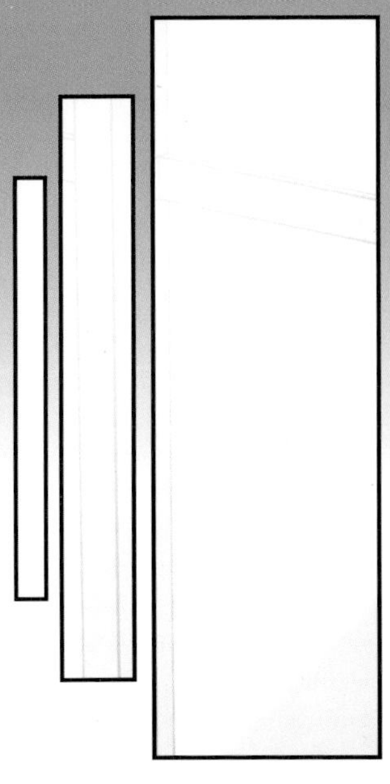

진심으로
고맙다라….
빙긋

아르노에는

소리 없이
성큼성큼
봄이
찾아왔습니다.

헉
헉
헉
덜컥
덜컹
타다닷

요즘은 마님이
조용하지?
한동안
영지를 들쑤시고
다니더니….
덜컹
듣자 하니
아프다던데?

살림을
하네 마네
하던 것도
돌아다니다 보니
춥겠다,
일도 많겠다,
덜컹

귀찮아졌으니
아프다 핑계 대고
다시 방 안에서
뒹굴거리려는
거겠지.
여편네들 모아놓고
뭔 쓸데없는 걸
만든다는 소문도
있던데?

여편네들이
뭘 할 줄
알겠어~
찔
찔

모여서
이빨이나
털겠지~
울컥
아저씨들이
뭘 알아요!!
깜짝
쌔

도도도 도도
저, 저저
싸가지 없는
놈!
너 이놈,
어른한테
그게 무슨
말버릇이야!
베에—
저 초장이
놈이…!

다다다
다닷

안녕하세요~
탁

니콜라,
어서 오렴~
안녕하세요,
누나!
마님
오셨어요?

마님?
오늘은 아직
안 오셨단다.

세상에,
마리!
너 또
새로운 도안을
생각했구나!

마님이 보시면
또 엄청
칭찬하시겠는데!
어젯밤에
갑자기 떠오르길래
만들어봤어요.

길쌈을
할 때보다
지금 일이 훨씬
즐거워요.
예쁜 도안을
생각해서
만들어놓으면
뿌듯하기도 하고.

일하느라
젖먹이를 떼어놓지
않아도 되니
마음도 편하고.

짤랑
게다가~ 아웃풋이 좋으면 마님의 보상도 화끈하시잖아요?

그렇긴 해~
처음에는 마님에 대한 흉흉한 소문 때문에 별로였지만,
이본느만 보더라도 마님은 자기 사람을 잘 챙기는 분인 걸 알겠더라고~

이본느가 입은 그 회색 다람쥐 털 외투,
마님이 안 입는 옷을 물려주신 거라잖아.
이번에 수도 다녀오실 적에 좋은 도안을 내면
더 좋은 보상을 주신댔는데,
그것도 제가 1등할 거예요. 두고 보세요!
마리, 너 어릴 때는 몰랐는데 꽤 야심가로구나!
깔깔

니콜라, 너는
어쩐 일이니?
지난번에
받은 초를 녹여서
새로운 방법으로
조각해봤거든요.

달칵
집사장님께
가져다드리기
전에,
마님께 먼저
보여드리고
싶어서요.

맙소사!
우와아아
너무 곱다!
역시 니콜라,
넌 천재야 천재!
마님께 빨리
보여드리고
싶은데….
언제
오실까요?

꾸벅
꾸벅

스르륵…

비앙카.
비앙카.

누구…?
…백작님?

저벅
저벅
이런….
내 목소리를
벌써
잊은 거야?

…당신,
설마…!

그래, 나야.
당신의 사랑.
페르낭.

결혼장사

Chapter 17

유모, 왜 울어?
비앙카가 결혼하는 게 슬퍼?
너무 속상해서 그래요.
우리 아가씨는 공작가에도 시집가실 수 있는 분인데,
이제 갓 작위를 받은 가난뱅이 남작과 결혼이라니….

백작님, 너무하십니다.
귀한 우리 아가씨의 혼처를 이렇게 정하시다니요.

비앙카.

오늘부터 너는
블랑쉐포르가 아닌
아르노의
사람이란다.
영주의 아내는
영지를 떠나지 않고,
영지를 지키며,
영지에서 생을 마감해야
하는 법이지.
그러니
기억하렴.

무슨 일이 생겨도
블랑쉐포르로
돌아올 생각은
말거라.
블랑쉐포르로,
돌아오지…
말라고?

아르노의
사람이 된 이상,
내가 그대를
책임지지.
……
블랑쉐포르
백작가처럼
당장의 재산과 명예를
줄 수는 없지만,
최선의 방법으로
그대를 돌보겠소.
들었어?
백작님과
마님 사이에 후계가
생기지 않는 게
그것 때문이라는데?
백작님께
정부가 있대.
마님이
백작님을 거부한다는
얘기도 있던데
정부 때문인가?

마님이 워낙 어릴 때 시집와서 철이 없으시지, 뭐.
수군
빼짝 말라서 아이를 여럿 낳을 수 있는 몸도 아니고.
수군
그런 주제에 뭘 믿고 백작님을 거부해?
수군
백작님이 벌어오는 돈을 흥청망청 쓰면서,

꾸욱…
출정 전에 나와 보내는 찰나의 밤들은 그냥 의무일 뿐이고…
백작에게는 따로 사랑하는 사람이 있다.
그래, 비앙카.
그에게는 사랑하는 사람이 있잖아?

당신이라고
다른 사람을
사랑하지 말라는
법은 없어.
당신의 외로움,
전부 내가
감싸줄게.
당신은
그냥 이 감정에
몸을 맡겨.
나를
사랑해줘,
비앙카.

퍼
억
놔!
너를
사랑하라고?
외로움을
전부 감싸줘?
내가 아르노에서
쫓겨날 때
넌 어디 있었지?
내 전부를
달라고 해놓고,
당신이 주는
감정에 몸을 전부
맡기래서
내어주었더니….
내가 전부를
잃었을 때…
내가 가장
필요할 때
넌
날 버리고
떠났잖아!

맙소사,
비앙카.
그래도
나로 인해
위로받았을 거라
생각했는데….
그래,
많은 위로를
받았지.
나도
누군가의 사랑을
받는다고,
누군가와
사랑을 하고 있다고
착각하며….

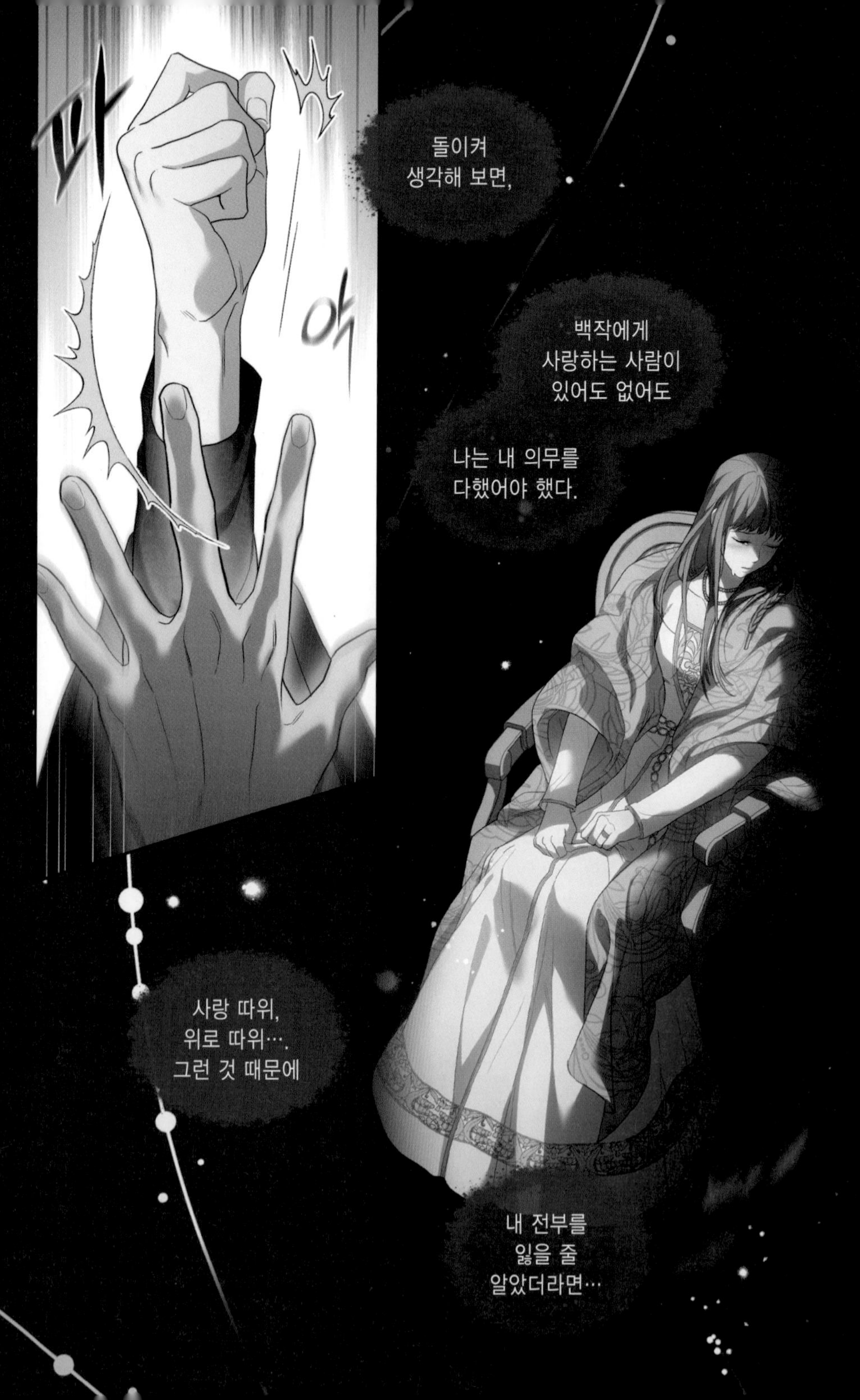

파
악
돌이켜
생각해 보면,
백작에게
사랑하는 사람이
있어도 없어도
나는 내 의무를
다했어야 했다.
사랑 따위,
위로 따위….
그런 것 때문에
내 전부를
잃을 줄
알았더라면…

사랑
같은 건,
시익...
깜박
절대 하지
않았을 텐데.

뚝
비앙카.
뚝

어디
아픈 게요?

백작….
항상
곤란할 때
나타나면서,
언제부터
와 있었던 거지?
내가
제일 원하는 건
아무것도 주지
않는 주제에….
아, 아무것도
아니에요.
…백작님은
어쩐 일이시죠?
…조금
걷지 않겠소?

뚜벅
뚜벅
도
도
ㄹ
도
도
도

뚜벅
뚜벅
글
다다
아니 진짜…
저 인간…!
다다
다다
다다
다다닷

헉
허억
헉
지금
다리 길다고
자랑하냐?

서로에 대해
자세하게 알지
못할 만큼,
다다닷
마님과 백작님은
함께 보낸 시간이
절대적으로
적었습니다.

늘 멀리서
바라보기만 했던
백작님은
크고 무섭고
말수도 적어서,
많은 사람을
만난 경험이
없었던 마님에겐

배려가 없는
어려운
사람으로만
느껴졌지요.

우뚝
또도도도도

두리번
?
다
왔나요?

…좀 더
가야 하오.
왜 멈춘 거야
그러면…?

사박
사박

아….
보폭이
좁아졌어.
맞춰주는
건가?

힐끔
설마….

아…
그냥
본인이 숨차서
그랬나 보구나.
하…

스으…

다 왔소.
저쪽에….

저쪽에?
!!!!

푸릉…
서, 서,
설마…!
두근
두근
그렇소.
지난 겨울에
약속했던
그대의 말이오.

세상에….
마,
만져봐도
될까?

스윽

살폿

너무
착하고…
매어두지 않아도
걱정 없는
순한 아이군요.
상상
이상이에요.
살아 있는 걸
선물받는 기분.
말로
다 표현할 수
없을 만큼
기뻐요.

백작,
갑자기 왜….
다행이군.
그대 마음에
들었다니.
스윽
후욱
?!
이렇게
적극적인데요?!

결혼장사

잠깐,
앉아보지.
네에??
후욱
까악!
번쩍

아버지도
안 해주신 둥개둥개를
남편이?
!!?!
?!!?

사뿐

어떻소?
너무 높거나
무섭지는 않소?

네?
아….
네,
무섭지
않아요.
푸릉
다행이군.

내일부터는
내가 직접 승마도
가르쳐주지.
꽈악…
…마음은
고맙지만…
백작님의 시간을
빼앗고 싶지
않아요.

승마를
배우는 것을
원한 건
맞지만,
뱅상에게
부탁해서
승마 선생님을
구하면 돼요.

…그대가
내 시간을 뺏는 게
아니오.
내가
직접 하고 싶어
그렇소.

그간 내가
놓치고 산 게
너무 많았던 것
같거든.
…그래요.
힐끔
꼬물… 꼼지락…
그럼
소, 손은….
언제…
놓으려고….
…….
…그,
…말에
오른 김에…
텁
고삐도
한번
꽉 잡아보고,
영지도 한 바퀴
돌아봅시다.

흔들
깜짝
오늘도 침모들이 모인 곳에 갈 참이었소?

…네, 맞아요.
그럼 그쪽으로 가지.
다각
다그닥

다그닥
다각

무섭고 큰
사람으로만
기억한 건…
항상
올려다봤기
때문이었나?
내려다보니까,
생각보다
유순해 보였어.

유순은
무슨!
핫
뭐라는 거야,
비앙카.

…왜
지난번처럼
불러주지
않는 거요?

…뭐 하나
물어도 되오?
네?

'지난번
처럼'?
제가 전에
백작님을 뭐라
불렀었죠?
…….

??
훽
…침모들을 데리고 만드는 물건…
'레이스'라고 하던데, 그건 어떤 거요?

음…
값싼 재료로 만들지만
결과물은 값비싸고 가치 있는 아름다운 물건이에요.

생각보다 내 일을 자세하게 알고 있잖아?
하긴… 뱅쇼나 가스파르가 다 고해바쳤겠지.

대륙을 넘어
전세계에
엄청난 영향을
끼치게 되지요.

'끼치게 된다'고?
어떻게 그렇게 확신하지?

아차….
앞으로 일어날 일을 백작은 모르는데.
허억
…그, 글쎄요?

여, 여하간
그렇게 된다면 영지에는 분명히 큰 보탬이 되겠죠?

…그대도 내 벌이가 예전같이 부족할까 염려하는 거요?
고고고
고고고
가난뱅이 자작 출신 신흥귀족 주제에
유모였던 쟌이 그랬던 것처럼?

집값만큼 비싼 군마가 마사 가득 들어차 있는 걸 봤으니
그런 걱정 안 해요.

그냥,
혹시…
나중에
내 주변에
무슨 큰일이
생기게 된다면

나 스스로
누구에게도
휘둘리지 않을
강한 힘이
필요해요.
블랑쉐포르
백작의 딸,
아르노 백작의
아내나
어머니….

누군가의
이름이 없으면
살 수 없는 내가
아니라…

그냥
비앙카.
비앙카여도
단단한 사람이
되고 싶어요.

스스로
단단해질 힘이
필요하다….

기사의 아내다운
좋은
마음가짐이오.

띵-

흥!
그, 그렇게 칭찬할 필요 없어요!
홱
이게 다 후계자가 없어서 그런 거니까!

하루라도 빨리 아이가 생겼으면 하는 마음은 여전하거든요!
전쟁 때문에 흉흉한 이 시절에 백작님이 후계자를 볼 생각이 없으니까
제가 스스로 지킬 힘이 필요하다 생각하는 거 아니겠냐고요!

이 타이밍에 아이가 생기면
레이스 제작자 비앙카보다
차기 아르노 백작의 모친으로만 기억될 텐데?

그게 맞는 것
아닌가요?
귀부인들은
남편과 후계자,
친정이 아니면
보살핌을
받을 수 없어요.

보살펴줄 남편이
매 전쟁마다
선봉에 서 있는
나는…
항상
불안할 수밖에
없어요.

…그렇군.
확실히
좋은 시절은
아닌 것 같소.
출산 전후로
목숨을 잃을 수 있는데
아이를 낳아야 하는
어린 귀부인에게도,

어디서 칼이
날아들지도 모르는데
전쟁터에 나가야 하는
어린 기사에게도….

문득 마님은
언젠가 들은 이야기가
떠올랐습니다.

위그 자작의 둘째 아들이
열여섯에 쫓겨나듯
가문을 뛰쳐나온 이야기.
불세출의 기사도
태어날 때부터
완벽한 사내가
아니었다는 이야기.

칼을 대신 휘둘러줄
가신 하나 없이
지켜야 할
가신만 있었던

바닥부터
쌓아 올린 이름.
그 이름이
아르노 자카리라는
이야기
말입니다.

어린 기사와
어린 귀부인에게
좋은 시절이
아니라….

어린 내가
아무것도 모르고
아르노로
시집온 것처럼,
어린 백작도
아무것도 모르고
전쟁터에 뛰어든
것이겠지….

백작님.

혹시…

그동안
나를…
꽈악

걱정하고
있었던 건가요?

……。
나는….

불
쑥
어머~!!
마님, 그건 웬 말이에요~!!

어서어서 오셔요, 마님!
니콜라가 마님 언제 오시나
목이 빠지게 기다리고 있었어요!

아앗, 영주님??? 영주님이셨어요?
마, 마부인 줄 알고 인사를 못 드리는 결례를…!!

이익…
…하필 이런
타이밍에….

그대를
기다리는 사람들이
많군.
말은 내가
마사에 데리고
가겠소.

사뿐

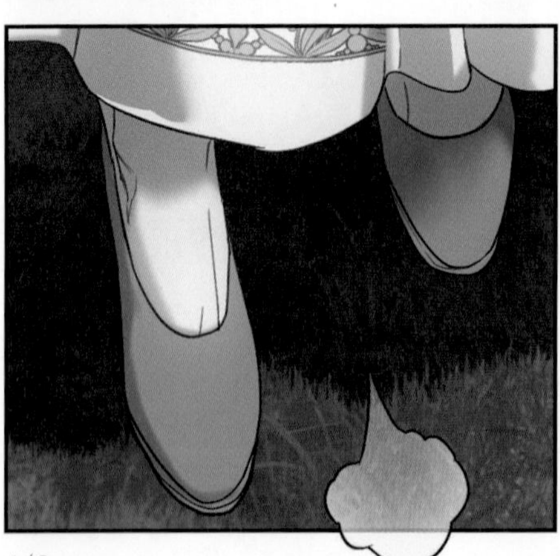

아,
그리고
이름을 지어주면
말과도 금방
친해질 거요.
이 아이의
이름을
지어보시오.
승마 수업의
첫 번째 숙제요.

열아홉 해를
지내온
봄이었지만
마님의
그해 봄은…
무언가 다를 것
같았답니다.

세브랑 수도,
라호즈

으음….
남편이 나를
찾을 텐데….

말했잖아.
쪽
조옥
나와 함께
있을 때는
남편에 대한 건
잊어버리라고….
쪽
스윽

바스락
…!
잠깐!

자,
자코브!
누군가
있어요!

홱
아,
잠깐만
부인…!
괜찮다니까!

…잽싸라.
후다닥
간이 저리도
콩알만 하니,
오래 데리고 놀지도
못하겠어.

…그래서,
알아보라고
한 건
어떻게 되었지?

네,
2왕자 저하.
자카리 드 아르노도
아내를 데리고
라호즈에 상경한다고
합니다.
오호…
흥미롭군.

'철혈'의 처가
라호즈에
온다고….
이번 봄은
무언가 다를 것
같은걸?

결혼장사

Chapter 19

그 당시
국왕 폐하께서는

세 분의 자녀가
계셨습니다.

1왕비 전하께
고티에 1왕자 전하와
오델리 공주 전하를
보시고,

2왕비 전하께
자코브 2왕자
전하를 보셨지요.

장자 세습이
오랜 관습이었던
세브랑이기에
고티에 1왕자 전하께서
세브랑의
차기 군주이신 것이
당연히 여겨졌습니다.
2왕자
전하.

오,
오랜만이군.
블랑쉐포르
백작.

꾸벅
제 아들
조아생입니다.

아아…….
백작, 내가
재미있는 이야기를
들었는데 말이오.

아르노 백작이 이번 상경길에 처를 데리고 온다더군?
그의 처라면 블랑쉐포르 백작, 그대의 딸 아닌가.

다 늙은 편력 기사에게 시집보냈던 아홉 살 그 딸, 맞지?

내 어머니께서
먼 친척 조카인
블랑쉐포르
백작 부인의 딸이
누군지도 모르는
남작 나부랭이에게
시집가는 것을
무척 염려하시기도
했었고.
…….

전하, 말씀이
심하십니다!
매제는…!
척
2왕비 전하께서
염려하실
만했지요.

그로 인해
고티에 전하와
왕세손 전하께서
군주가 되신 후에도,
세브랑을
대적할 존재는
어디에도 존재하지
않을 겁니다.

하나 그 편력 기사
남작 나부랭이는
현재 대륙에서
손꼽히는 영웅입니다.

…그렇군.
우리 대영웅을
실물로 영접할 그날이
기대되는걸?

저벅
기회가 된다면 백작 부인과도 만나보고 싶고 말이야.
저벅
저벅

비앙카를 들먹이며
아버님을 욕보이는 건
가문에 대한
모욕입니다!

아무리
파벌이 갈린다고
하지만,
매제가
아라곤의 침략 때마다
목숨을 걸고
나라를 구한 건
기억 못 한답니까?

…조아생,
너는 이 길로
집으로 돌아가
아르노에 서신을
보내렴.
상경하게 된다면
누구보다 먼저
비앙카를
만나고 싶다고.

네?
정말이십니까,
아버님?!

엄마를 닮았으면
무척 아름답게
자랐겠구나.

철퍽

마…
마님!
바들
바들
바들
후달달ㄷ…

안절
부절
달
달
달
마님
괜찮으세요?
…아니.
허, 허벅지랑
엉덩이가
엄청 쓸려서…
너무 아파….

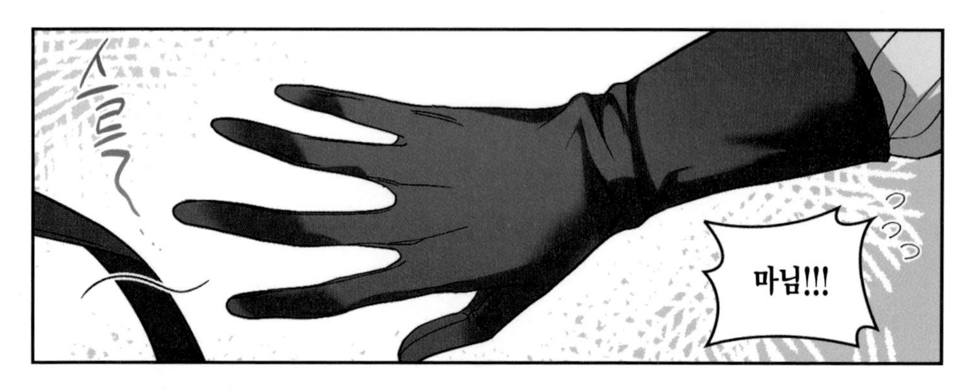
스르~
마님!!!

스르르~
풀썩

탁

번쩍
승마를
시작한 건
잘한 일 같소.
계속 하다 보면
체력이 붙을 테니
건강해지겠군.

푸르릉
자,
이자벨과
인사하시오.

마사까지
직접 데려다주면
좋겠지만,
그것까지 하면
라호즈 가는 날까지
자리보전하겠군.

쓰담
내일 만나,
이자벨.
많이
무거웠을 텐데
수고했어.

…그리고
백작님.

비틀
비틀
다각
다각

...
…?
백작님?

지금 무슨 생각 중이에요?

…전에도 잠깐 물어보다 말았지만,
요즘은 왜 그렇게 불러주지 않나 해서….

'여보'라고.
그러고 보니
그때
내가 그랬지….
여보.
여보.
백작에게
'여보'라고.

뭐야아
백작…?
그걸
기억하고
있었어??
그런 새초롬한
표정으로
그런 질문
뭔데에에에???
화끈

그, 그건요!
휘익
TURN
'여보시오' 하고
부를 때 같은
'여보'고요!
결코 다른 의미의
'여보'는
아니거든요!

그리고 애초에
우리는…
서로 '여보'라
부를 수 있는 사이가
아니지 않나요?
부부이긴 하지만
부부관계는 아직
맺지 않았으니까
말이에요!

……
그렇군.

딱히 특별한 호칭을 강요할 생각은 아니었소.

…지금

백작님이 제 승마 선생님이고,
전 제자잖아요.
호칭은 나중에 정리할 기회가 있겠죠.

다각
두고봐요, 선생님!
다각
이자벨과 제가 노아와 선생님의 코를 납작하게 만들 테니까!
다각
하, 하하하.
코를 납작하게 해주겠다고…?

아….
백작은 이렇게 웃을 때 꼭…

소년 같다.

그 도전,
받아들이지.

톡
어서 빨리
그날이 왔으면
좋겠군.

아,
그렇게 잡아당기면
말이 멈추니까
조심하시오.

가, 갑자기
코를 치니까
놀라서 그렇죠!!

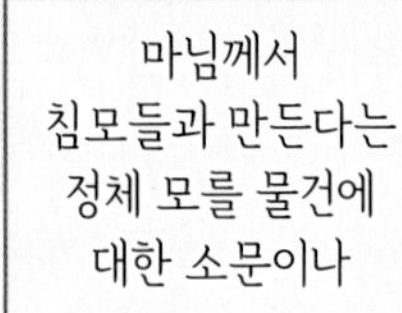
마님께서
침모들과 만든다는
정체 모를 물건에
대한 소문이나
비싼 밀랍초를
펑펑 쓰는
사치를 부린다는
소문은 여전했지만,

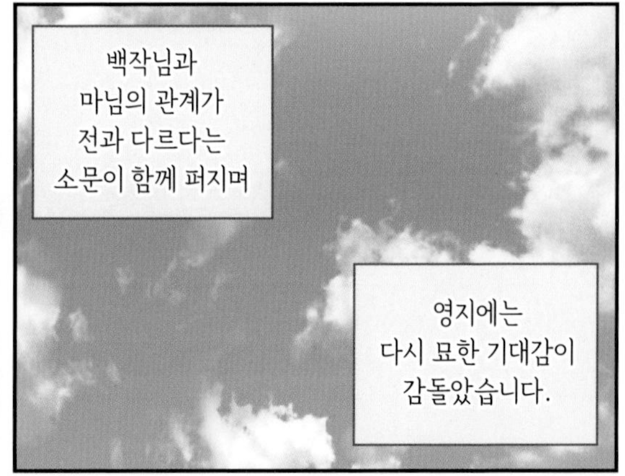
백작님과
마님의 관계가
전과 다르다는
소문이 함께 퍼지며
영지에는
다시 묘한 기대감이
감돌았습니다.

적어도
마님께 후계를
볼 수 있겠다는
그런 희망이었지요.

블랑쉐포르에서
백작님께
서신을 보낸 것도
그즈음
이었습니다.

마님과 혼담이
오갈 때 보내온 서신이
첫 번째였으니,
제 기억이 맞다면
블랑쉐포르의
인장이 찍힌 서신은
이게 두 번째군요.

…라호즈에
도착하자마자
비앙카를 만나고
싶다고 하는군.
이제 와서
무슨 생각이지…?

…일단
비앙카에게는
내가 틈을 봐서
전하겠네.
이 일은
함구하도록
하게.
네,
알겠습니다.

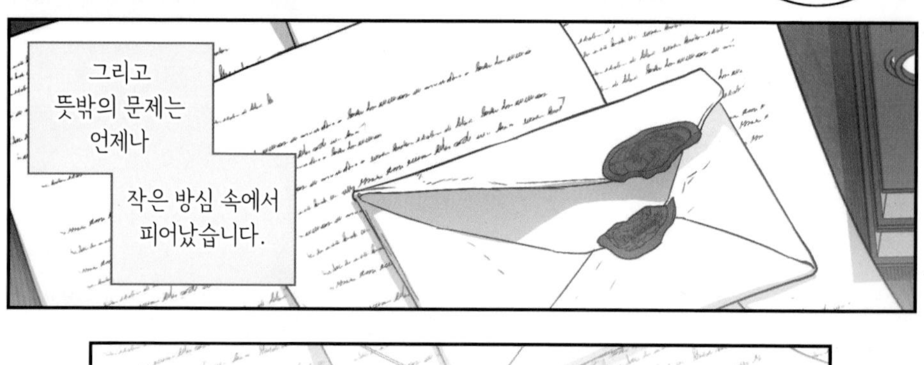
그리고
뜻밖의 문제는
언제나
작은 방심 속에서
피어났습니다.

사건은,
라호즈로 출발하기
바로 전날
일어났지요.

…마님, 그것이,
이건 그런 것이
아니라….

그런 것이 아니라니,
당장 내일 아침이면
라호즈로
떠나야 하는데…

이 일을 나에게
언제 이야기하려고
했단 말인가,
뱅상!!

결혼장사

Chapter 20
친애하는
아르노 백작,
귀하가 상경하신다는
이야기가
라호즈에 파다합니다.
세브랑의 영웅을
영접할 수 있다는
기대감이
퍼지고 있지요.
이번 상경길에
백작 부인도
동행하신다고
들었습니다.
라호즈에서
누구보다도 먼저
귀하와 부인을
만나 뵙기를
요청드립니다.

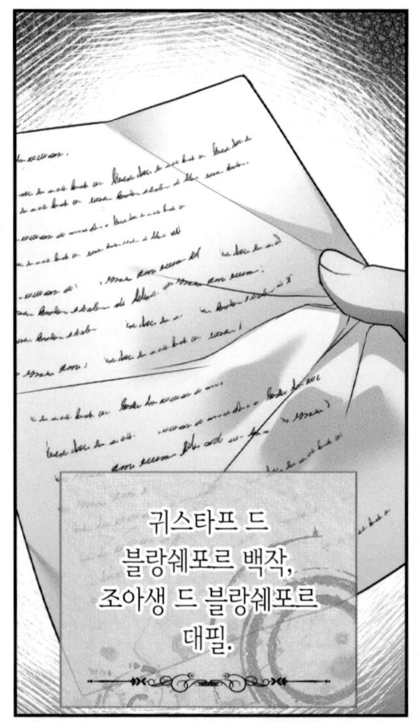
귀스타프 드
블랑쉐포르 백작,
조아생 드 블랑쉐포르
대필.

동생을
만나고 싶다는
서신이 지나치게
사무적이군.
오라비란 자도
백작과
비슷한 건가….

비앙카의
안부 같은 걸
물어온 적도 없던
블랑쉐포르 백작이다.
뱅상에 의하면
비앙카도 블랑쉐포르와
서신을 주고받은 일이
없었다고 하던데….

9년이나
소원했던
가족을
비앙카에게
만나게 하는 것이
맞는 걸까?

…당분간
승마 수업이 없으니
땋아 올린 머리를
볼 일은 없지만,
콩
역시
늘어트린 긴 머리가
비앙카에게
제일 잘 어울려.

라호즈로
떠나기 전날,
아르노성은
마지막 짐 정리로
분주했답니다.

그러나 열다섯 개가
훌쩍 넘는 마님의 짐을
줄여달라
요청이 들어왔고,
마님은
"이미 줄이고 줄인 게
그것이네!"라고
말씀하셨지요.

그러다
"백작님 짐도 궤짝
여덟 개뿐입니다~"
라는 뱅상 님의 말에,
마님은
"그게 말이 되는
일인가?!"하시며
짐을 풀어보라 하셨지요.

오….
…이보게,
뱅쇼…?

이게 정말 전부
백작님의 짐이
맞는 겐가?
네,
맞습니다만
왜….
으음….

뱅쇼,
솔직히
말해보게.
사실은
우리 영지가
정말 많이
가난한… 건가?
네? 아뇨.
그럴 리가요?

그래. 우리 영지는
군마도 상당히 보유한,
극히 부유한 편이지.
그런데…

이 셔츠는 자수가 너무 올드하고!
이 조끼는 지난번에 말을 몰 때 입은 옷이고!
모피도 질이 낮은 것 뿐이지 않은가!
마님, 그것이, 이건 그런 것이 아니라…
백작님은 검소한 분이어서 단정한 옷들을 즐겨 입으시는 것뿐….
단정한 게 아니라 촌스러운 거라고, 이건!
에잇, 시끄럽네!
팩
내가 백작님의 집에 대해 물었으니 망정이지!

묻지 않았으면
이 일을 나에게
언제 이야기하려고
했단 말인가!
뱅상!!!
백작님 옷이
이렇게 넝마라고!
어??!

그랬습니다.
백작님의 옷은
충분히 고급진 편에
속하는 것들이었지만,
유행에 민감하신
우리 마님의 눈에는
전혀 차지 않는
물건들이었습니다.

저 궤들은
다 뭔가?

스르륵
저것도 설마
다 넝마 더미는
아니겠지!

마님, 마님!
집사장님이 조금만
줄여주십사 요청하신
마님의 짐이랍니다.
아,
그래?
저 짐은
문제가
없겠구나.

뱅쇼,
거기 들어 있는
물건들을 전부
드러내도록.
그리고
백작님 궤짝을
전부 열어보게.
내가 직접 옷을
골라가지!
샤락

그래, 오히려
잘된 것 같구나.
호오…
이번 기회에
수도의
첨단 문물로
남편의 스타일을
머리끝부터 발끝까지
바꿀 수 있지
않을까…?

네에??
!!!
!!!
사치 경보
에에
파
삭
에엥
그, 그 말씀은
백작님 오, 옷, 오옷을
전부 새로
사시겠다는….

내 남편이기 이전에
철혈의 영웅이자
세브랑의 얼굴일세!
지금의 옷으로는
촌부로밖에 보이지
않는단 말일세!

촌부 행색을 한
남편과 같이
다니게 될 나?
내 남편의 스타일로
내가 비웃음을
당하는 꼴을
참을 수가 없네.
…넷,
마님….
쭈글...

천하의 뱅상도
비앙카에겐
꼼짝없이
잡혀 사는군.
무슨 일인지는
몰라도
뱅상이 저렇게
쩔쩔 매는 건
처음 봐.

풉

소뵈르?

…전에
비앙카와 친하게
지내고 싶다고
했었지….

무슨
이야기를
하는 거지?

…백작님의 옷을
자네에게
달라는 말인가?

네, 기왕
버리실 물건이면
저, 소뵈르에게
버리시라는 거죠!
원래
좋은 옷감은
재활용하기도
하니까요!

…백작께서
풍채가 좋으신데
자네한테 맞겠나?

하지만 로베르,
그 작은 친구보다는
제가 크고
가스파르,
그 큰 친구보다는
그나마 백작님의
체구와 비슷한 게
저인걸요.

…그래,
그럼 필요한 건
알아서 챙겨 가게.
와아~
오예~
고맙습니다!

그럼 군영
짐 정리 마치고 얼른
챙겨 가겠습니다!

후유…
…저 남자랑
대화하고 나면
항상 정신이 없어.

일단
조금 쉬었다가
내 짐도 정리를
해야겠군.
더 뺄 것도
없겠지만.

…백작이다.

흔들
그래도…
최근 거의
매일 보다가
이렇게 보니까
또 반갑다.
스스슷…
후두둑
으음?
언제부터
보고 있었대…?

뭐,
뭐야…?
꿈
뻑
나랑
눈 마주친 거
아니었나?
잘못
본 건가?

스윽…

깜짝이야.
두근
두근
두근
눈이
마주칠 줄은….
다 큰 남자가
몰래 엿보기나 하고
잘하는 짓이다.
두근…

설마
엿보고 있던 걸
기분 나빠하려나?
어린 신부를
어떻게 대해야 할지
몰랐던 나의 무뚝뚝함도
한몫했을 것이다.
비앙카와
처음 결혼하게
되었을 때,
눈만 마주쳐도
울어대는 통에
가까이하기조차
어려웠다.
그런데
지금은 먼저
눈을 맞춰오고,
가끔은
나를 향해
웃어준다.

혹은 내가 모르는
또 다른 사내가
비앙카의 곁을 맴돈다고
생각하면 기분이
이상해지는 것도

비앙카가
나를 향해
미소 지어준
다음부터였다.

혹시
그동안 나를…
어느 순간부터
그 형식적인 관계가
불편하다.
걱정하고
있었던 건가요?
예전에는
그저 어린 나이에
어른들의 사정에
휘둘리게 된 비앙카를
안쓰럽게 여겼다.

하지만
지금은…
비앙카를 휘둘렀던
모든 상황을
감사히 여기는
음험한 마음과
함께….
비앙카가
상처받지 않길
바라고 있다.

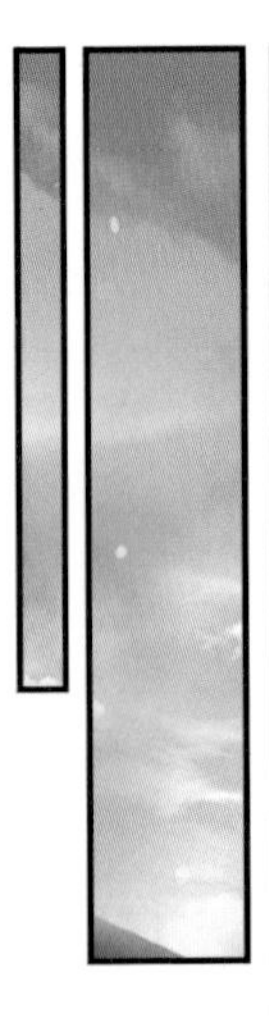

웅성
웅성

삐걱…

힐끔

백작은 많이
바쁜가 보네.
어제
내가 손 흔든 거
정말 못 봤는지
물어보고 싶은데….

그렇게
마차에 오른
마님은,
시작되는
이 지루하고
기나긴 여행 중에
언젠가는
백작님과 이야기를
나눌 틈이 생기겠거니,
생각하셨다고 합니다.

덜컹
쿠궁

드르륵
드르륵

끼
기기-!!
그 순간까지도
마님은…
기기기

기기
기긱-!!
꿈에도 모르고
계셨지요.

자신의 삶을
뒤집어놓을
운명의 수레바퀴가

끼기기
기기
무섭게
굴러가기
시작했음을.

웅성
웅성

끼익
그럼
출발하지.
라호즈로!

결혼장사

Chapter 21

마님과 백작님이
라호즈로
향하신 지
수일이 지난
뒤였습니다.

활짝
안녕들
하신가~?

집사장님,
어서 오세요!

지난번에
요청한 금실과
아마실일세~

집사장님, 좋은 일 있으셨어요?
얼굴이 밝으시네요.

날씨가 따뜻해져서 그런지 활기가 돌아서 말이지!

호호홋
그럼 수고들 하시게!

푸핫,
날씨가 따뜻해져서 그렇다니….
펑펑 돈 쓰시면서 잔소리 한번 못 하게 하는 마님이 안 계시니까
마음이 편해서 저러신다는 걸

아르노에서
모르는 사람이
없는데 말이에요.
흐으흠

오구구
루루
사실
마님을 많이
좋아하시면서~
그치요~
할부지가 마님한테
못 당하는 게 그래서
그런 거지요~

예전이야 마님이
방에 틀어박혀서
사치만 하셨다지만
이제는
백작님 사이에서
후계자가 생길지도
모르고~

레이스 제작도
눈에 보이는
결과물도 좋으니까~
전보다 좀 더
고급실을 찾아서
보내주시고
하는 거지요~
아우

탕

달칵

그리고 자네들이
만들어놓은
레이스들은

내가
좋은 기회에
라호즈에서
내보일 것이네.
많은
귀족 부인과 상인이
앞다투어 아르노로
파발을 보내겠지.

그전까지 꾸준히
더 좋은 문양,
더 좋은 제품을
제작해두게.
뱅쇼에는
아낌없이 지원하라
일러두었으니
눈치 보지 말고.

두근
자네들은 더 이상 침모, 직공 정도의 사람이 아닐세.
이 아르노의 레이스 장인인 것에 자부심을 갖도록.
그리고 니콜라,
대신전을 방문해 신께 감사드릴 거란다.

아르노에
이렇게 귀한
예술가를 보내주신 걸
말이지.

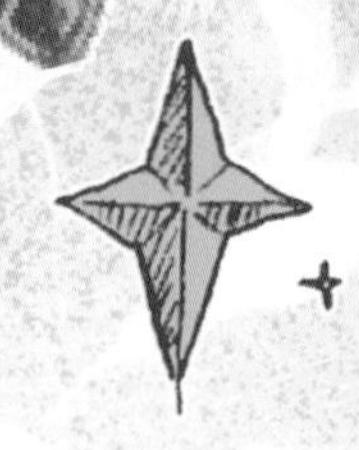
그 겨울부터
봄까지
짧은 기간 동안
그들은
마님을 통해
많은 것을 얻었다고
하였습니다.

자신들의 재능과
잠재력을 알아보고
투자해주신
마님의
무사 귀환을
바라면서….

산사태로 길이
유실되었다는
말인가?

네.
말이 지나갈 수 있는
길만 남아 있고
마차는
사람이 직접
옮겨야 할 것
같다 합니다.

…우회를 하면
라호즈에 도착하는
시간이 얼마나
지체되지?
이번 수도 행군은
규모가 크고 인원도 많아
이동 기간을 약 2주로
잡았습니다만,

예상과 달리
부인께서 마차 여행을
힘들어하지 않으신
덕분에
이 추세라면
지체는 걱정하지
않으셔도 됩니다.

다만
산사태로 유실된
길 너머에
오늘
머물기로 한 마을이
있습니다.
마을에 가지 않고
우회를 한다면
오늘은 이곳에서
노숙을 해야 합니다.

어떻게
하시겠습니까?
…백작님?

…사람 손으로
마차를 옮기는 건
효율이 좋지 않지.
오늘은 이곳에서
노숙을 하고
내일 우회길로 가지.

아내에겐 내가
이야기하겠네.

괜찮으니
잡으시오.
아, 아 아뇨.
괜찮아요.
잡으시오.
괜찮아요,
제가
내려갈게요.
잡으시오.

가스파르,
왜 이렇게
질척대지?
아니,
가스파르가
질척이는 것도
있지만…
이본느도
철벽 엄청나네.

이본느,
어서 내려와서
내 옷매무새 좀
정돈해주렴?
앗,
네 마님.

덥석

타닷
지금 가요!

타다다
?

오호라…?

피식
…이본느,
앞으로 신사분이
손을 잡아주겠다고
하면
거절 말고
덥석 잡으렴.
네?
손은 왜요?

숙녀의 손을
잡아주는 게
그들한테는
최고의 명예거든.
꾹
아휴,
저 같은 것의 손이
무슨 명예나 되나요.

깜짝
홱
아이고~
부인,
망토 밑단이
다 구겨졌네요.

팡
팡
여기 살짝
먼지도 붙었고~

마차에만
계시기
힘드셨지요?
저쪽으로 가면
아르노강으로
흘러들어가는
계곡이 있습니다.

가셔서 잠깐
바람 쐬고
오시겠습니까?
충성
충성
헥
헥
헥
샤바
샤바
제가
모시겠습니다.

와아~
떠나기 전에
백작 옷을
전부 받아가서
그렇구나.
단순한
사람이네.

저벅
위치만 알려주게. 가스파르랑 갈 테니까.
에이~ 그러지 마시고 저랑 같이 가세요~
가스파르 저놈은 길치거든요~
붕
붕
붕

철컥
길치는 누가 길치야. 입술에 침이나 바르고 거짓말해라, 소뵈르.

백작께서 부인을 찾으십니다.

말들을
저쪽으로 모두
몰도록!
웅성
거기,
나귀는 아직
풀어놓지 마라!
웅성

두리번
…소란스러워.
잠깐
쉬고 가는 게
아니었나?

…고단하지
않으셨습니까?
종일 덜컹대는
마차 안에서
멀미를 하셨을 수도
있었을 텐데.

아직
갈 길이
멀었으니
힘드시면
참지 않으셔도
됩니다.

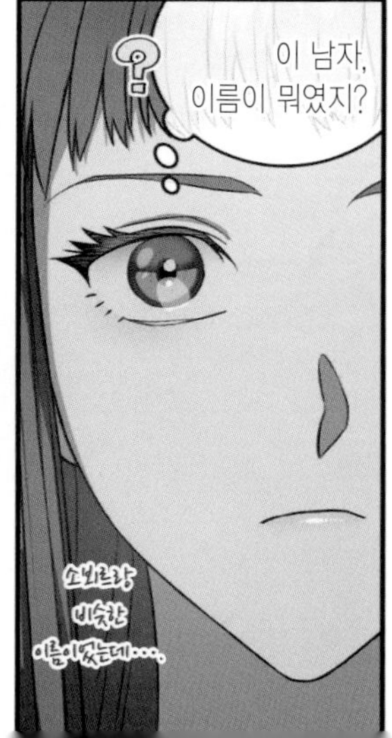
이 남자,
이름이 뭐였지?
소비르랑
비슷한
이름이었는데….

염려하는 거야,
비꼬는 거야?
정답 :
로베르

밀랍 초는
기름 초보다
비쌉니다~
그걸 펑펑
에잉~
깐깐하게 굴던 뱅상
뱅쇼처럼
잔소리를
곱게 돌려
하는 건가…?
흠
경계
그렇게 무리해서
버티다가 쓰러지면
어쩔 거냐는 식으로.

경은
내 성격을
잘 모르는 것
같군.
난 힘든 일을
억지로 참을 만큼
인내심이
많지 않네.
종일
걷는 것도 아니고
마차 안에서
이동하는 것 정도는
참을 수 있네.

…….
그렇습니까?

철컥
비앙카.
두근
좀 걷지.

슥
마음이 수런거려서
오랜만에 말을 섞어서 그런가.
두근
두근
이런 기분은 반가움…인 것 같아.
백작과 마주하고 있으니…
멎지를 않아….

결혼장사

Chapter 22

가장
빠른 말로 달려도
이틀이 걸리는
거리를,
톡

저 꽃잎은
반나절이면
성 앞까지
도착한다오.
졸
졸
졸

소뵈르 경이
보여주려고 한 곳이
여기군요.
근사해요.
성안에만
있었다면
영영 몰랐겠네요.

…….
많이
친해졌나 보군.
큼

…소뵈르와.

총성
헥헥
헥
총성
아…
친하다는 말은
어폐가 있는 것
같아요.
으음…
그냥
소뵈르 경이 제게
은혜 갚을 일이
있거든요.

…그러니까,
질투하지
말아요.

…그러지.

…질투,
했던 거야,
백작?

…돌아가지.

스윽

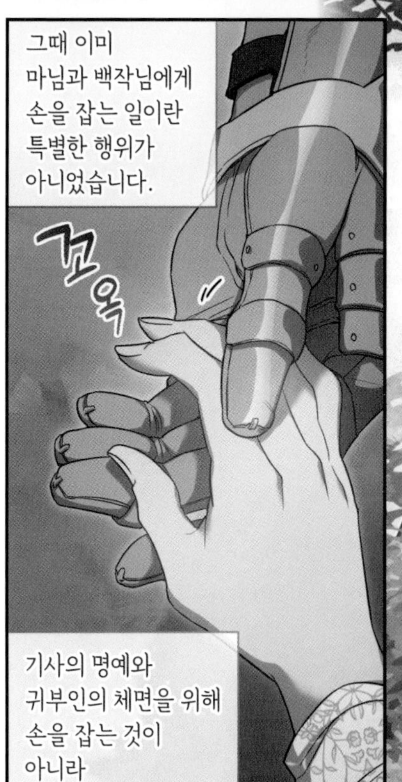
그때 이미
마님과 백작님에게
손을 잡는 일이란
특별한 행위가
아니었습니다.
꼬옥
기사의 명예와
귀부인의 체면을 위해
손을 잡는 것이
아니라

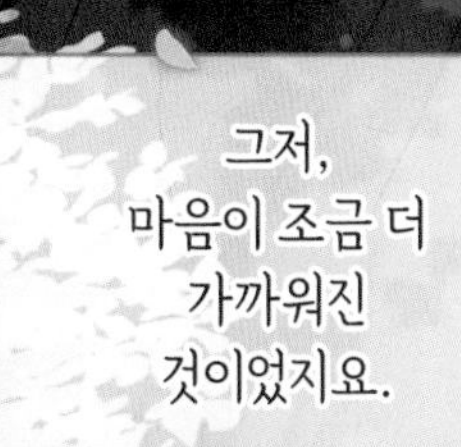
그저,
마음이 조금 더
가까워진
것이었지요.

그래서 더욱,
백작님은 마음이
무거워졌습니다.
앞으로 자신이
건넬 말로
겨우 좁혀진
마님과의 거리가 다시
벌어질지도 모른다는
염려였지요.

…무슨 생각
중이에요?

그대에게
두 가지 할 말이
있소.
2?
두 가지요?

…그,
그러니까…

…블랑쉐포르에 있었을 때 오라비와는 사이가 좋았소?
?
조아생 오라버니요?

음…

…그러게요. 비교적 좋은 편이었던 것 같아요.
어머니가 절 낳고 돌아가셔서 형제라고는 둘뿐이었으니까요.

오라버니는
항상 잘 웃고
상냥했어요.
내가 밀어서
넘어지고 울었다는 거,
잔에게는
비밀이야!
그리고
어린애치고는
능글맞은 구석도
있었죠.
그런 부분은
아버지를 닮은 것
같네요.

하긴,
아버지랑
똑같으니
10년 넘게
편지 한 통 보낼
생각도 안 했겠죠.

너무 어릴 적이라
전부 기억나지는
않지만,
오리버니가
다른 건 다
양보해줬는데
딱 하나
양보하지 않았던 게
있었어요.

그게
초콜릿
케이크였어요.

요리처럼 양껏
먹을 수 있는 게
아니었으니,
안돼
안돼
꺄에엑
어린 마음에
오빠 몫까지 뺏어
먹고 싶었거든요.

그런데 딱 한 번
오라버니가 케이크를
양보해준 적이
있었어요.
다시 뺏어갈까 봐
입안 가득 욱여넣었던
기억이 나네요.
와구
와구

…그리고
그 기억이
유난히 뚜렷한
이유는…
그날이
백작과의 결혼을
통보받은 날이기
때문이다.

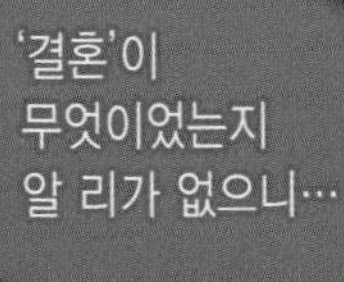

'결혼'이
무엇이었는지
알 리가 없으니…
가만히
듣고만 있었다.
내 인생에
그런 일이 일어날 줄
알았더라면…
떼를 써서라도
결혼하지 않겠다
했을 것이다.

하지만
아무것도 몰랐으니
백작의 손을 잡고
아르노로 오게
되었고,
블랑쉐포르로
돌아갈 생각조차
하지 못했다.

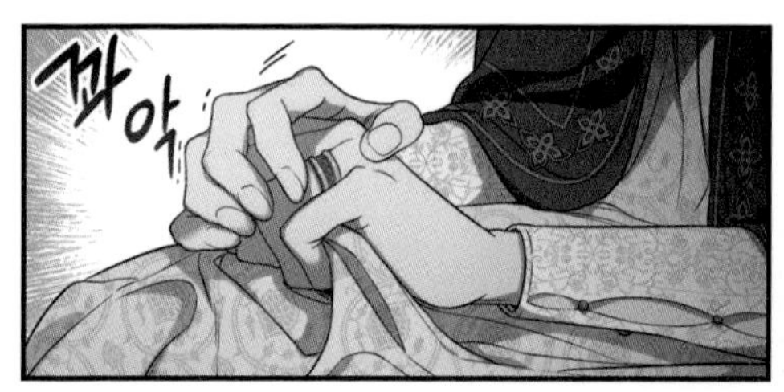
꽈악

비앙카?
괜찮소?

윽…
파르르

헉
…피곤했던 모양이에요.
계속… 마차에 앉아 있다가 걸었더니….
헉

헉
허억
헉

…아니,
앞으로 일어날 일들을 떠올리니 기분이 나빠졌다.

백작이
전사하고
고티에 1왕자도
죽게 된다.
1왕자의
충실한 추종자였던
내 아버지는
군마 삼던 사위와
모시던 주인을 대신해
아라곤 침공에 맞서
선봉에 섰고,
그런
아버지 곁을
조아생이
지키게 된다.

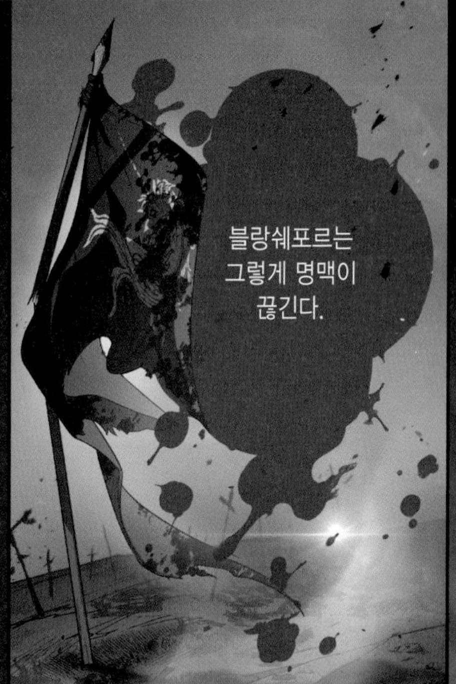

불쾌해서
숨을 쉬기
힘들다.

…실은
블랑쉐포르에서
서신이 왔소.
헉
허

혹시나
그대가…
원하지
않는다면
거절하려고
하오.

그대를 만나고
싶다는….
허억

역시, 백작은
나를 걱정하고
있었구나.
사락
이렇게
자상한 사람인 줄
지난 생엔
왜 몰랐을까?

스윽

톡

스윽…
고마워요.

꿀꺽

스르륵

스르르…
…어?

백작의
몸이
…내 손을
따라왔어.
백작,
설마…
입,
맞추려는
건가?

이, 이렇게
갑자기?
아니,
갑자기여도
괜찮긴 한데….
두근
두근

두근
이, 이게
다시 살아나서
처음 하는
입맞춤인데…
두근
너무 적극적으로
보이면
좀 그런가…?
두근
…하지만,
하지만!!
쪼오~옥
두근
너무 빼면
또 언제 기회가
올 줄 알고!!

번쩍
화들짝
콰릭
마님,
언제 오셨어요?

오늘은 이곳에서
노숙을 한다고
하네요!
곧
가스파르 경이
덮을 가죽을
가져온다고…
…
…….

죄, 죄죄죄
죄송합니다!!
제가 너무
눈치 없이
들이닥쳤네요!!
아니야,
생각하는 일은
일어나지 않았단다,
이본느.

그리고
노숙이라니요?
이야기할
두 가지 중 하나가
노숙에 관한
것이었나요?

…미안하오.
그대를 마차에서
재우고 싶지
않았는데.

…화내도
괜찮소.

왜
화를 내요?
이동하면서도 자는데
밤에 세워놓고 자는 게
뭐가 어렵다고….

그런데
백작님은 어디서
주무시나요?
마차에서
같이 주무시는
건가요?
움찔!

나,
나는…
화끈
여기서 자…면
그대와 둘이…
여기서…
다들… 뭐라
생각하겠소.

화악

아, 왜 얼굴을
붉히는데요!!
부부가
같은 마차에서
잘 수도 있는 거지!
어떻게 남편을
맨바닥에서
재우냐고요,
이상하잖아요!

그, 그리고
마차에서 단둘이
자자고 했나요?
이, 이본느랑
가스파르랑
넷이 같이 자도
넓은데, 뭘!
??
마님, 그건
더 이상한데요….

나는 밖에서
다른 자들과
같이 잘 거요.
염려 말고
이본느와 함께
마차에서 주무시오.

남은 이야기는
다음에 또 합시다.

저벅
저벅
꾸벅

남은 이야기.
그것은 친정 식구들과의 재회에 대한 이야기였지만,
무슨 이야기가 남았는지 떠오르지 않을 만큼
두 분 마음속은 시끄러웠습니다.

그날 이후 마님과 백작님은 상경하는 내내
남은 이야기를 할 시간을 갖지 못했습니다.

그리고 영지를 떠나온 지 열흘이 된 어느 날,
아르노의 행군은 계획했던 2주에서 나흘이나 일찍

라호즈에
도착했습니다.

결혼장사

Chapter 23

세브랑의 수도
라호즈는
아라곤과
카스티야
사이에서
백여 년간
자리를 지켜온
저력을 가진
곳입니다.

붉은 장미와
황금빛 가시 같은
햇살이 수놓아진
문양.

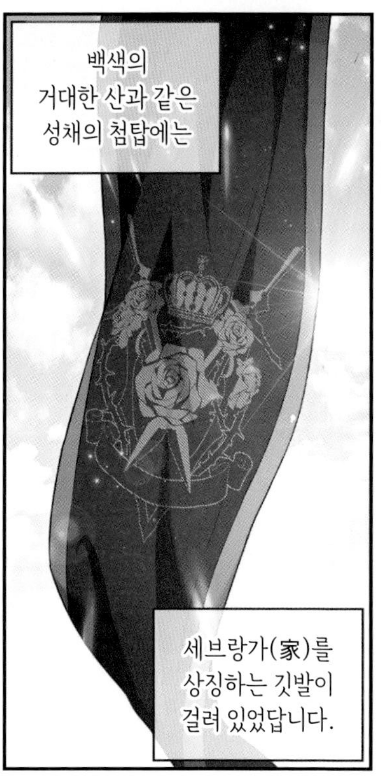
백색의
거대한 산과 같은
성채의 첨탑에는
세브랑가(家)를
상징하는 깃발이
걸려 있었답니다.

성문을
열어라!

아르노의 영주이자
백작 자카리,
국왕 폐하의
부름을 받고
이 앞에 서 있다!

끼기
기기각

검은 늑대
문양!

끼끼기
기기
아르노가의
깃발이다!

자카리 드 아르노
백작이시다!
와아아
와아아

와아아

영웅,
자카리 드 아르노
만세!
철혈의 백작
만세!
와아아
와아

아라곤의 외침(外侵)을
언제나 선봉에서
저지하는 자에 대한
환대.
구국의 영웅을 향한
세브랑의 민심은
열렬했습니다.

와아
마님!
저것 좀 보세요!

폐하가 계신
본성까지는
세 개의 거대한
관문을 지나야
했습니다.

겉에서
보았을 때도
거대한 산 같던
성은

라호즈에
입성하고도
한참을 올라야
했습니다.

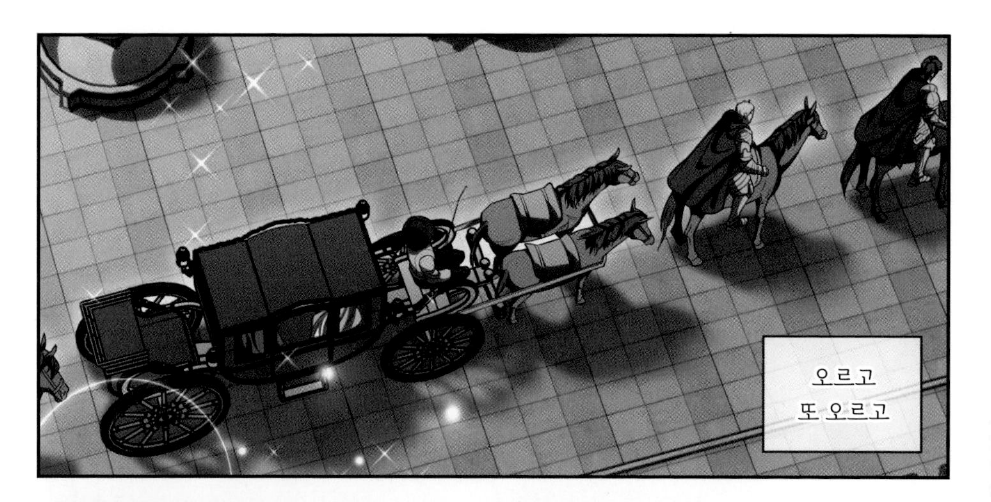
오르고
또 오르고

태양이
손에 잡힐 만큼
하늘에
가까워졌을 때,

유백의
라호즈성에
도착했습니다.
국왕 폐하께선
오델리 공주의
정원에 계시다는군.
뻣 뻣
형식적인
알현과 달리
편한
분위기일 테니
너무
긴장하지
마시오.

…그러려고 하는데,
잘 안 되네요.

바들
바들

스윽

꼬옥

라호즈성의 정원들은
대륙에서 자생하는
각종 식물을
모아놓은 곳으로도
유명하답니다.

당시에는
오델리 공주 전하와
1왕자비 전하께서
각각 하나씩의 정원을
관리하셨습니다.

오델리 공주 전하는
국왕 폐하께서
유난히 총애하시는
자녀였지요.

공주 전하의 정원에서
백작님과 마님을
만나려고 하신다는 건
그만큼 백작님에 대한
폐하의 신뢰가 높다는
의미였답니다.
오,
아르노 백작.
기다리고
있었네!
함께
계셨군요?
폐하,
1왕자 전하.

폐하, 지난 가을에
뵈었을 때보다
더 건강해 보이셔서
마음이 놓입니다.
백작이야말로
얼굴이 폈구먼.
그쪽의
아름다운 숙녀분은
혹시….
자,
자카리의 처
비앙카 드 아르노라
합니다, 폐하.
오오,
그대가…!
반갑소
백작 부인.
세브랑의 국왕,
빅토르 드
세브랑이오.

절
절
집이 전부터
어찌나 백작 부인을
만나보고 싶었던지.
1왕자
고티에 드
세브랑이오.
여기 백작이
그대의 몸이 약하다며
도통 라호즈로 데리고
오지를 않지 뭐요.
짐이
죽을 때가 되니
부인을 만나보게
해준 건 배려인가?
그대 부친과는
절친한 사이임에도
이렇게 만나는 건
처음이군요.
세상을 떠난
블랑쉐포르
백작 부인을
많이 닮았구려.

이 장미가
내 아내에게 주기 위해
오델리에게 싹싹 빌어
꺾어가는 것이
아니었다면
그대에게
선물했을 거요,
백작 부인.

하지만 곧
아르노 백작이
그대를 위해
다른 장미를
선물할 것이오.
영원히
시들지 않는
장미를 말이지.

?
…영원히
시들지 않는
장미?

꾸벅
그대들이 머물 북쪽 탑은 라호즈성에서 가장 경치가 좋은 곳이오.
먼 길 오느라 수고했으니 가서 편히 쉬시오.
마음에 들었으면 좋겠구려.
감사합니다.

갑시다, 비앙카.
네.

힐끗
고티에 1왕자….

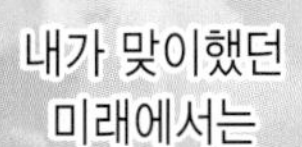

결국
세브랑의 패권을
쥐지 못하고
세상을 떠난다.

그리고 왕위를
물려받는 것은
1왕자의 아들
알베르가 아닌

동생인
자코브 2왕자.

뚜벅
친정인
블랑쉐포르와
아르노가
1왕자파지만…
이대로 간다면
1왕자가 왕권을
거머쥐지 못하니
도도도
뚜벅

끈 떨어진 연
신세가 되는 건
이미 결정된
미래인데,
차라리 살짝이라도
2왕자에게 줄을
대어두는 게
좋지 않을까?

슥
물론 2왕자가
이런저런 추문이
많기는 했지만….

쿵
꺄악!

괜찮으신가요,
아가씨?
사뿐
미안합니다.
내가 급하게
움직이다 보니.
아… 아니에요.
저야말로 한눈을
팔았네요.
꼬옥
읏, 너무
가까워.
아름다운 아가씨,
어느 가문의
영애이신지….
네?
아뇨,
전….

비앙카!

진짜…!
당신은 걸음이 너무 빨라요!
팍

타다닷
잠깐 한눈팔았다가 내가 길을 잃으면 어쩌려고 그래요?
이렇게 낯선 성에서?

미안하오.
이제는
놓치지 않겠소.

맙소사,
그대가 '그' 아르노 백작 부인이로군!

성 전체가 아르노 백작을 연호하는 소리가 소란스럽길래
만나보러 가려던 참이었는데.

…제 처가 실례를 범했군요.
2왕자 전하.

2왕자.
이 사내가…

세브랑과
대륙의 패권을
거머쥘 남자…!

결혼장사

이
남자가,
2왕자….

자코브 드
세브랑이오,
부인.
두 사람 모두
라호즈에 온 것을
환영하오.

알고 있소?
부인의 모친께서
내 어머님의 먼 친척
조카라는 걸?
부인과
친척 사이라는 게
무척 기쁘군.

…….

제 어머님과
세브랑가가
친척 사이라는 건
알고 있습니다만

블랑쉐포르는
왕족과의 친척 관계를
내세워 자녀들을
교육한 적이 없습니다.
친절한 관심은
감사합니다만,
왕족과의 친인척
관계라는 점은
제게 큰 감흥이
없답니다.

저는
왕족도 무엇도
아닙니다, 전하.

비앙카….
…네?

…….

앗차!
친한 척하는 게
싫어서
욱해버렸잖아?
왕족에게
말대답
해버렸어…!!
끼엑

이런,
부인.

부인의
마음이 상했다면
용서해주겠소?
그저
처음 만난 사이지만
친해지고 싶은 마음에
선을 넘었소.

…아니.
저야말로
실례했습니다.

부인은 무척
진솔한 사람
같군.
앞으로도
숨기지 말고
지금처럼 편히
말해주시오.
라호즈에
지내는 동안,
불편한 일이
생기면
언제든지…

나를
찾아왔으면
좋겠군.

꾸깃
내가 유부녀인 걸
알면서
저렇게 노골적으로
바라보는 저 눈
불쾌해.

어머나!
폭

너무 피곤해요.
어서 돌아가요.
여보.

비,
비앙카.
여기서
갑자기
이러면….

…송구합니다,
2왕자 전하.
샤라라
제 처가
여독이 풀리지 않아
피곤해하니,
라라라
이만
물러가
보겠습니다.
반짝
반짝
팅

…물러가게.

감사합니다,
전하.
그럼….

휙

뚜벅
뚜벅
뚜벅

이럴 때는
잘도 여보라
불러주는군.
뚜벅
뚜벅
장단 맞춰줘서
고마워요.
재치가 늘었네요.

무슨 일이
생겨도 2왕자를
찾아가는 일은
없었으면 하오.
그럴 일은
절대 없겠지만
내가 없을 때라도
2왕자만은 안 되오.

걱정
말아요.
나는
블랑쉐포르의 딸이자
아르노의 아내잖아요.

1왕자님을
지지하기 위해
결혼까지 했는걸요.

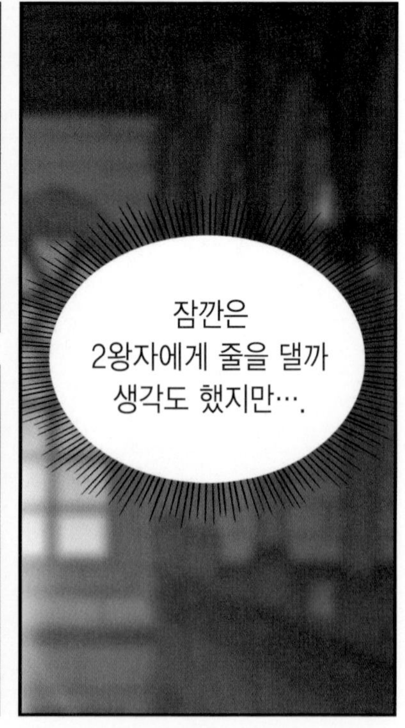
잠깐은
2왕자에게 줄을 댈까
생각도 했지만….

노파심에
하는 말이오.

…2왕자는
음험한 사내요.

무슨 짓을 할지
모르는 자라,
그대가
가까이하지
않았으면
하오.

그래,
음험한 사내….
2왕자에게 붙었던
여러 추문을
떠올린다면
맞는 표현이다.

그중 가장
유명했던 건,
2왕자 자코브가
적국인 아라곤과
20여 년간 내통하고
있었다는 것이다.
아라곤의 침략이
매국노 자코브가 벌인
촌극이었다는 건
자코브가
세브랑의 주권을
전부 집어삼킨 뒤에나
밝혀졌다.
세브랑의
국왕이 된
자코브는
아라곤과의
동맹을 공고히
하기 위해
아라곤의 왕녀와
결혼을 하게 된다.

그리고
얼마 지나지
않아
사건이
벌어지고 만다.
들었어요?
'그 여자'
이야기?
불륜 관계였다고
하네요.

남편이 바쁜 탓에
외로움을
이기지 못해
벌였다고….
사내가 바쁠수록
더욱 수절하고
몸과 마음을
지켰어야죠.
그럼요.
불륜은 천벌 받을
짓이잖아요!

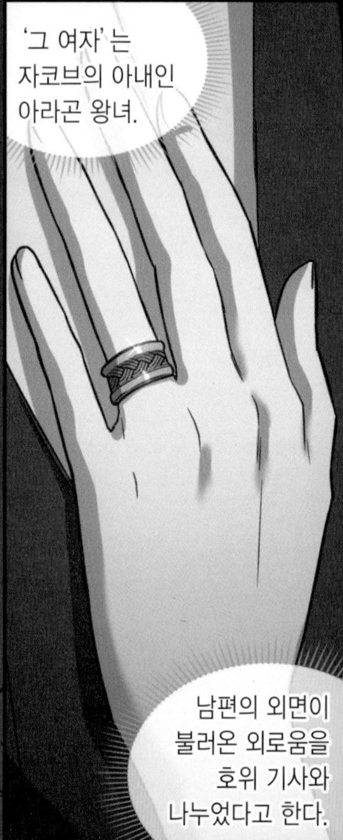

자국 공주의
불륜에 발목이 잡힌
아라곤은

자코브의 요구에
일일이 발맞추다

결국
나라까지 전부
내어주게 된다.

페르낭….
그는
나를 떠날 때
그렇게 말했다.

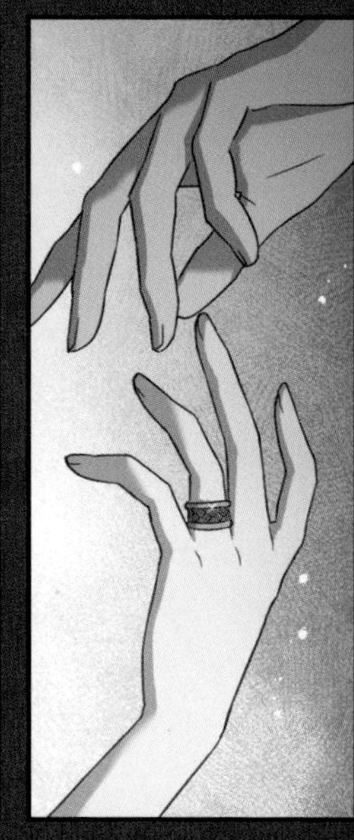

비앙카,
이제 여기까지
하자.
난 더 이상
당신과 엮일
필요가 없어졌어.

필요….
그래,
필요라고 했다.

남편이 죽자
전부 맞춰진
각본처럼,
페르낭은
나를 떠나갔고
아르노는
자카리의 본가,
위그 자작가의
손에 넘어갔다.

페르낭과
호위 기사를
욕하는 사람이
있었던가?
나와
아르곤 왕녀는
이름까지 팔려
그렇게 곤욕을
치뤘는데….

윽….
…비앙카?
꽈아악
꼬집
핫

미안해요.
잠깐 옛날 생각이
나서….
무슨 생각이었길래
몇 번을 불러도
못 알아들은 거요?

…….
…당신 옷들,
솎아내고 와서
다행이라고
생각했어요.

예상했던 것보다
더 화려하게 입고
다니더라고요.

2왕자보다
내 남편이 더 크고
더 잘생겼는데.
누군가
당신을 옷 따위로
얕잡아 볼 거라 생각하니
기분이 나빠요.
하.

크다는 말은
매번 듣지만
잘…생겼다는
말은
처음… 듣소.
큼, 흠흠.

피식
다들
부끄럼쟁이거나
눈이 이상했나
봐요.
그간 만난
여자들.

잠잠하다
싶었더니….
도대체
없는 여자 얘기가
왜 나오는 거요?

걱정 마셔요, 백작님.
승마 선생님의 과거를
이해 못 하는
어린아이가
아니랍니다.
하,
정말….
정말 숨겨둔
여자가 있으면
이렇게 억울하지도
않았겠소.

두 분은 찜찜했던
2왕자와의 만남을
잊기 위해
별것도 아닌
이야기를 나누며
마음을 가라앉히셨다고
했습니다.

마님과 백작님은
그때 미처
알지 못했습니다.
2왕자와
아르노의 악연은
그 순간부터
시작이었다는 걸.

끼이익

어서 오세요,
백작님, 마님!

세상에나…
1왕자님께서 경치가 좋다고 하셨지,
내실 자체가 이리도 아름답다는 말씀은 안 해주셨는데.

사락
물건도 전부 고급품이랍니다, 마님.

저 궤짝만은 확실하게 아르노에서 온 물건이로구나.
현실감이 없을 뻔했는데, 저것을 보니 정신이 번쩍 드네.

벌컥
마님,
여기
이 방이…

백작님과 마님의
방이에요.

…….
잠깐.

물론…
백작과
최근
좀 친해지긴
했지만….

백작님이
나와 같은 방에
머무는 거니?
?
백작님께서
다른 지시를 하지
않으셔서요.

이렇게 갑자기
합방을 하게
되는 건가?

결혼 장사 ❷

2024년 10월 07일 1판 1쇄 인쇄
2024년 10월 14일 1판 1쇄 발행

그림 AntStudio | **각색** 한흔 | **원작** KEN

발행인 황민호
콘텐츠4사업본부장 박정훈
책임편집 이예린 | **편집기획** 신주식 강경양 최경민
표지디자인 Gnoeyi
본문디자인 레드아이스 스튜디오(조유진, 강바다, 이새연, 천다희, 박은지)
에이블
마케팅 조안나 이유진 이나경 | **국제판권** 이주은 한진아 | **제작** 최택순 성시원 진용범
발행처 대원씨아이(주) | **주소** 서울특별시 용산구 한강로 3가 40-456
전화 (02)2071-2071 | **팩스** (02)749-2105 | **등록** 제3-563호 | **등록일자** 1992년 5월 11일
www.dwci.co.kr

ISBN 979-11-7288-612-7 07810
979-11-7288-610-3 (세트)

그림 AntStudio 각색 한흔 원작 KEN

III
결혼장사
그림 AntStudio
각색 한흔 원작 KEN
대원씨아이

Contents

결혼장사

Chapter 25

사락
사악

첫날밤을 보낼 곳이 아르노성이 아닐 가능성도 염두에 두고 있었지만…
이렇게 갑작스럽게 같은 방을 쓰게 될 줄이야.
역시 긴장되네.

끼이익

백작!
씻고 왔구나!
꿀꺽
저렇게 젖은 모습은 또 처음 본다.

푹
뚜벅
뚜벅

바, 바로 옆에 앉아??
스윽
~마음의 소리~
꺅~
꺄악~
어떡해 어떡해 어떡해 어떡해~!!!

무, 물론
마차에서도
약간… 그치?
그런
무드가 있긴
했었지만!!
온다…!
나, 내 손, 내 손,
손 어떻게 하지??
두근
스륵
얌, 얌전하게
무릎에
놔야 해??
두근
두근
차가워!
백작 손
너무 차가워…!

꺄아아아아악!!!!

쪼옥
…앙카,
어디 있소?
아,
여기 있었군.
욱~

늦봄인데도
침대에 캐노피가
있군.
지대가 높아서
그런가 보오.
밤에 쌀쌀하진
않겠구려.

?
…비앙카?
왜
그러시오?

…역시
많이 피곤했소?
얼굴에
열이 나는 것
같은데?

야한 생각 하면서
내적 호들갑 떨어서
그런 거니까
놔둬요…!

백,
백작님.
백작님은
오른쪽이 편해요,
왼쪽이 편해요?
자리
정해야 해요,
우리.

오른쪽
왼쪽
가,
가, 같이…
같은 침대를
쓰려면.

…?

비앙카.
나는
옆방 침대에서
잘 것 같소만?

……
…
…그렇죠?
어쩐지.

난 또~
혼자 열심히
상상하고
있었잖아요!
이런 거~
저런 거~

뇌를 너무
많이 썼는지
지치네요….
이만
나가주실래요?

스윽

그대는 항상 왼쪽에 자리를 잡더군.
그럼 자연스럽게 내 자리는 오른쪽이 되겠군.

언젠가 같은 침대를 쓰게 될 날에는 말이오.

정말….

…재치가 생긴 건지
능글맞아진 건지
모르겠어요, 당신.
으쓱
글쎄.

…조금씩
바뀌고 있는 건
맞는 것 같소.
좋은 쪽으로
말이오.

참,
비앙카.
전에
하지 못했던
이야기를 좀 마저
해야 하는데.
…부친이신
블랑쉐포르 백작과의
만남 말이오.
훅

어찌하면
좋겠소.
아….

그날 내가
과호흡으로
쓰러지는
바람에…
어떻게 해야 할지
아무것도
정하지 못했구나.

만약 그대가 원치 않는다면
블랑쉐포르 백작은 나 혼자 만나도 되오.

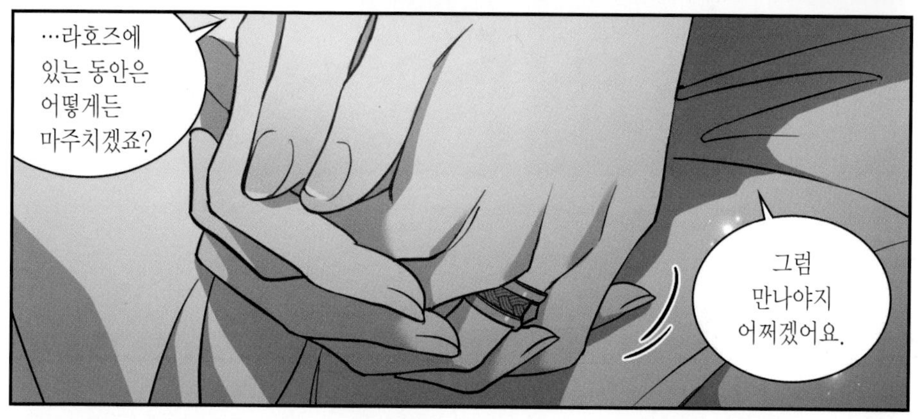
…라호즈에 있는 동안은 어떻게든 마주치겠죠?
그럼 만나야지 어쩌겠어요.

가급적 빨리 만나도록 해요.
전 괜찮으니까….

사악
삭

아버님과 조아생…. 언제 만나게 되려나.
기왕이면 백작님의 옷을 전부 새로 맞추고 만났으면 좋겠는데.
내가 시집갈 때와 지금의 아르노는 명성이 다르다는 걸 보여줘야지.

…아버님이나 조아생이 백작님을 외양으로 평가하지 않겠지만…
그래도 내 마음이 그렇지가 않구나.

기왕이면 누구보다도 넉넉하게 잘 지내고 있는 걸 보여줘야지.

지참금을 그렇게 많이 보낸 것 이상으로 잘살고 있다고.

…라호즈에는 어떤 재봉사가 유명하려나?

내 남편의 옷을 만들어줄 사람이라면 누구보다 뛰어난 사람이어야 하지 않겠니?

염려 마세요,
마님.
제가 내일 아침 일찍
이 라호즈에서
제일 유명한 재봉사를
찾아올게요!

그럼
부탁하마.
싱긋
고맙구나,
이본느.

마님은 결코
수다스러운 분이
아니셨어요.

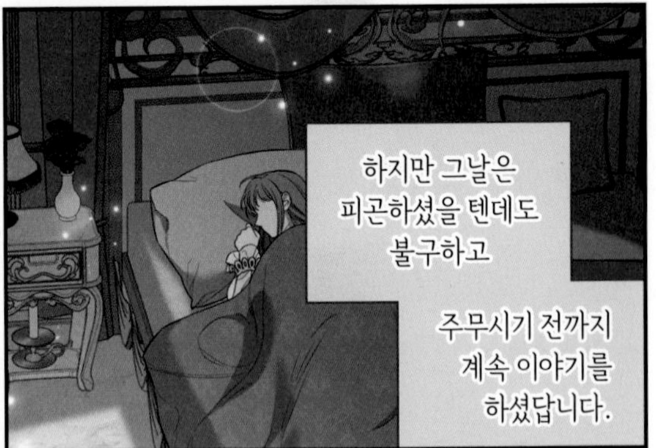
하지만 그날은
피곤하셨을 텐데도
불구하고
주무시기 전까지
계속 이야기를
하셨답니다.

9년이란
시간이 지났고
마님은 소녀에서
성숙한 여인이
되셨지만,
블랑쉐포르의 가족들을
떠올리는 마음은
어린 소녀에
머물러 계셨습니다.

짹짹
짹짹

다음 날
이른 아침,
아르노의 전령은
라호즈 중심부에 위치한
블랑쉐포르의 사저에
다녀왔습니다.

백작님의
편지를 보내기
위함이었지요.

호록

뚜벅
뚜벅

아버님! 안녕히 주무셨습니까!
집사장에게 이야기 들었습니다!
아르노에서 드디어 답신이 왔다고요!

그래서 답이 늦었나 봅니다.

아아, 어제 라호즈에 입성했군요.
아르노에서 출발하기 전에 전령을 보냈더라면 벌써 받았을 텐데 말이다.

그래도
잘되었네요.
이틀 뒤면 비앙카를
만날 수 있습니다,
아버님!
똑
똑

실례합니다,
주인님,
조아생 도련님.
끼익
무슨 일인가,
집사장?

손님?
이
이른 시간에
말인가?

…그것이,
응접실에
손님이
오셨습니다.

누가
오신 겐가?
2왕자
전하십니다.

결혼장사

Chapter 26

똑 똑…
2왕자 전하.

좋은 아침이네
블랑쉐포르 백작!
활짝
아침에
잠시 산책을 하다가
마침 블랑쉐포르 사저가
근처라는 게
기억이 났거든?

아,
이 장미꽃은
꽃집에서 사 왔네.
푸옥
라호즈성의 장미에
비할 바는 못되지만,
훌륭한 아이들이더군.

형수님이나
오델리의 정원에서
받아 오면
좋았겠지만,
어쩔 수 없지
않나?

세브랑의
모든 사람이
알고 있는
사실이지만,

우리가…
내가 형제들과
사이가
좀 그렇잖아.
스윽

오델리는 내가 주변에
얼쩡거리는 것조차도
끔찍하게 생각하니
제 정원 근처에는
얼씬도 못 하게 하지.
형수님은…
내가
불편하실 거야.

저벅
저벅
시동생에게
얼굴을 붉히는 일을
형님에게 들키면
곤란하지 않겠나?
내가 형님보다
미모가 한 수 위니
이해가 안 되는 건
아니네만.

그래도 이번엔
은근히 따돌림당해서
기분이 아주 상했어.
털썩

…무슨 일이
있으셨나
보군요.
국왕 폐하께서
오델리의 정원에서
알현을 받으셨거든.

아르노
백작 부인과
그 남편 말이야.
이번에 상경하는
귀족 중에서도
내가 가장
만나보고 싶었던
자들이었는데
말이지.

그러다가 문득
생각이 들더군.
'형제들이야
원래부터 나를
달가워하지
않았지만,
부왕께서
알현 자리에
나를 빼놓으신
이유는 뭘까?'
라고.
'누군가 내가
아르노 백작 부부와
만나는 것을
저지하고 싶었던 게
아니었을까.'
하고 말이지.

자네 부탁대로
오델리의 정원에서
아르노 백작 부부를
알현했네.
굳이
이유는 묻지
않았었지만,
역시 자코브
때문이었나?
네.
2왕자 전하께서
제 딸과 사위에게
비상한 관심을
보이시더군요.
이유는
모르겠습니다.
좁은 라호즈에서
어떤 방법으로든
마주하겠지만,
그 만남을
하루라도 늦추고
싶었습니다.

…역시
내 짓인 것을
눈치챘군.

부왕께서
오델리의 정원에서
알현을 받고 계신 줄은
꿈에도 모르고,

어제도
부지런히 알현실을
향하고 있었지.
톡

부왕께서
오실 시간이
한참 지났는데도
오지 않으시고,
고티에 형님조차
보이지
않으시더군.
톡
톡
가족들에게
따돌림을 당한 게
한두 해가 아니니
대충 눈치는 챘지.

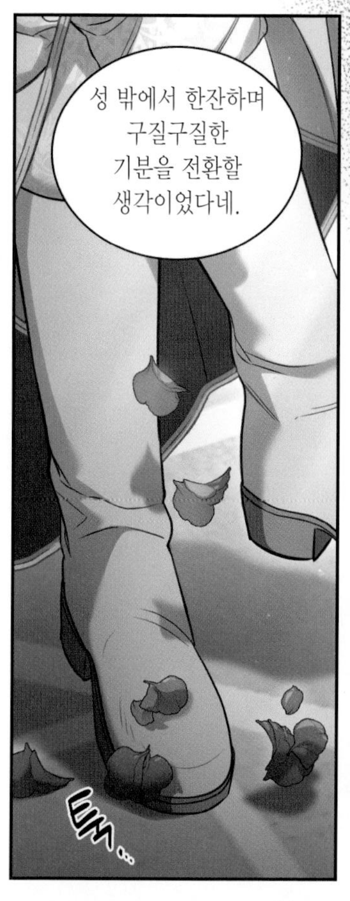
성 밖에서 한잔하며
구질구질한
기분을 전환할
생각이었다네.
톡…

…그대로
성 밖으로
나갔으면,
아르노 백작 부부를
마주치지 못했을 텐데
말이야.

우리의 앙큼한
장난꾸러기가
누구신지는
모르겠지만,
톡

그자가 간과한 게 있다네, 블랑쉐포르 백작.
뚜둑

이 라호즈에는,
나의 눈과 귀가 닿지 않는 곳이 없다는 걸.

팟

라호즈성
뿐만 아니라,

세브랑
여기저기

그리고 대륙의
이곳저곳….

툭..

어디든
나의 눈과 귀가
있다는 뜻이지.

이제
따돌림받는 건
지긋지긋하거든.

콰악!..

바스락

2왕자….
생각 이상으로
대담하고
위험하게
자라났구나.

예전에
말이야,
형님이 부러워서
따라 하고 싶은 게
있었지.
덜컹

전쟁 영웅으로
급부상하고 있던
위그 자작의
둘째 아들,
자카리 드 위그.

고티에 형님과
그대 사이처럼,
나도
평생의 벗으로
두고 싶은 사람이
있었어.
으직..

결혼하고
작위를 받은 후
영지가 생겨
이름이 바뀌는
바람에,
결국 그와
친우가 될 타이밍을
놓쳤지 뭔가.

저벅
이번에는
꼭 친해져 볼
생각이네.

이번에는
아르노 백작뿐
아니라
그의
사랑스러운 부인도
무척 마음에
들었거든.

그럼
좋은 하루 보내게,
블랑쉐포르 백작.

벌컥
깜짝

뚜벅
뚜벅
뚜벅
뚜벅...

2왕자가
눈치챘습니까?
저 하고 싶은 말만
늘어놓고 가는 걸 보니
약이 바싹 오른
모양이다.
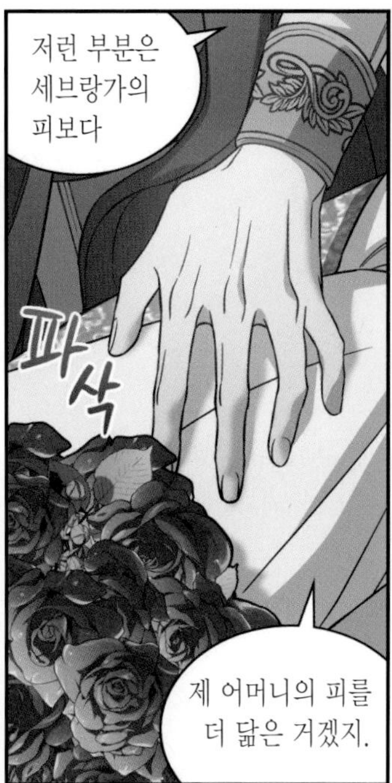
저런 부분은
세브랑가의
피보다
파삭
제 어머니의 피를
더 닮은 거겠지.

어머님의
고모님이신
1왕비 전하
말씀이십니까?
아니.
1왕비 전하의
친척이었던
2왕비 말이다.

2왕비는
원하는 것을
얻기 위해서라면
무슨 짓이든 하는
사람이었지.

폐하를
너무 사랑했던
나머지,
만취한 폐하의
침대에 몰래 숨어들어
아이까지 가질
정도로….
그때
생긴 아이가
자코브 2왕자야.
1왕비 전하께서
고티에 전하를
출산하시고
요양 중에 생긴
일이었단다.
2왕비는
1왕비 전하의
친척이자 둘도 없는
친우였는데 말이지.

…완전
삼류 통속 소설
이네요.
네가
몰랐다는 게
의외로구나.
예전엔 세브랑에서
모르는 사람이 없는
유명한 이야기였는데.

그 일로
국왕 폐하와
1왕비 전하의
부부 사이가 완전히
틀어질 뻔했단다.
폐하께서
2왕비를 자작가에
시집보내시고
1왕비 전하와의
관계 개선을 위해
최선을 다하셨지.

오델리 공주 전하는
그런 폐하와
1왕비 전하가 만든
노력의 결실이셨다.
폐하께서
공주 전하를
특별히 총애하시는
이유란다.
1왕비 전하가
산욕열로
세상을 빨리 떠나지만
않으셨어도…
2왕비가
자작과
이혼하고
자코브와 함께
입궐하는 일은
일어나지 않았겠지.

결과적으로
2왕비는 폐하의 곁에
머물 수 있게
되었지만
폐하의 사랑은
끝까지
얻지 못했단다.

그리고
원하는 것을
결코 얻지 못하겠다
깨달은 때,
아들만 남겨두고
세상을 등졌지.

그러니까
자코브 드
세브랑은…
어린 시절
자작가의
사생아로 자라
우여곡절 끝에
일국의 왕자가
된 게다.

어미를 닮아
지독한 구석이 있는
저 왕자가
사랑을 주지 않는
가족의 나라를 어떻게
생각하고 있는지…

심히
걱정되는구나.

즐거워
보이십니다,
전하.

전리품을
챙겨 왔거든.

좀 더
나이가 찬 초상화를
가지고 싶었는데
말이야.
성장한
아르노 백작 부인의
초상화는
하나도 없더군.

자네의 조사대로
아르노가와
블랑쉐포르가는
사적 교류가
전무한 것 같아.

그렇다면
생각 이상으로
연계가 약하겠지.
이제부터
두 집안의 약점을 찾아
부지런히
흔들어보게.

그러다 보면
동생의 영지뿐 아니라
사돈의 영지까지 전부
자네의 것이 될 걸세.

위그 자작.

결혼장사

하아
아버님!
하아
아버님,
어디 계세요?
헉

헉
헉

헉
아버님,
잔이 죽었어요!

이 넓은
아르노성에
저 혼자만
남았어요!
저, 집에
돌아가고 싶어요.
블랑쉐포르로
돌아갈래요!

비앙카.
주륵!
스윽
무슨 일이 있어도
블랑쉐포르로
돌아오지 말라고
했던 말, 잊었느냐?
나와 조아생이
죽게 되어도,
너는
블랑쉐포르로
돌아오지 말거라.

그건
흠칫
네 남편,
자카리가 죽어도
마찬가지란다.

너는 영원히
블랑쉐포르로
돌아올 수 없다.
비앙카.

…앙카.
비앙카.
정신이
좀 드오?

…여기가,
어디예요?

수도,
라호즈성이오.
어제 저녁부터
열이 심해져서
걱정했는데….
역시
긴 마차 여행이
많이 지쳤나 보오.
…맞다,
라호즈였지….
툭
오늘…
이본느가
재봉사를…
라호즈의
일류 재봉사를
수소문해
보겠다고….
몸부터 추스르시오.
몸이 나은 뒤엔
드레스도 외출복도
뭐든지 만들어
주리다.
…아뇨,
내 옷이
아니라…

당신 옷
말이에요.
토닥…
꾹…
…아픈 와중에도
내 의복을
걱정하는 게요?

미안하오,
비앙카.
내가
당신에 대해
아는 게 별로
없어서….
백작님은
아픈 아내가
걱정하는 것이
결코
의복 때문만이
아님을 알았습니다.
하지만
백작님은 마님이
가족들과 만나는 것을
두려워하는 이유까지는
알지 못했습니다.
지난 겨울부터
마님과 보내는
시간을 늘려왔지만,
짹짹
짹짹
9년의 공백을
그 몇 개월로
채울 수는 없었던
것이지요.
짹짹
백작님은
마님과 소원했던
지난날이
이토록 후회된 적이
없었습니다.

이본느,
내 눈 밑이 많이
어둡진 않니?
걱정 마셔요, 마님.
분으로 잘 가려
드릴게요.

…괜찮겠소?
아직
미열이 있으니…
조금 더 쉬었다가
나중에 만나는 건
어떻겠소?

아니에요.
왕세손 전하의 약혼 축하 행사가 줄을 지어 있으니,
당신도 아버님도 계속 바쁘실 텐데 언제 만나겠어요?
버틸 만하니 너무 염려 마세요.

…아직도 얼굴이 창백하오.

그래요?
이본느, 볼에 연지를 좀 더 올리자꾸나.
네, 마님

슥
내가 하지.
톡
톡
이렇게
하는 게
맞겠지?

언제나
말하지만
비앙카,
그대가 싫으면
아무것도 하지
않아도 되오.

아무것도
하지 않으면,
톡
톡
아무것도 바뀌지
않을 거예요.

난 정말
괜찮아요,
백작님.
그냥… 조금
걱정일 뿐이에요.

아버님께서
당신의 의복을 보고
내가 당신을 구박한다고
생각할까 봐서….

걱정 마시오.
그 부분은 내가
잘 둘러댈 테니.
자,
다 되었소.

…지금은
구박 좀
해야겠네요.
혈색이 좋다 못해
열이 더 나는 것 같은
이 얼굴은 어떻게
생각하시나요?

미안하오.
쉬워 보였는데
기술이 필요한
일이었군.
시간도 없는데
화장을 다시
해야 하잖아요!!
그래도 보시오,
꽤 귀엽다고.
쿡

긴장을
풀어주고자 한
백작님의
바람대로
마님은
화장을 고치는 동안
예전처럼 편안한 모습을
보이셨습니다.

꽈악
그러나 응접실로
향하시는 동안,

마님의 두 다리는
다시 떨리기
시작했습니다.
덜덜

국왕 폐하를
알현할 때만큼이나
긴장했군.

…나도 이렇게
긴장할까?

나를 내쫓았던
위그가의 가족을,
형님을
만나게 된다면….

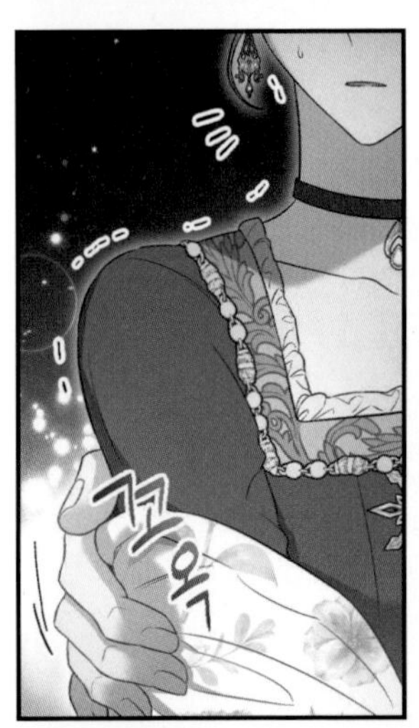
꼬옥

꾹…
비앙카처럼 나도
겁을 먹게 될까…?

끼이이익…
…들어가지.

두근
아….
두근
두근

조아생,
아버님….
귀스타프.

부들
울먹
부들
비,
비앙카….

상상했던 것과
똑같구나.
제 엄마를
쏙 닮았어.

아버님….
기억보다
조금 더…
나이가 드셨어.

덜컹
움찔

뚜벅
뚜벅
휙

오랜만이군.
정말
많이 늙었지만,
스윽…
승전을
축하하네.
아르노 백작.

잠깐만….
내 안부는 더
안 물어보는
거야?

10년 만에
만났는데?

아….
감사합니다,
각하.

각하라니~
이제 작위도
같지 않은가.
편하게
부르게.

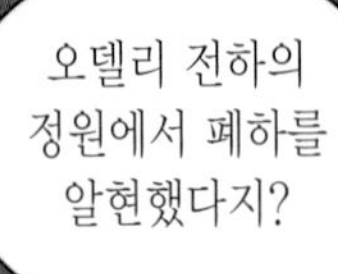
오델리 전하의
정원에서 폐하를
알현했다지?
아르노 백작을
많이 아끼신다는
뜻일세.
앞으로도
세브랑을 위해
더욱 애써주게.

내가
아니라…
백작을
만나러 왔구나.

팔려간
장사품의 안부는
물을 필요도
없고,

꽈악…
그저
정치적인 관계를
공고히 하려는 만남을
원한 거였다면….

저는…
이 자리에
있을 필요가
없었네요.

제가
잘 지내는지…
…궁금하지
않으셨죠?
결혼하고
어떻게
지냈는지도,
키는
언제 얼마만큼
자랐는지도,
유모가,
잔이 죽었을 때…
힘들지는
않았는지도,
하나도
궁금하지
않으셨겠죠?

저란 딸이
있었단 걸
기억은 하고
계셨나요?
블랑쉐포르
백작님.

결혼장사

저란 딸이
있었단 걸

기억은 하고
계셨나요?

글썽
가엾은
우리 마님….
그간 얼마나
섭섭하셨으면….
글썽

음?
가스파르랑
이본느 양?

슥-

뭐야 뭐야?
응접실 구경하고
있었어?
너… 이거
백작님과 부인께
실례라는 거 알아?

그게….

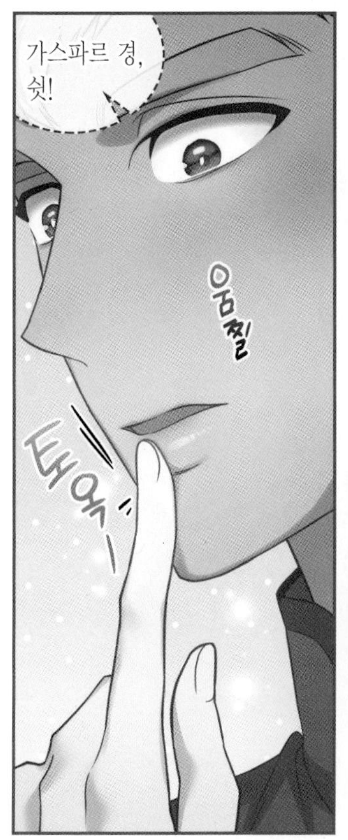
가스파르 경,
쉿!
움찔
톡
옥

블랑쉐포르 백작님이
말씀을
시작하셨어요…!

와작
와작
스르르~
두근
두근

…물론,
고마웠단다.
잘
버텨주었더구나.

돌아오고 싶다
조르지도 않고.
이 아비는
마음이 놓였단다.

까득…
…마음이
놓였다고요?

조르지 않은 게
아니라,
타악

조르지 못한 거라고
생각한 적은
없으셨어요?

돌아갈 곳이
없었다.
떠밀리듯이
집을 나왔으니까.
그래서
그 연약한 몸으로
하루라도 빨리
후계자를
낳으려고 했다.
아르노에
필요한 존재가 되려고
겨울 내내
영지를 돌아다니며
살림을 배웠다.
어떻게든
자신의 가치를
증명하려고
발버둥 쳤다.
아르노에서
버림받지 않기
위해서.

위그에서
버림받았던 내가
그랬던 것처럼.

그대가 말했지.
아무것도 하지 않으면 아무것도 바뀌지 않는다고.
…바뀌려고 애쓰지 않아도 되오.
꽈악…
폭—
그대가 이렇게 내 곁에 있어주는 것만으로도
나는 만족하니까.

아무것도
하지 않아도
되오.
그대가
이 모습 그대로여도
이미 충분하오.
뚝
뚝

훌쩍
그리고
이렇게 가버리면
듣지 못할 게요.

부친이신
블랑쉐포르
백작님께서
그대에게
정말로
하고 싶었던
말들을….

꾸욱…

머리부터 발끝까지
네 어미를
많이 닮았지만
고집만은 날 닮아
쉬이 꺾이지 않을 걸
알았단다.

울고 떼를 쓰며
고집을 부리면
뭐든지
얻을 수 있다 생각하는
어린아이인 너를…
아르노에
보낼 수 없었지.

이 아비는
네가 그런 말들을
듣지 않으면
어른이
되지 못할 거라
생각했던 것 같구나.

그리
엄하게 하지
않았어도…
이 귀스타프의 딸은
누구보다 잘하는
아이였는데….

꾸욱
편지 한 통
보내지 못한 건,

이 아비는 너처럼
잘 해낼 자신이
없어서였단다.

편지를
쓰게 되면
나도 모르게…
언제든지
고향으로 돌아오라고
할 것 같았으니까….

네게
그렇게 엄하게
다그쳐놓고,
이 아비가
마음이 약해질까
겁이 났단다.

…아르노 백작,
백작 부인.
오늘은 이만
돌아가보겠네.

…!!
팟

이럴 때는!
미안하다고 하시는 거예요!
그리고 많이 보고 싶었다고 말씀하시면 돼요.
난…
아버님도 조아생도 많이… 보고 싶었어요.

탓

비앙카!

보고 싶었어,
비앙카!!
와락

비앙카가
그랬지.

조아생 드 블랑쉐포르는
아버지를
닮은 것 같다고.

우리를 보며
꾸역꾸역
눈물을 삼키는
모습을 보니…
그런 모습도 분명
아버지를 닮았을 것이라
생각이 들었다.

비앙카가
남 앞에서 절대
눈물을 보이지 않으려
애를 쓰는 걸 보면,
본인도 아버지를
많이 닮은 것
같지만.

글썽
미안하다,
애들아~
울컥
울컥
우아앙—
이 아빠가
미안해~
우
아
아
앙
~

끼이이…

탁…

거기,
아까는 분명
둘밖에
없었는데,
언제 둘이
더 늘었지?
깜짝

…죄송합니다,
백작님.
스윽…
엉금…
하하.

백작님도 계속
응접실에 계시는 것
아니셨습니까?
…십 년 만에
가족과의
상봉이니,
외부인은 잠시
자리를 비켜주는 게
좋을 것 같아서.

벌컥
…!
폭
화
백작
부인??!
들
꽉
두근
두근
두근
그냥 나가면
어떻게 해요.

꼬옥
두근
울보 셋이서
울음을 언제
그칠 줄 알고.
두근
두근
나도
백작님한테
할 말이 있어요.
…고마워요.
꿀꺽…

오늘 같은 날
내 곁에 있어줘서
고마워요,
여보.

결혼장사

눈물의
가족 상봉
이후로
아르노 백작가와
블랑쉐포르 백작가는
활발히 교류하기
시작했습니다.

다각
다각
다각
마님과 백작님께서
블랑쉐포르 사저에
방문하여

저녁 식사를
나누는 일이
잦아졌습니다.
덜컹
덜컹

덜컹
덜컹
다만 가족들과의
관계가 빠르게
회복되는 한편,

슬쩍..
마님은 다른 곳에서
관계의 정체를
겪고 계셨습니다.

덜컹
덜컹

백작님께서
예전처럼
무뚝뚝해지셨거든요.
오늘 같은 날,
내 곁에 있어줘서
고마워요.
여보.

그렇게
듣고 싶어하던
'여보'를
해줬는데…
반응이 영
시원치가 않네.
약간 피하는 것
같기도 하고….
왜 이러는 거야,
백작?
덜컹
멍…
덜컹

그런 저에게
백작님은
뭐라고 하셨나요?
무슨 일이 생겨도
고향으로 돌아올 생각은
말라고 하셨잖아요!

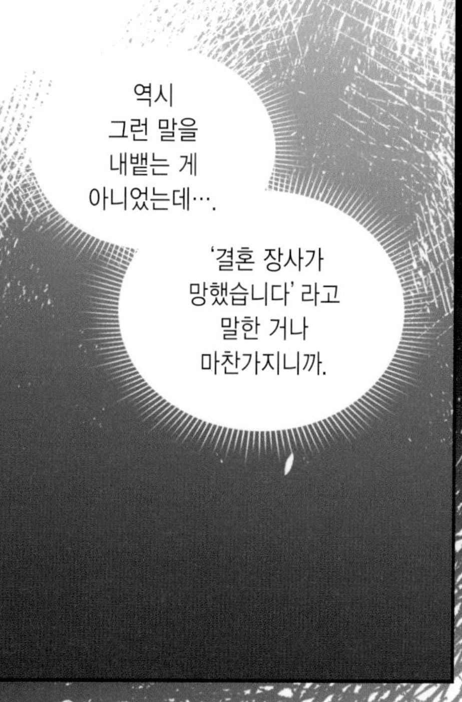
역시
그런 말을
내뱉는 게
아니었는데….
'결혼 장사가
망했습니다' 라고
말한 거나
마찬가지니까.

뿡
하지만
백작이 나한테
괜찮다고
달래주고
안아주고
토닥토닥도
해줬잖아.
그래서 나도
용기 내서
안았던 건데….

손해 본 기분이라 짜증 나…!
그냥 말로만 할걸!
하아…
……
비앙카는 뭘 해도 다 잘 어울려.
발그레
…머리를 푼 게 제일 잘 어울린다는 건 취소해야겠군.

동상이몽
(同床異夢).
두 분은
같은 공간에서
다른 생각을
하고 계셨습니다.
아르노 백작은
아마 모를 걸세.
달그락

자네가
갓 남작위를
받았을 때,
2왕자가
자네를 굉장히
탐내고 있었다네.
달그락

고티에 전하는
유서 깊은 가문들의
지지가 단단했으니,
2왕자는
신흥 귀족 중에서
자신의 지지자를
찾고 있었거든.

그 2왕자가
그랬다고요?
긁적
움…
아,
그러고 보니…

제가
라호즈에서 각하를
처음 뵈었던 날,
2왕자 전하의
부름을 받아
성에 방문했던
것이었습니다.

알현 전날
도착해서
성을 구경하던
중이었지요.

각하께서 그때
1왕자비 전하의
정원에서
비앙카와의 결혼을
제안하셨고,
힐끗

비앙카는
제 아내가
되었죠….

반짝
깜빡
반짝

아차.
대화
중이었지.
…다음 날
2왕자께서
돌연 알현을
취소하셨습니다.
아마 제가
결혼 제안을
승낙했다는 걸
알았기
때문이었겠죠.
휙
쿠궁

이럴 수가….
대놓고 시선을
피했겠다~?
삐죽
내가 2왕자에게서
자네를 가로챘다는 걸
알아챘을 테니
말이지.

그 일로 2왕자는
나에 대한 감정이
한층 나빠졌다네.
작년 겨울
우연히 만났을 때는
나와 자네를 대놓고
깎아내리기도 했고.

내 인사는 완전 무시했다니까?
차기 블랑쉐포르 백작의 인사를 받지 않았다고?
맞아!

그때 묘하게 비앙카에 대해서 관심을 갖기에
내가 사전에 2왕자와의 만남을 차단했다네.

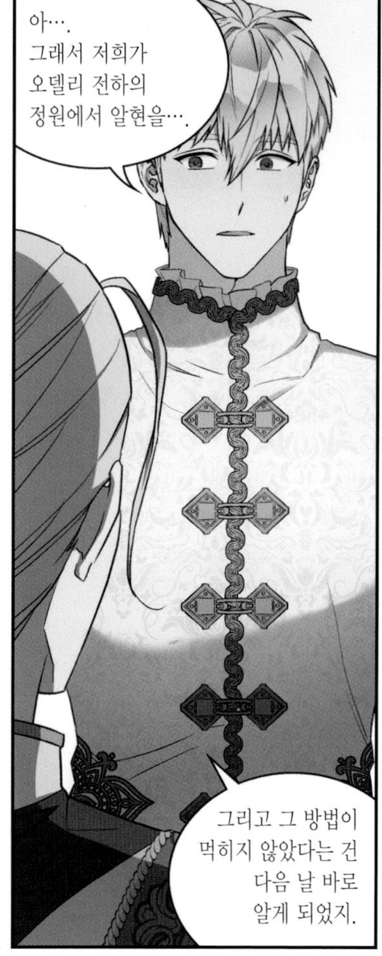
아….
그래서 저희가 오델리 전하의 정원에서 알현을….
그리고 그 방법이 먹히지 않았다는 건 다음 날 바로 알게 되었지.

2왕자가 사저에
방문하고 난 뒤에,
응접실에 놓아둔
비앙카의 어린 시절
초상화가 하나
사라진 것도
우연이
아닐 게야.

네?
제 초상화가
사라졌다고요?

그래,
아주 작게 제작한
초상화가 있었단다.
영지와 라호즈를
오갈 때마다
들고 다니는…
대단히
아끼는 물건이라
잃어버릴 수
없는 것이지.

각하께서는
2왕자가 가져갔다
생각하시는군요.
으득…
2왕자는
분노만큼이나
탐심도 많은 자야.

그래서
이 이야기를
꼭 해줘야겠다
생각했네.
2왕자는 왕성에
자신이 심어둔 자가
있다는 걸
숨기지 않았네.
그러니
두 사람 모두
라호즈에 있는 동안,
아니, 그 이후에도…

2왕자,
자코브를 각별히
조심하도록 해.

아무리 눈치가 없어도 그렇게 티를 내면 모를 수가 없긴 하지.

2왕자는 분명히
내게 호감을
느끼고 있었다.
그 눈길이
불편해서
자리를 빠져나온
것이었는데.

백작을 뺏긴
악감정을 제칠 정도로
나를 마음에
들어 한다고?
내가
어떤 사람인지
알지도 못하면서….

거기다
초상화를 훔쳤다고?
미친 거 아냐??
울렁
아, 어떡하지.
기분이 나빠서
속이 메슥거려….
덜컹
마님,
괜찮으세요?
안색이 점점
안 좋아지는데….
덜컹
덜컹
…응.
먹은 게
얹힌 것 같아.

이본느,
혹시 페퍼민트
없니?
아니면
마실 거라도….
으…
두리번
어쩌죠,
지금은….
덜컹

쿵
쿵

쿵
가스파르,
잠시 마차를
멈춰주게.
쿵

끼익

스읍
식사 후에 바로 마차를 타서 멀미를 했나 보군….

…미안해요, 갑자기 기분이 나빠져서….
이본느도 놀라게 해서 미안하구나.
스윽
스윽
당치도 않으셔요, 마님!

그런 이야기를 들으면 기분이 나빠질 법도 하지.
잠시 걷는 게 어떻겠소?

스윽
자네들은 이곳에 잠시 있게.

금방
다녀오겠네.
꽈악
괜찮으시려나,
마님….

쿵

…!
뚜벅
뚜벅

?
가스파르 경?

어서 오십쇼~
딸랑

딸랑
안녕히 가십쇼~

스륵
도르륵
이거….

저,
저 주시려고요?
끄덕

…가스파르 경,
정말
고마워요.
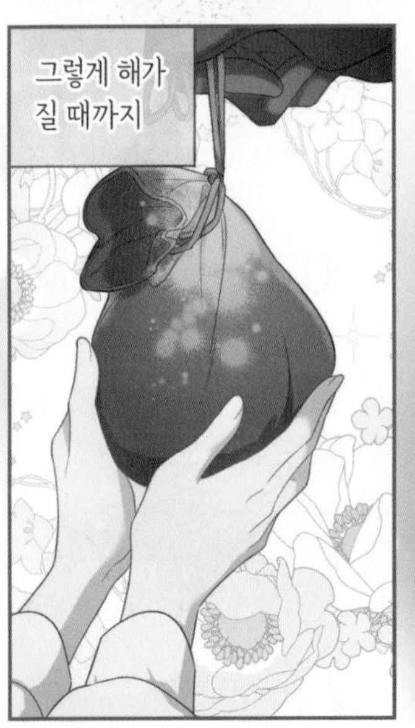
그렇게 해가
질 때까지

저와 가스파르 경은
달콤한 설탕과자를
먹으며
마님과 백작님을
기다렸답니다.

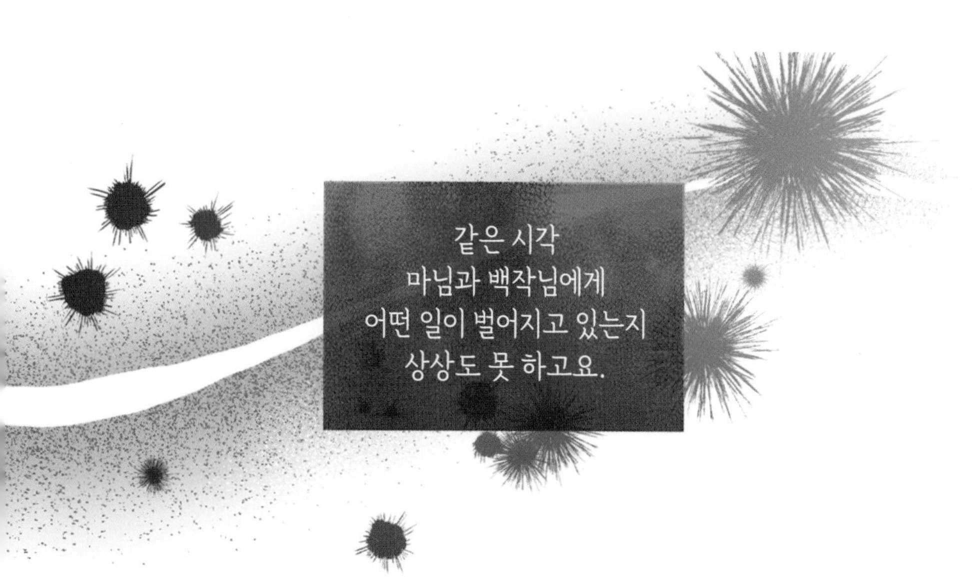
같은 시각
마님과 백작님에게
어떤 일이 벌어지고 있는지
상상도 못 하고요.

이곳이 낮에 오면
별이 잘 드는데…
지금은 조금 춥군.
바람이 너무
차진 않소?

이렇게
늦은 시간에
데이트인가?

흥, 며칠 동안
데면데면하더니….
이럴 때
자상하게 군다고
내가 다시
두근거릴 줄 알고?

다른 사람이었으면 모르는 척했을 텐데…
아는 사람을 내가 좋아하는 곳에서 만나니
모르는 척하기 어렵군.
좋은 저녁이야, 아르노 백작, 백작 부인.
…!
2왕자…!

나도 널
이런 곳에서
만나게 될 줄
몰랐는데.
움찔

휙
건강해
보이는구나.
자카리.

…형님.
꾸욱..

백작의
형님?

그렇다면
저 사람이
위그 자작….

백작을
고향에서
내쫓은 사람.

결혼장사

Chapter 30

여기
나와 있는 게
다 내 짐인가?
…뱅상.

아,
자카리 도련님.
그것이…

롤랑 도련님,
아니,
자작님께서…
도련님의 물건을
전부 저택 밖으로
내놓으라고
하셨습니다.

……,
자카리!
꿀꺽
위로
올라오거라.

제 집을
다 밖으로
내놓으셨더군요.
성에
먹을 것이 없어
사냥을 하고 온
참이었습니다.

아버님의
장례 내내 고생했던
식솔들을
굶길 수는
없으니까요.
아버님의 관이
저택을 빠져나간 지
이틀입니다,
형님.
이틀밖에
되지 않았단
말입니다.
이틀이면
많이 줬다고
생각하는데⋯.
잊어버린
모양이구나?
자카리.

옛날부터 항상
그랬지 않느냐.
내가
차기 워그 자작이
되는 날,
너를 내쫓을
거라고.
돌아가신
아버님을
생각해서라도
하루만 더
시간을 달라고 한
뱅상에게
고마워하거라.
...
꽈 악...

……,
…형님은
어째서…
저를 이리도
싫어하십니까?
툭
…새어머니께서는
나를 친아들처럼
사랑해주셨단다.
마치 제 배에서
나온 아이처럼
말이지.
꽈악
움찔
하지만
네가 태어나자,

이 저택에서
나를 사랑해주는 사람은
아무도 없었어.
싫어하는 것에
거창한 이유가
있는 게 아니란다,
자카리.

그러니
내 눈앞에서
하루라도 빨리
꺼지거라,
아우야.

터벅
그동안
고마웠어,
뱅상.
이제 그만
들어가도 돼.

…형님을
잘 부탁해.

탁

척
척
척
…가시죠,
도련님!

도련님은
수도사보다는 기사가
천직이신걸요!
하
하
하
저 같은
식솔이 있으면
책임감이
생기실 겁니다!
그러니 도련님,
이 뱅상을
봐서라도
전쟁 중에
돌아가시면
곤란합니다!
훌쩍
…매일
굶을지도 몰라.
오늘처럼
사냥하신 것을
먹거나 내다 팔면
되지요!

마님이
10년 만에
가족을 만났듯,
백작님도
13년 만에 가족을
만났습니다.
예상치도
못했던 곳에서
말이지요.

건강해
보이는구나.
뱅상은 아직
살아 있느냐?

아르노 백작은
제 친동생입니다.
오, 그랬군.
내가 그것까지는
몰랐어.

2왕자 전하,
오랜만에
뵙습니다.
꾸벅
오호라~
둘이 아는
사이였나?

꾸욱
…

깜짝

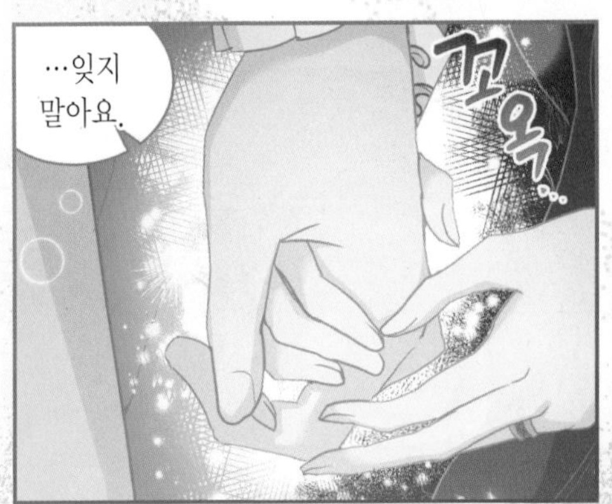
…잊지 말아요.
꼬옥…

…비앙카.

나 여기… 당신 옆에 있어요.

젠장….
미쳤나 보군.
예민한 상황에
날 선 모습이
위협적인 게 아니라
그냥 귀여워…!
…이쪽은
제 아내입니다,
형님.

나는 또
모르는 새에
조카라도 생긴 줄
알았더니….
조카가 아니라
아르노
백작 부인이었군!

내 아우가
남작이던 시절….
블랑쉐포르에서
인신 공양하듯
팔려 와
자카리를
백작으로 만들어준
우리 제수씨!

백작을
고향에서 쫓아낸
위그 자작….
나도
악감정이 있는
남자다.

'블랑쉐포르의
창녀가
음유시인 따위와
사랑놀이를 했다.'

'자카리 드 아르노의
명예를 실추시켰다.'

지난 생에
나를 아르노 영지에서
내쫓은 자가 바로,
롤랑 드 위그였어.

그거 아십니까,
2왕자 전하?

제 아우가 결혼할 당시
제수씨는 겨우
아홉 살이었거든요.

아무리 출세를
원했다 해도
어린아이와 결혼은
너무 우습지 않습니까?

탁
!

자작,
이제 그만하게.
동생과
오랜만에 재회라
하지 않았나.

죄송합니다,
2왕자 전하.
볼썽사나운
모습을 보여드리고
말았군요.
내가
아니라,

비앙카에게.
깜짝

사과해야
하지 않겠나,
위그 자작?
2왕자…
뭐 하는 짓이야?
왜 백작이나
위그 자작 앞에서
내 이름을
그렇게 멋대로…
다정하게
불러?

자신과 내가
은밀한 사이인
것처럼…

마치 우리가
연인인 것처럼
보이려고?
꽈악…
자기가
나한테 도대체
뭐라고….

꾹…

으득…
비앙카,
잠시 눈 감고
있으시오.

내가
알아서 할 테니.

안 돼,
백작이 흥분했다.
블랑쉐포르저에서
듣고 온 일도
있으니
내가
희롱당했다고
생각한 거야…!

번쩍
잠깐,
백작님…!
상대는
왕족….

2왕자 전하,
형님.
죄송합니다.
저희 부부는
이만 이곳에서
물러나겠습니다.
아내가
식체를 하여
잠시 바람을 쐬러
나왔던 것인데…
바람이 차가워
이곳에 있다 보면
체기가 더
심해지겠군요.

까야아아아아아
백작,
뭐 하는 짓이야!!!!

승마 배울 때
다리에 힘이 없어
안아준 적은
있었지만!
매일 보는
식솔들이랑
2왕자는 완전
다르잖아!

이런,
비앙카.
몸이
뜨거운 걸 보니
열이 나기
시작했군.
얼른
돌아가는 게
좋겠소.
어버버
어버
뻐끔
어버버
치이이익

죄송합니다,
전하.
휘ㅡ
처가 몸이 약해
이러다가 큰 병이 날까
염려입니다.
이만 물러가
보겠습니다.
성큼
성큼

자카리,
너 이 녀석…!
2왕자 전하께서
허락하지도
않으셨는데
자리를 뜨다니….

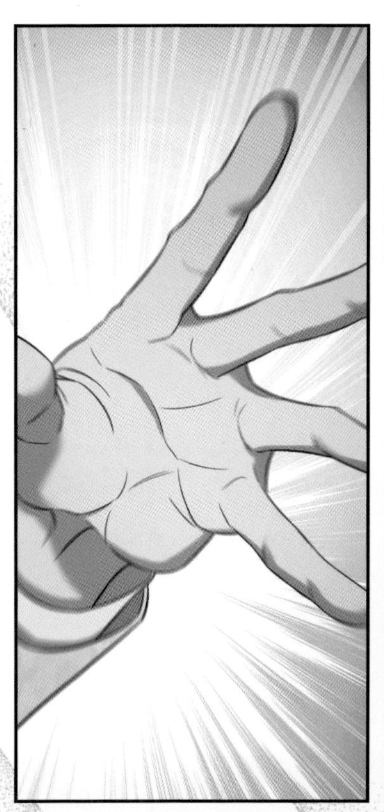

화
깜짝
악
손목이 이렇게 가느다란 걸 보니 먹는 게 부실한가 보군.
그러니 병에 취약한 게 아니겠소?

고쪽

내 그대에게
좋은 선물을
주겠소.
우리의 만남은
신의 뜻이니
말이오.
비앙카.

결혼장사

우리의 만남은
신의 뜻이니 말이요,
비앙카.
항상 이렇게
뜻밖의 공간에서
만나는 게
신의 뜻이
아니면
무엇이겠소?

염려
마시오.
내가 처소로
여성의 몸에
좋은 약들을
보내도록 하지.

라호즈에 온 지
얼마 안 되었는데
아픈 모습만 보니
내 마음이
많이 아파.
꾸욱

넹글
쏙
…….
죄송합니다,
2왕자 전하.

제 아내가
입에 대는 것은
남편인 제가
허락하는
것뿐입니다.
올리브 한 알부터
찻잎까지 전부.
꾸벅
배려는
감사드리오나,
무얼 보내주셔도
제 아내가
먹고 마시는 일은
없을 겁니다.

탓
후후….
비앙카의
입에 대는 것을
전부 남편이
관리한다고….
…그 일을
곧,
내가
하게 될 거야.
아르노
백작.

수군
수군

어머나….
무슨 일이래?
어느 댁 귀부인께서 기절하신 건가?
웅성

저벅
저벅
웅성

성큼
성큼

…백작님.
소곤
이제 내려줄래요?
소곤
나 너무 민망하거든요…?
소곤

이렇게 안긴 게
처음도 아닌데
뭘 그렇게
민망해하시오?
화악
펑
안겼…!

거긴 영지였고
여긴
아니잖아요!
식솔들 앞이랑
생판 남 앞이랑
같나요?

하하
그럼 수군거리는
사람들 말대로
기절한 척하고
있으시오.
성큼
성큼

아까 그랬잖소.
눈 감고 있으면
내가 다 알아서
하겠다고.
눈 감고
자는 척하고
있으면,
힐끔
내가 긴 다리로
얼른 걸어서
마차까지 모시리다.

백작이 한 말,
정말일까?
올리브 한 알부터
찻잎까지 다
고른다는 거….
꼬옥…
…내가 백작에게
가치 있는 존재가
된 것 같아서,
그건 마음에
쏙 든다.
마님은
백작님 품에서
기절한
척하시다가,
zz
진짜 잠들어서
돌아오셨답니다.

스르륵
…으음….

살짝…

…아까,
어느 쪽
손이었지?

2왕자가
입 맞췄던 손….

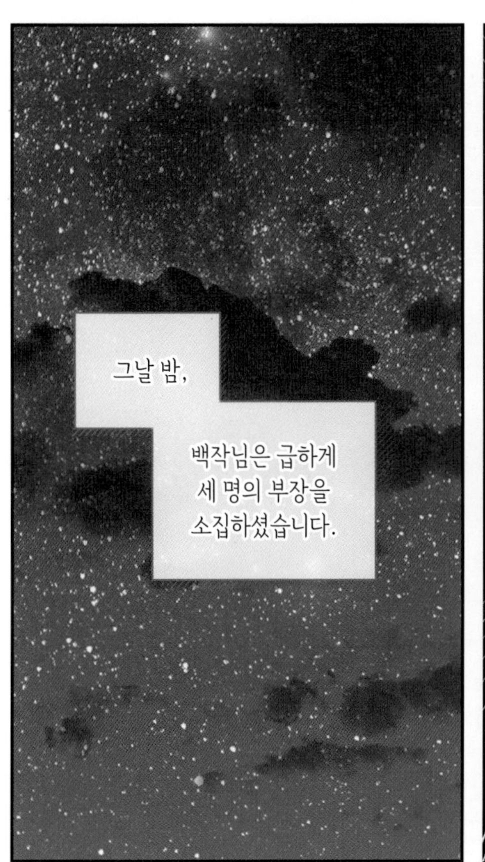
그날 밤,
백작님은 급하게
세 명의 부장을
소집하셨습니다.

저벅
무슨
일이지?
영지에
무슨 일이
생긴 건가?
저벅

설마 세금
문제인가?
저벅
세금을 올리기엔
시기가 좋지
못한데….
저벅

혹시
아라곤이
쳐들어온 건가?
수도로 올라온 지
며칠 되지 않아서
대열을 꾸리기
쉽지 않을 텐데….

뚜벅
뚜벅
뚜벅

벌
부르셨습니까,
백작님!
컥

…빨리
왔군.

급하게 보자고
하셔서….
그래.

경들에게
알려야 할
중요한
사안이 있네.

중요한
사안…!
꿀꺽
역시 세금
문제로구나.
그런데 어디서
이렇게 단내가
폴폴 나지?
설마
가스파르야?

Z
Z
비앙카를…
2왕자가
노리고 있는 것
같다.
느에??
그 2왕자
자코브…
말씀이십니까?
…유부녀를
노린단
말입니까?
그것도 감히
우리
백작 부인을?!
제아무리
왕족이라 해도
어불성설입니다!
버럭

우와…
로베르 입에서 '우리' 백작 부인이라는 말이 나온 게 더 충격적인데…?

나는 아르노의 가신이니 당연히 우리 부인이시지!
크악

백작님께서 눈을 시퍼렇게 뜨고 계신데도 추근거린다니….
아르노를 우습게 여겨도 유분수지…!

뭐… 요즘 귀부인과 미혼 기사의 연애가 유행이라 하니까,
유행에 뒤처지고 싶지 않아서 그런 게 아닐까?

…부인의
초상화….
중얼

부인의
어린 시절 초상화도
훔쳐 갔다.
어엉???

뭘 훔쳐 가,
초상화를?
게다가 어린 시절
초상화라니….
그 자식 변태 아냐?
한 나라의
왕자씩이나 되는 자가
도둑질을 했다고?
너는
어디서 들었어,
가스파르?

이본느 양이
알려줬어.

나와
블랑쉐포르 백작의
신경을 거슬리게
하려는 것일 수도
있지만…
그런 것치고는
눈빛이
심상치 않았네.

가스파르,
비앙카와 자코브가
마주치게 되면 무조건
바로 돌아오도록.
으르르…
그르르…
네,
백작님.

백작님…
설마 백작 부인의
호위로 가스파르를
붙이신 게…
이런 일을
예상하고
계셨던 겁니까?
가스파르를
호위로 붙이신 게
과하다
생각했는데…

종기사를 붙였다가
백작 부인께
무슨 일이라도
생겼다고 생각하면
아찔하긴 합니다.

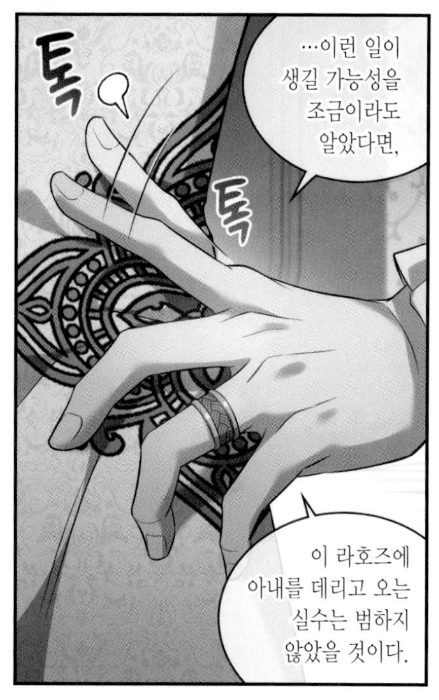
톡
…이런 일이
생길 가능성을
조금이라도
알았다면,
톡
이 라호즈에
아내를 데리고 오는
실수는 범하지
않았을 것이다.

예상치 못한 자가
비앙카에게
들러붙었지만…
똑똑히
알려줘야지.

내가 왜 철혈로
불리는지.
아르노의 상징이
왜 검은 늑대인지.

늑대가 제 것을
탐내는 자를
얼마큼 철저하게
물어뜯어 놓는지.

비앙카는
절대 뺏어갈 수 없는
존재라는 걸
뼈에 새겨주겠다.
나에게
비앙카는
이제…
가치를
매길 수 없는
존재니까.

결혼장사

Chapter 32

짹
짹
짹
라호즈에 오시고 벌써 두 번째로군요.

부인께서 체력이 많이 약하신 것 같습니다.

몸이 나아지시면 가벼운 운동을 하셔야 합니다.
식사량을 늘리는 것도 중요하고요.

…이본느,
…백작님은…
백작님은 어디 계시니?

백작님께서는 고티에 전하의 조찬모임에 가셨어요.
그렇구나.

하긴,
라호즈에 와서
나랑만 다녔지….
다른
외부 활동을
못 했으니까….

아깐 얼마나
재미있었는지
몰라요.

백작님께서
초대를 거절하시고
직접 마님 병간호를
하시려고 했거든요.

잔소리
잔소리
잔소리
잔소리
1왕자 전하의
약속을 거절하는 건
예의가 아니라고
다른 분들께서
쫓아다니면서
얼마나
말리시던지….

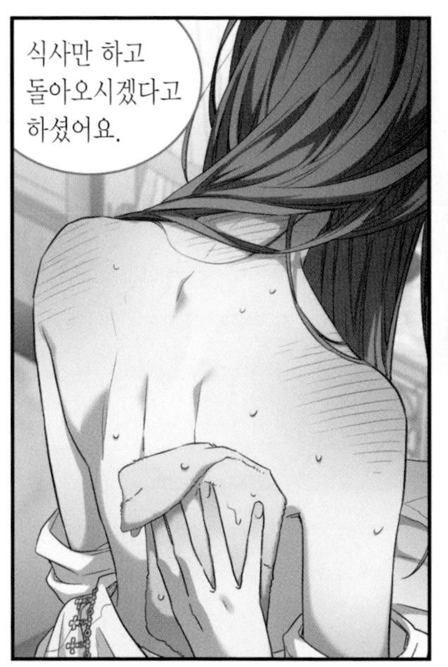
식사만 하고
돌아오시겠다고
하셨어요.

그나저나
어쩌죠….
아르노에
계실 때는
승마도 하시고
식사량도 많이
느셨었는데….

…응.
이럴 줄 알았으면
이자벨을 데리고
올 걸 그랬어.
스륵

구보만 해도
운동이
되었을 텐데.

마님, 오늘은
일단 푹 쉬셔요.
좀 괜찮아지시면
함께 산책해요.
응,
그러자꾸나.

딸칵

어머.

아….

가스파르 경.

확
약
저기요!

방긋

타
닷~

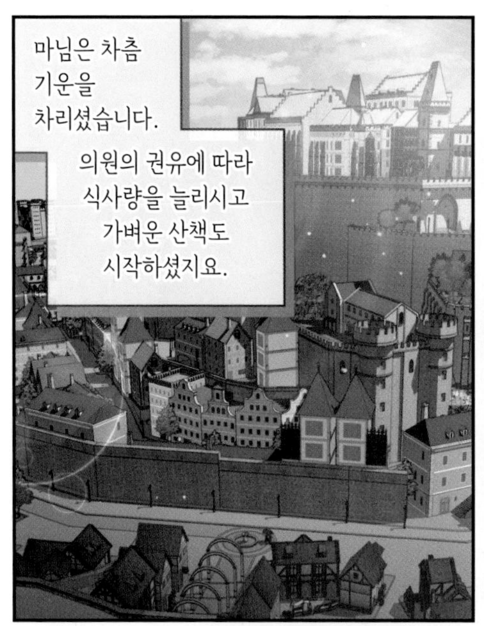
마님은 차츰
기운을
차리셨습니다.
의원의 권유에 따라
식사량을 늘리시고
가벼운 산책도
시작하셨지요.

이 팬던트,
가지고 왔구나.
잘그락

오늘은
이것에 맞춰서
단장을 해주겠니,
이본느?

페리도트인가요,
마님?
응.
백작님이
열다섯 살 생일에
선물로 주신 거야.
만지작

받아놓고
한 번도 한 적이
없어서 몰랐네.
내 눈동자 색과
비슷해,
이 페리도트.

오홍~
어머 어머,
그러셨군요!

마님,
맡겨주세요!
척!

오늘
라호즈의 누구보다도
아름답게
꾸며드릴게요!!
그래,
고맙구나.
아자!

짜잔
후후.
끝났어요~
저도 얼른
나갈 준비를
할게요, 마님!
후우…
자코브나
위그 자작을
어디서 만날지 몰라서
불안하지만…

이 정도 쪽수라면 함부로 다가오지는 못할 것이야!
빰—
둔 둔

부인, 오늘 부인의 산책에 저도 함께해서 영광입니다.
성심성의껏 모시도록 할게요!

저, 소뵈르의 별명이 '전장의 미친개'란 말입니다.
부인께 해를 끼치는 자들은 제가 물어버릴 거예요!

크르르르...

앍!
앍!
앍!
앍!
앍!
검은 늑대 부대의 미친개라.
끄덕
그 무시무시한 이명(異名), 아주 마음에 들어!

잘 부탁하네, 소뵈르 경.
백작님께 물려받은 옷도 그럭저럭 잘 어울리는군.

아자잣
네! 딱 맞게 입으려고 근육을 더 만드는 중입니다!
성장기가 지나서 신장은 크지 않아도 근육은 키울 수 있으니까요!
?
품을 줄이면 되지 않나?

그날은 1왕자비
전하의 정원을
산책했답니다.
소뵈르 경의
동행으로 평소보다
더 화기애애한
시간이었습니다.

저는 요즘
부인이 계셔서 얼마나
다행이라고 생각하는지
모릅니다.
좋은 의미로
아르노의 구심점이
되고 계시거든요.

?
구심점이라니?
나는 뭘 한 게
없는데?
실은 예전에
좀 그런 일이
있었거든요.
저랑 로베르가
백작님께….

이게 다
다보빌 백작 부인
덕분이에요!
호호호
겸손하시긴!
하하
하하하
아니에요,
제가 한 건 하나도
없는걸요.
호호
저희가 이렇게
1왕자비 전하의
정원을 산책할 수
있는 것도
다보빌 부인께서
1왕자비 전하와
사촌이신
덕분이잖아요!
아…
볼네 영애.
잠깐만요.
멈칫

빼꼼
서, 선객이
계셨군요.

어느 댁
영애시죠?
오늘은
양보해주셔야
겠네요.

이분께서는
다보빌 백작 부인.
1왕자비 전하의
사촌이시거든요!
빠밤
하지만
저, 저분들이
먼저 오셨는데….

괜찮아요,
백작 부인.
부인께
양보하는 게
당연한 것
아니겠어요?

스윽
…제가
자유민이라
무식한 겁니까?
원래 귀족은
양해 없이 신분으로
찍어 누릅니까?

당연한 거
아닌가요?
이쪽은 백작 부인
이시라고요!
도대체
어느 댁 영애이길래
호위 주제에…!
제가
주제 모르고
참견하는 건
맞지만,

여기 계신 분도
백작 부인
이십니다.
비앙카 드 아르노
백작 부인이요.
수군
깜짝
아,
아르노?
그 전쟁 영웅
아르노 백작의
부인이시라고요?
치, 친정이 분명
블랑쉐포르
백작가이신….
그 댁은 돌아가신
왕비 전하의
친척이잖아요.
수군
수군

자코브나
위그 자작만
귀찮은 게
아니었네.
작위랑 이름으로
귀찮게 하는 족속들이
있었다는 걸
깜빡했어.

이, 이렇게
마주친 것도
인연인데…
함께 티타임을
가지는 건
어떠신가요?

아뇨,
괜찮습니다.
찻잎을 가려서
마시거든요.
SORRY!
백작이
골라주는
거로.
앗…
그,
그러시군요?

…저 여자가
아르노
백작 부인?
남편과
나이 차이가
꽤 된다고 이야기는
들었는데….
어린 게
건방지기까지
하네.

깡말라 볼품없이
생겨가지고,
벼락부자 티를 내려
비싼 붉은색 드레스를
빼입었나 본데.

격 떨어지게
페리도트라니….
피식
안목도
알 만하네.

그, 그러면
같이 산책은
어떠세요?

저 영애,
내 페리도트를 보고
고개를 돌렸어.
잘그락
가치를 전혀
알아보지
못했나 보군.

백작의
선물이어서가 아니라,
이 페리도트는
고급 중의 고급이다.
흠집 없는
최상급 진주가
겨우 장식으로 쓰일
정도이니.
사치할 때
가치를 알아보지 못하면
허세가 들통나는 것을
모르나 보네.

죄송하지만
몸이 좋지
않아서요.
이만
물러가겠습니다.

좋은 시간
보내시길.
아,
아르노
백작 부인…!

…!
…시녀들
틈에…
본 적이 있는
얼굴이 있는데….

?
갸웃
누구였지…?

호, 혹시 우리가
양보하라고 해서
기분이 상한
걸까요?
그럴 리가요.
우리가 무리하게
요구했나요?

그나저나
엄청 건방지네요,
저 부인은!
꽉…
예의라는 걸
모르는 것
같아요.
그러게
말이에요.
세상이 얼마나
좁은데….

누굴 어디서
어떻게 만날지도
모르는데 말이죠.

결혼장사

Chapter 33

그 여자가
'그' 아르노 백작
부인이었다니.
감히 다보빌
백작 부인께서
권하신 티타임을
거절하시다니요!
오만방자하기
짝이 없지
않았나요?
전쟁 영웅인
남편이 뒤에 있다
이건가요?
저, 전
괜찮아요.
테이블만
좁아지죠, 뭐.

그 사치스러운
붉은 드레스라니.
그걸 받쳐줄
보석이 없어서
페리도트를
하고 있더군요.
신흥 귀족가인
아르노에게 재산이
얼마나 있겠어요.
급하게
드레스만 구색을
맞춘 게죠.

그랬군요….
눈동자에
잘 어울리는
훌륭한 페리도트라고
생각했는데….

훌륭하다 한들
겨우 페리도트인
걸요!
그것에 비하면
다보빌 백작 부인의
목에 걸린 그것!
그 목걸이는
정말 훌륭해요!

그런
영롱한 사파이어,
본 적이
없다니까요?
어떤 부인의
무엇과는
차원이 다른걸요!

머리카락도
어두운 떡갈나무
색이어서
팔락
얼굴만
하얗게 떠 보이니
더 볼품없지 뭐예요?
팔락

분명
아르노 백작이
은발이라고 했죠?
호호호
킥킥
남편이 은발이면
부인이라도 금발을
들였어야죠!
그 댁에서 태어날
영식, 영애는
어쩌나요?

그…
아르노 백작 부인의
피부가 창백한 건…
아프다고 했으니
그래서 그랬던 게
아닐까요…?

탁
아팠으면
산책을 나왔겠어요?
심지어 그렇게
화려하게 차려입고
말이죠!

아, 혹시
그것 아닐까요?
요즘 유행하는
궁정 연애요!
어머,
그러고 보니….
아까
곁에 서 있던
호위 중에
한 명일지도요?

꺄
또 모르죠,
둘 다일지도?
그 건방진 자유민,
옷이 꽤
고급품이던걸요?
혹시 그자가
숨겨둔 연인이어서
옷을 해 입힌 것일
수도 있지요.
OUT OF
안중

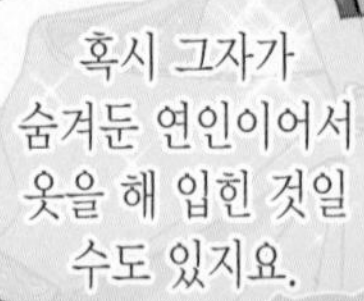
다른 병풍

호호호
꼴에 불륜이라도
저지른다,
그건가요?
호호호
파충류 같이
차가운 눈동자로
남성의 마음을 알긴
할지 모르겠어요~

저,
마님들.
제가 아르노
백작 부인과
관련해서
달각
마님들께서
흥미를 가지실 만한
이야기를
알고 있는데….
달그락

얘, 너
예의 없게 이게
무슨 짓이니?
감히
네가 낄 자리가
아니야!
그러게,
오늘 왜 이리
주제 모르고 참견하는
애들이 많지?

하지만 흥미는
생겼단다.
그래, 무슨
이야기지?
초롱
초롱
앗,
볼네 영애….

뭐 어때요,
다보빌 백작 부인.
궁금하잖아요?
실은 제가
몇 개월 전까지
아르노 영지에
있었답니다.

아앗!!
두
둥

생각났다….
무슨 생각을 그렇게 요란하게 하는 건가, 소뵈르 경?
깜짝이야…

이본느 양! 그, 그 함께 일했던 하녀!
눈가에 점이 있고 금발 머리인,
그 하녀 이름이 뭐였지?

아… 앙트
말씀이신가요?

그래!
질질질
아까
그 부인들의
시녀 중에
앙트가 있었어!
콱
앙트가
어떻게….

누구길래 그렇게
심각한 표정이니,
이본느?
마님, 기억
안 나세요?
달각

마님께
실례되는 말을 해서
성에서 쫓겨났던…
그 하녀
말이에요.
…….

혹시
잊으신 일을
제가 들쑤신 건
아닌지….
…그 일을
내가 어떻게
잊을 수 있겠니?
그 일 이후로
네가 아침저녁으로
손을 찜질해
주었잖니?

나에겐
소중한 기억인데
잊으면 안 되지.

…마님!
운이 좋은 아이네.
그 짧은 기간에 귀족 부인의 시녀가 되었다니.

그럼 오늘은 이만 돌아가자꾸나.
오후에 백작님의 옷을 맞추러 재봉사가 오기로 했단다.
네, 마님.

소곤
소곤
저기, 이본느 양. 괜찮을까?

앙트란 아이, 부인께 앙심을 품고 이상한 소문을 퍼트리거나 그러지 않겠지?
쫓겨난 뒤에도 한동안 영지에 나쁜 소문을 돌게 만든 여자니까….

하지만 말을 조심하지 않아 성에서 쫓겨난 건데 또 그럴까요?

마님께서
앙트를 처벌하실 때
저도 곁에 있었지만…
다른 가문의
부인이었다면
더 화를 내셨을
일이라고 생각해요.

스윽
소근
그래도
불안하네.
소근
한 번 새는
바가지는
줄기차게 새는
법이거든.
소근
하긴
그렇죠….

??
탁

타
다
다
다
???
가스파르?
왜, 왜 그래??

꼬고
…앞서서 부인을 호위해야지.
고고
꽈악
어? 그렇긴 한데…?

아~ 내가 이본느 양이랑 친한 척하는 게 싫구나?
…….

우와, 진짜야? 얼굴이 점점 빨개지잖아!

이야~
내가 눈치가
너무 없었네~
다음부터는
주의할게,
이본느 양!
시끌
시끌
저, 저는
왜요?

돌아왔군.

자네는 잠시
물러가 있게.
꾸벅

재봉사가
일찍 도착했소.
치수부터
재고 있었다오.

물끄럼...
...?
왜요?

스르
가지고 왔구려.
마음에 차지 않아 쓰지 않는 줄 알았소.

열다섯 살
생일 선물로
주신 것이었죠?
스윽…
이렇게 훌륭한
페리도트는
처음 봐요.

끄덕
그대의 눈동자와
같은 색이기에
구매했었지.
잘 어울려.

이 드레스도
골라주셨던 천으로
만든 거예요.
빙글
끄덕
빙글…
기억나오.
이것도
잘 어울리는군.

삐죽

잘 어울린다는 말 말고 다른 말도 좀 해봐요!
아…
그게…

그러니까….
반짝
반짝
뿌-

스윽

소곤…
비앙카.

…무척
아름다워.
소곤

이런 남자에게
숨겨놓은 여자가
있을 거라고….
왜 그렇게
생각했을까?
스스슥

입에 발린
말조차도
서툰 사람이
그런 주변머리가
있을 리 없는데….
꼬옥…

고마워요,
백작님.
조금만
기다려요.
편한 옷으로
갈아입고
나올 테니.
당신 옷감,
같이 골라요.

그럽시다.

쿵..

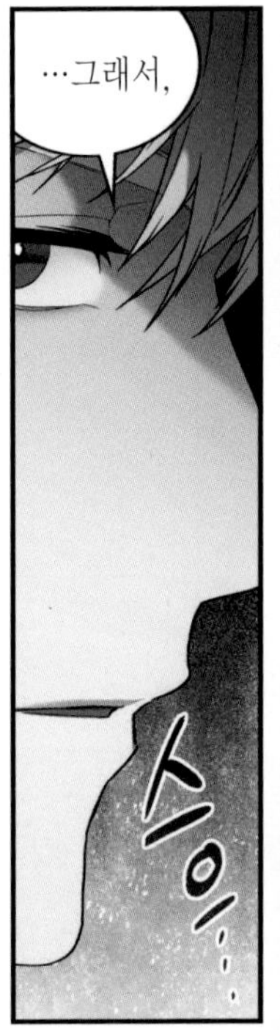
…그래서,
스윽…

휙
형님이나 2왕자와 마주치지는 않았나?

네, 그쪽에서 붙인 것으로 추정되는 자는 없었습니다만….
스윽

속닥 속닥

…그 여자와
비앙카가
마주쳤다고?

결혼장사

Chapter 34
그 여자가.
비앙카와
마주쳤다고?
또 비앙카에게
예의 없이
굴었나?
아, 정확히는
제가 앙트를
목격했습니다.
부인께서는
보지 못하셨지만
기억도 잘 안 나시는 것
같더라고요.

그런 일이
있으셨으니
잊기 쉽지
않을 텐데….

이본느 양이
하루 종일 손을
찜질해줬던 것만
기억하셨습니다.

…비앙카가
소뵈르에게
그런 얘기도
한단 말인가?

…그런데
소뵈르, 자네.
입고 있는 옷이
낯이 익군.

스윽…
후후….
낯이 익으신 게
당연하지요!

백작님의
옷이니까요!
착—
부인께서
저에게 (버려)
주셨답니다!

백작님께서
몸이 워낙
좋으셔서
제 몸에
딱 맞게 입으려면
아직 좀
멀었지만요!

열심히 운동해서
몸 만드는
중입니다!
으얍!

흥!
두고
보십시오!
백작님의 옷을
완벽하게 소화하고
말 테니까요!

왜??

소뵈르가 그런
이야기를 했던 건
기억한다.
칭구 칭구
비앙카와
친해지고 싶다고.

그래, 소뵈르는
외향적인 성격이니
누구와도 금방
사이좋게 지내지.

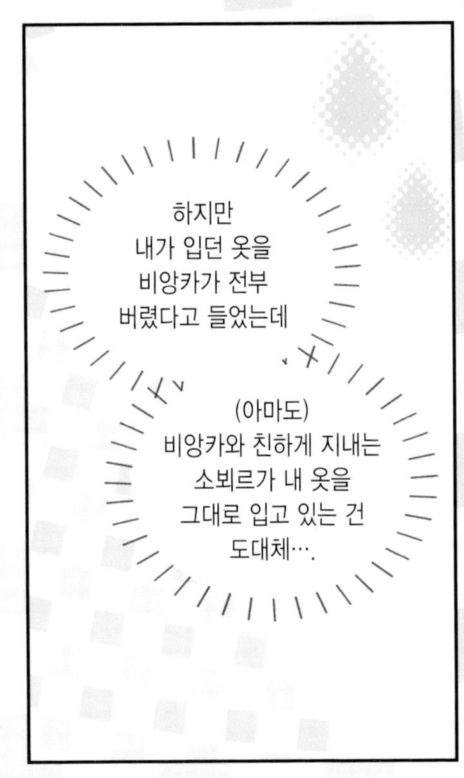
하지만
내가 입던 옷을
비앙카가 전부
버렸다고 들었는데
(아마도)
비앙카와 친하게 지내는
소뵈르가 내 옷을
그대로 입고 있는 건
도대체….

?
백작님…?

콰
광
난 안 되고
소뵈르는 되는
그 기준이 설마
친밀도란
말인가?

스윽...

벗게,
소뵈르.
척
네?

주춤
쿠구구구
아직
내가 얻지 못한 걸
자네가 가진 것
같으니
옷 정도는
돌려받아야겠네.
자,
잠깐만요.
백작님!
전 백작님께
충성을 맹세한
몸이지만…

라호즈에는
백작님 옷밖에
안 가져왔단
말이에요!!
꽈악

백작님,
욕심쟁이~
시끌
시끌
오늘
새 옷도 맞추시면서
꼭 헌 옷을
다시 수거하셔야
합니까~

으아악~
시끌시끌
하구나.
소뵈르 경이 끼면
저렇게 소란스러워지니
외출할 때는
조심해야겠네.

자유민
출신이라
그러신 걸까요?
자기표현도
분명하시고,
숨기는 것도
없으신 것 같아요.

기사님들은
다 과묵하신 줄
알았어요.
백작님도
그러시고,
가, 가스파르 경도
말이 많으신 편은
아니니까….

이본느는
과묵한 남성을
더 선호하나 보지?
네?
오호라~
가스파르 경
같은 사람이
취향이니?

키득
키득
아,
마, 마님!
마님까지
절 놀리시면
어떡해요~!

무, 물론
가스파르 경이…
더 말을 많이
해주시면 좋겠다고
생각하긴 했지만…
과묵하다고 해서
표현을 안 하시는 건
아니에요.

다정하고
친절한
분이라는 건
알고 있답니다.

…하지만
그분은
기사님이시고,
저 같은 게
함부로 마음에 담을 수
없는 분이라는 것도
알고 있으니까요.

탁
네가
뭐 어때서?

이본느, 넌
훌륭한 아이야.
아르노에서
누구보다도 귀한
보석 같은
아이라는 건
주인인 내가
자신 있게
말할 수 있어.

행복은 쟁취하는 거야.
기회가 눈앞에 있다면 놓치지 말렴.

마님….
용기 내렴, 이본느.
찌잉~
토닥
토닥

그거 아세요, 마님?
저는 이미 눈앞에 있던 기회를 잡아 행복하답니다.

마님의 시녀로
함께할 수 있는 것이
얼마나 행복한지
몰라요.

어머,
그런
낯부끄러운 말을
잘도 하는구나,
너.
헤헤
펑
제가 보석 같은
아이가 되었다면
다 마님 덕분이에요.
꼬옥
그러니까
마님.
마님도
저랑 같이
더 행복해지셔야
해요!

행복….
다시
열여덟 살의 아르노로
돌아왔을 때…
미래가
어떻게 될지
알고 있었지만,
불행했던 지난 삶을
보상받을 수 있을
방법만 떠올렸다.
그것은
나의 행복과는
관계없는
일이었으니까.

하지만
지금은…
나 혼자만의
삶이 아니다.
되돌아온
내 삶의
주위에는
다른 사람의 삶도
존재한다는 걸
깨달았으니까.

모두의 삶이
소중하고
모두가 끝까지
행복해지길
바란다.
다만 내가 과거로
돌아왔다는 것은
아무도 믿지
못하겠지.
백작에게 자코브가
나라를 팔아먹을
역적이 될 것이라
말한다 한들,
날 믿어줄까?

…합방은 아직이지만, 백작과의 관계는 지난 생과 확실히 달라.
과거가 바뀌고 있으니 미래도 조금씩 바꿀 수 있을 거야.
백작과의 관계가 이 이상으로 돈독해지면,
백작이 내 말을 전부 믿어줄 때가 오겠지.
마님, 오늘 옷은 백작님만 맞추시지요?
그럴 생각이란다. 내 옷은 이미 충분하니까.
정신 바짝 차리자.
그 기회를 놓치지 않도록.
실은 토너먼트를 관전할 때 두르실 만한 케이프가 없어서요.
하나 장만하시면 어떨까 하는데….

아,
토너먼트….
시큰둥…
??
거기 내가
꼭 참석해야
하는 거니?
그, 그래야
기사님들의
사기가 올라가지
않을까요?

게다가 이번에
아르노에서는
네 분이나
참가하시니까요.

네 분?
세 부장들 말고
한 명은 누구니?

아휴, 마님.
당연히 백작님이시지요!

토너먼트.

말 위에서 벌어지는
기사들의
시합입니다.
빠른 속도로 달려드는
창을 피하지 않고 겨뤄
말 위에 남는 이가
승자가 됩니다.

목숨이 걸린 시합이기에
우승하는 기사에게는
더할 것 없는
영광이었지요.

라호즈의
토너먼트
우승자에게는

영원히 시들지 않는
장미가
수여되었답니다.

우승자가
관전하러 온 연인에게
황금 장미를
선물하는 것이

토너먼트의
백미였지요.

분명 백작님도
마님께 황금 장미를
선물하시려는
거겠죠?
너무
낭만적이에요.

…낭만 같은 건
필요 없는데….

…?
마님?
탓

벌컥
내가
과거로 다시
돌아오면서
지난 생과
이번은 조금씩
차이가 나고 있다.

그 말은
즉,
백작의 죽음도
예정된 미래와
다를 수도
있다는 뜻…!

흐앙
부인!!

도와주세요!
백작님이
제 옷을
벗기시려고…!
이 셔츠,
멀쩡한 것 같아
다시 회수 중이오.

두근
두근
두근
두근
몇 년 뒤
전쟁터에서
화살을 맞고
죽는 게 아니라…
이번 토너먼트 중에
낙마해서
잘못되기라도
하면….

백작님.
그라
하지 마요,
토너먼트.

결혼장사

하지 마요,
토너먼트.

하,
하지
말라니…?

위험한
시합이잖아요.
창에
잘못 맞거나
낙마해서
실제로 시합 중에
죽는 사람도 있다고
들었어요!

왜 이렇게
불안하지?
역시 아직
후사가 없기
때문일까?
그래, 그래서
이렇게 염려가
되는 거야.

만에 하나라도
위험할 수 있는 일에
백작이 뛰어드는 건
무슨 수를
써서라도
말려야 해!

스을쩍...
저......
말씀 나누시는
중에 죄송합니다,
부인.
이번 토너먼트는
알베르 왕세손의 약혼을
축하하는 의미로 개최되는
특별 행사라서요.

그래서
미숙한 기사들이
참가하는 것이
아니고,
엄선된 기사들이
참가하는 경선이라
큰 인명사고는
나지 않을 겁니다.
그리고
백작님보다는
백작님의 상대가 될
기사를 걱정하셔야
할걸요?
꾸
구
구
구
구
구
백작님과
경합하는 조는
말 그대로
죽음의 조라고요.

걱정하고
있다고…?
비앙카가
나를?

그게 지금
웃으면서 할
말인가!
경들도 그렇네.
그렇게 위험천만한
시합은 무엇 하러
나가느냔 말이야!
네에?
그야 당연히
국왕 폐하의
명령이니까요.

…그럼
그렇지.
나만
걱정하는 게
아니었군.

홱
깜짝
?!!

백작님, 어째서 토너먼트에 대한 건 아무 말도 하지 않았지요?
응?

체스 시합도 아니고 말을 타고 창을 겨누는 전쟁과도 같은 시합이에요.
그리고 남편이 시합에 나간다면 당연히 저도 관전하러 가야 하잖아요.
그렇다면 저에게 한 번 정도는 언질을 주셨어야 하는 거 아닌가요?

간질…
아…
어쩌지?
오해하고
싶어진다.
이런 표정으로
그렇게
물어보면…

정말 나를
걱정해주는 게 아닐까,
오해하고 싶어진다.
얼마나
오만한 착각인가,
자카리 드 아르노.

비앙카는
그저…
예전부터
나의 몸에 밴
피 냄새를
역겨워했으니까.
그래서
이 표정은
아마도
나를
걱정하는 게
아닐 거다.

내가 아니다.

그대 말대로
가볍게 볼
시합은 아니지.
하지만
소뵈르 말대로,
나에게는 문제가 없는
시합이오.

그대가
무엇을 걱정하는지
알고 있소.
누구든
피를 흘리는 자가
생길 수도 있는
자리니

억지로
시합을 관전하러
올 필요는 없소.

'필요 없다.'
이 불안한 마음의 정체가 백작에 대한 염려라면,
백작은 나의 걱정을
필요로 하지 않는다….

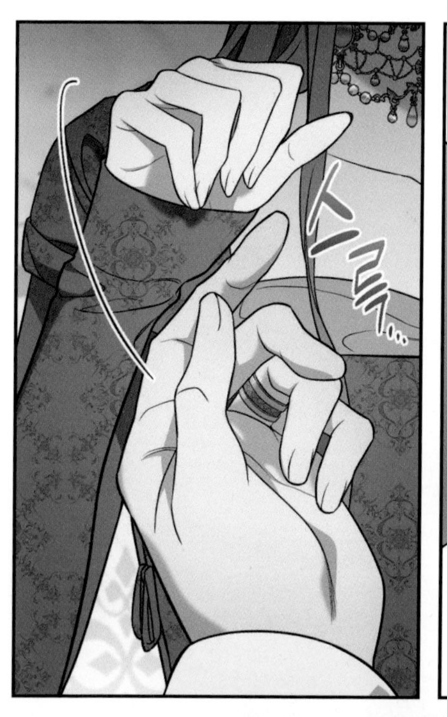
스르륵…

남편이
토너먼트에
참가하는데
훅
부인이 얼굴을
내밀지 않으면
다들 얼마나
손가락질하겠어요?

당신의 명예에
흠집이 생기는 건
원치 않아요.
다른 사람들이
무어라
생각하겠냐고요.

꾹…

그깟 일로
내 명예가 실추된다고
생각하는 게요?
이글
이글
이글
'그깟'이 아니죠.
위험하다고 본인도
인정하셨잖아요?
나에게는
위험하지 않다고
말했잖소.

누군가
피를 흘릴 수도 있다면
그 누군가가
백작님이 아닐 거라는
보장도 없잖아요.
그래서 그런 자리에
그대가 앉아 있다가
쓰러지면?
그런 일로
그대의 건강이
상하는 건
내가 원치 않소.

하!
그렇게도
제가 걱정된다면
왜 참가를 반려하라는 말은
귓등으로도 안 듣나요?
항상 말했지만
그대가 하고 싶지 않은
일은 하지 않아도
된다고 했소.
하지만 이 일은
나의 일이오.
뭐야….
꾸욱

내가 하는
말들은 전부
괜한 참견이라는
뜻이야?
…그래요.
당신은
당신이 원하는 걸
해요.
홱
나는
내가 원하는 걸
알아서 할 테니까.

비앙….
이본느,
밖에서 대기 중인
재봉사에게 들어오라
일러주겠니?

백작님의 옷도 맞추고
제 케이프도 새로 하나
장만하겠어요.
그래도
괜찮죠?
털썩

…물론이오.

찬물을
끼얹은 것 같은
그날의 분위기를

백작께서 진짜 전쟁에 참전하셨을 때도 시큰둥하시던 분이
그저 유희를 위한 시합에 목청을 높여 반대하셨다니….

궁시렁
하지만 부인 말도 일리는 있어.
낭만이다 뭐다 귀족적인 유희라지만 죽자고 덤비는 시합이잖아.
무식하게…
하지만 정말 염려라면 백작님의 상대가 될 기사를 더 걱정하셔야 할 텐데….
박살이 나서 돌아갈 테니까….

날 걱정해서 한 말은 아닐걸세.
또 그러신다. 엄청 걱정하시는 거라니까요?
분명 부인께선 방에서 혼자 엉엉 울고 계실 거라니까요?

백작님,
이 기회에
부인을 핑계로
반려하시는 것도
괜찮지
않겠습니까?

농담이 아니라
마술(馬術)로 백작님을
이길 사람이 세브랑에는
한 명도 없는데,
이번에
카스티야의 기사들도
토너먼트에
참가하는 바람에
국왕폐하의
요청으로
어쩔 수 없이
수락하셨던 것
아닙니까?

무조건 세브랑에서
우승자가 나와야
한다고 하셔서요.
……

…이제는
그 이유만이
아닐세.

억지로 참가한
토너먼트는
맞지만,
지금은
잘 되었다
생각하네.

예나 지금이나
비앙카 주변을 맴도는
날파리 같은
자들에게…
보여줄 수 있게
됐으니까.

자코브나
그 하녀 같은
자들에게

제대로
보여줄 것이다.

내 아내는 함부로
가까이해도 되는 사람이
아니라는 걸.

비앙카를
비호하는 존재가 바로
이 철혈이라는 걸…
똑똑히 일러주는
자리로 만들겠다.

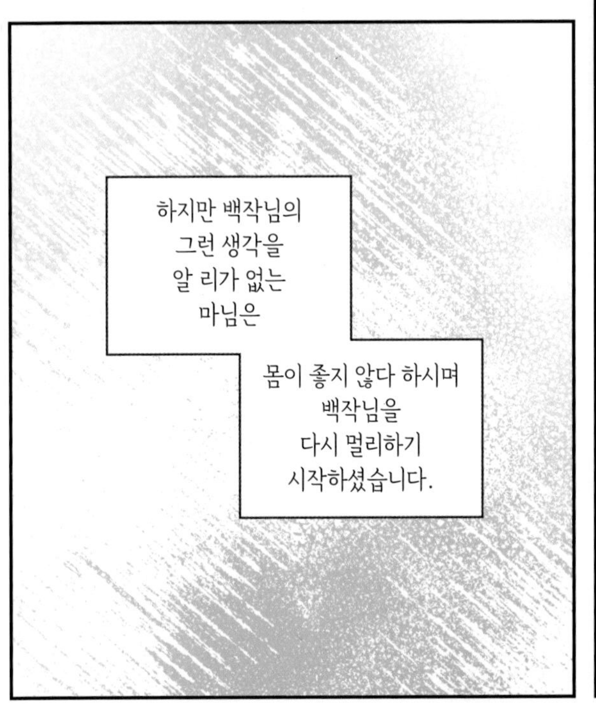
하지만 백작님의
그런 생각을
알 리가 없는
마님은
몸이 좋지 않다 하시며
백작님을
다시 멀리하기
시작하셨습니다.

똑
똑

마님,
이본느예요.
똑
똑

백작님께서
함께 식사하는 건
어떠냐고
물어보시는데요.

…마님?

조—용

어쩌죠?
주무시나 봐요.

백작님….

그렇게
시간이 흘러…

토너먼트 개막이
하루 앞으로
다가왔습니다.

결혼장사

…비앙카가 정말 내일 참석할 수 있겠는가?
초저녁부터 잠들 정도라면 건강 문제가 심각한 게….

아, 아닙니다 백작님!
마님께서 케이프를 맞추셨던 건 토너먼트 관전을 위한 것이었답니다!
그날 백작님께서 골라주셨던 옷감으로 만든 케이프 말이에요!

게다가
백작님께서
계시지 않을 때도,
오전에 열심히
산책도 하시고
식사도 잘
챙겨 드셔요.

가스파르 경도
보셨죠? 그쵸?
마님께서는
백작님을
응원하러 가려고
애쓰고 계시는
거랍니다!

이본느…
쓸데없는 소리를.
틀린 말은
아니지만….

…그래.
그래도 비앙카가 너무 힘들어하면 무리하지 않도록 하게.
네, 백작님!

저벅
저벅
꾸벅

이본느, 넌 훌륭한 아이야.

기회가 눈앞에 있다면 놓치지 말렴.

가스파르 경.
멈칫
저도
내일 꼭…
응원하러
갈게요!

스윽
꽈악
통

좋아.
역작이야, 역작.
뿌듯
밤샘해서 만든 보람이 있군.

분명 황금 장미를
마님께 선물하시려는
거겠죠?
너무
낭만적이에요~
흥!
낭만 같은
소리 하네!
절대로
이본느의 낭만에
발맞춰줄 생각이
아니라고…!
내일 토너먼트에는
많은 귀부인과 영애가
참석하니까
백작이
이 손수건을 매고
토너먼트에
참가한다면
털썩
레이스의
데뷔 무대로는
최고겠지.
그리고
자카리 드 아르노의
아내로서
해야 할 도리도
다할 수 있고.

뒹굴

뒤척

그래!
캬!
내 걱정 따위
필요 없다는 남자를 위해
이렇게 정성껏
손수건을 만든 것도,
세간의 이목 때문에
하는 거라고!!
알겠어, 백작??
?
으슬...

…백작이
나의 호의를
거절했을 때,
스륵...
내가
느꼈던 건
이미 알고 있는
감정이었다.

전에도
그렇게,
거리를
두었으니까.
어쩌면
반년 동안 보여준
백작의 상냥함은
아무 의미 없는
일이었던
걸지도 모른다.

백작은
책임감이 강한
사람이니까,
내 행동들에
그 책임감이
조금 더 견고해졌을
뿐이었나 보다.

언제나
말하지만,
그대가 싫으면
아무것도 하지
않아도 되오.

그가
나에게 항상
해주던 말….
그래, 백작은
예나 지금이나
똑같다.

하지만
나는…
나는
어땠지?
내가 지금
백작의 행동에
느끼는 감정들은
이미 알고 있는
감정들이었다.
지난 생에
페르낭에게 느꼈던
그 감정.

구제 불능이다,
비앙카.
그 감정이
결국 내게
무얼 남겼는지
전부 기억하면서….
상처, 배신,
절망, 손가락질,
구걸, 외로움.

고통에 몸부림치며
숨을 거두어간
질병 같은 감정….
사랑.

그러니
다행이다.
이 정도
거리감이라면
적당해.
내가 더 깊이
사랑에 빠지기 전에
백작의 마음을
깨달아서
정말
다행이다…

축제를
방불케 하는
그 규모와 화제성.
그 봄의
토너먼트는
귀족뿐 아니라
평민들에게도
큰 관심이었습니다.

왕세손의 약혼자인
카스티야의 공주와
수행원들의
독특한 모습을
직접 볼 수 있는
기회기도 했으니까요.
…카스티야인
이다.
웅성
피부색
진짜 특이하네….
웅성
갑옷이 전부
금이라는 소문은
진짜려나?
웅성

그러나 단연
화제의 중심은….
이번 토너먼트의
우승자는 당연히
철혈 아닌가?
시끌
시끌
마술도 마술이지만
창으로 철혈을
이길 자가 없다고
들었는데?
와하하
그럼 역시
이번 토너먼트
우승자 내기는
무의미하겠구먼.

폭

그래서
준우승자를 맞추는
내기판이
벌어졌대요!

…모두의
호언장담이
허풍은
아니었구나.
카스티야 기사들도
백작님의 우승에는
이견이 없다고
하니까요.

준우승자 후보에 아르노의 기사들도 있어요.
가스파르 경, 로베르 경, 소뵈르 경 전부!
그리고…

2왕자 전하도 계시네요.
멈칫

2왕자….
까득…
혹시 무슨 짓을 꾸미고 있는 것은 아니겠지?

노아의 안장이나
백작의 무기에
허튼짓을 한다든지.
등자를
짝짝이로
바꾼다든지…

그리고…
탁
이쯤 되면
의뭉스러울
수밖에 없다.

마술도 창술도
뛰어난 백작이
어째서
아라곤과의 전쟁 중에
그토록 허무하게
죽음을 맞았는지.

따라랑
띠링
2왕자, 자코브는 지금도 우리가 모르는 곳에서
아라곤과 내통 중일 텐데….
따다단

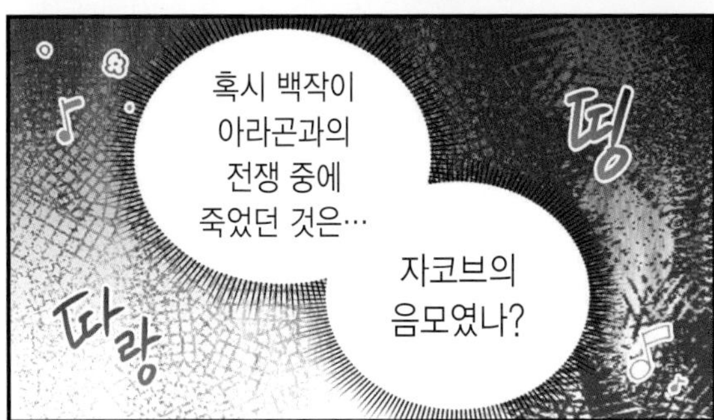
혹시 백작이 아라곤과의 전쟁 중에 죽었던 것은…
자코브의 음모였나?
띵
따랑

띠리링
따다당당
링딩동
당딩
디기디기

띠리리링

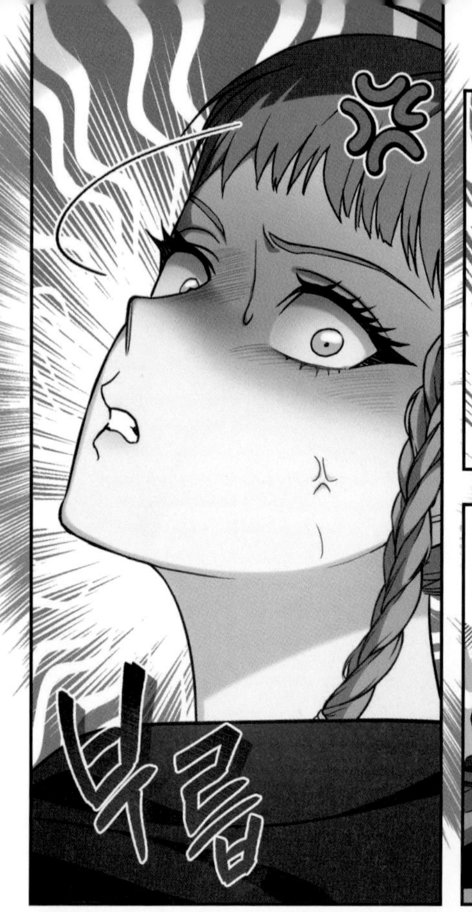
부릅

시끄러워
죽겠네~!
집중해서
생각을 할 수가
없잖아~!!

나는 수면 부족으로
아주 예민하다고~~
으드득
냉큼
저리 꺼지지
못해~~??

이런,
아름다운 영애.
어찌하여
그리도 어두운
표정이신가요?

움찔

마…
말도
안 돼…!
당신의
그 근심.
제 노래로
덜어드려도
될까요?

페르낭?!

결혼 장사 ❸

2024년 10월 07일 1판 1쇄 인쇄
2024년 10월 14일 1판 1쇄 발행

그림 AntStudio | **각색** 한흔 | **원작** KEN

발행인 황민호
콘텐츠4사업본부장 박정훈
책임편집 이예린 | **편집기획** 신주식 강경양 최경민
표지디자인 Gnoeyi
본문디자인 레드아이스 스튜디오(조유진, 강바다, 이새연, 천다희, 박은지)
에이블
마케팅 조안나 이유진 이나경 | **국제판권** 이주은 한진아 | **제작** 최택순 성시원 진용범
발행처 대원씨아이(주) | **주소** 서울특별시 용산구 한강로 3가 40-456
전화 (02)2071-2071 | **팩스** (02)749-2105 | **등록** 제3-563호 | **등록일자** 1992년 5월 11일
www.dwci.co.kr

ISBN 979-11-7288-613-4 07810
979-11-7288-610-3 (세트)

그림 AntStudio 각색 한흔 원작 KEN

그림 AntStudio
각색 한흔 원작 KEN

대원씨아이

Contents

결혼장사

Chapter 37
잠시
그 남자의 이야기를
해드릴게요.
그는 꽤
예쁘장하고
잘생긴 외모를
가졌답니다.
노래를
부르는 목소리도
근사했지요.
남자는
자신의 후원자가
되어줄 영애나
귀족 마님을 찾아
라호즈의
토너먼트까지
찾아왔어요.

마치
수컷 공작새 같던
그 남자에게
많은 영애와
부인들이 눈길을
주었지만…
남자의 눈은
그날 유난히
사랑스러웠던
우리 마님에게
꽂히고 말았지요.

페르낭이 왜
여기서 나와??
??!?!?

휙

어라?
…이 영애,
많이 놀랐나?

하~

하긴,
나 같은 미남과
눈을 마주쳤으니
이렇게
세상 물정 모르는
어린 영애라면
어찌할 바를
모르겠지.
이 죄 많은
미모!

귀엽네.
페르낭을
라오즈에서 만날 줄은
꿈에도 생각
못 했는데….
설마, 2왕자가
나랑 페르낭이
만나도록 조장했나?
꽈악…
…아냐.
지난 생이라면 모를까,
지금은 말도 안 되는
비약이야.

저,
아름다운 영애.
깜짝
부끄럽게도
그대에게 한눈에
반해버리고
말았답니다.
??!?

뭐, 무,
무슨…
무슨
수작질이야,
페르낭!!!

자비를
베풀어주세요,
아름다운 그대.
반짝
반짝
반짝
반짝
팅
팅

제게 이름을
알려주시지
않겠습니까?

깜짝
이본느!
남편을 만나러
가야겠다!

타다다
가자꾸나!

저런….
영애가 아니라
귀부인이셨군.

남편이라….
쏴아
방해물이
강력할수록
불타오르는 게…
후후
아아

바로
사랑이랍니다,
마님.

휙

페르낭
진짜 짜증 나…!
결혼 안 한
어린 여자라 생각하고
거리낌 없이
쉽게 다가오는 게…
완전
2왕자랑
똑같잖아?
전혀 멋지지도 않은
저 남자를 왜 그렇게
좋아했지?
엄청 자존심
상하는데??
내가 저렇게
가벼운 남자한테
사랑을 느꼈었다고?
짜증 나!!

아침에…
백작에게
잘 다녀오라고
말하면서
손수건을 건네줄
생각이었는데…
밤새
잠을 설치는 바람에
늦잠을 자서
주지 못했어.

이 손수건을 매고
토너먼트에
나가준다면
레이스를
홍보하는 기회인
것도 있지만,
백작을 위해
만든 물건이라
꼭 직접 전해주고
싶은데….

백작이…
두근
두근
꾹…
내 손수건을
받아주지 않으면
어쩌지?

어라?
부인!!!

저희를 응원하러
와주셨군요!

쫄쫄
쫄
스스슥..
소뵈르 경.
나는 자네들이 아니라
백작님을 뵈러
온 걸세.
아 왜요,
부인~
백작님을
응원하는 김에
저희도
응원해주십쇼~

저는
연인이 없어
장미를
건네드릴 분이
부인밖에 없다고요.
오델리 공주 전하가
아니라 내게
장미를 준다고?

부인께서는
저희의
주인이십니다.

오델리 전하께서
라호즈에서 가장
고결하신 것은 맞지만
아르노의 기사로서,
주인께 장미를
바치는 것은
당연합니다.

내가…
경들의
주인….

거절당할 거라
생각했다고?

이자도 그런 걸
걱정할 줄은….

거절할 리가
없지 않은가.

용감한 기사가
건네는 장미라면
언제나 환영이네.
두 사람 모두
힘내시게.

오예~
영광입니다!
승리를
우리 부인께~!

…감사합니다,
부인.
꾸벅

흥!
백작이
나를 어떻게
생각하든지 말든지!
일단 쥐여주자!

아르노!
아르노!
그만 좀 해
…나도
용기를 내자.

지금의 나는
자카리 드 아르노의
아내!
아르노의
또다른
주인이니까!
총총총

스윽
아,
가스파르경.
…비앙카?
두근

백~작~~!!
엄청
근사하잖아~~
머리색이랑
검정 서코트
너무 잘 어울려~~

내적 비명
꺄~!
좋아한다고
인정해버리고 나니까
다 근사해 보이잖아.
검은 색
반칙이야~!
얌
전
도대체 언제부터
이 남자에게
빠져버린 걸까.

…어쩐 일이오?
하…
이렇게 눈치 없고 무뚝뚝한 남자한테….

울컥
반기지 않는구나, 백작….
역시 오지 말았어야 했나….

…오면 안 되는 곳을 온 것도 아니잖아요.

아니.
용기를 내자,
비앙카.

아침에 드리지
못한 게 있어
가져왔어요.
꽉

?
스윽

나와
당신의 마음이
같지 않아도
괜찮아.
당신이
다치지 않았으면
좋겠어.
당신이
무사히 내 곁으로
돌아오면 좋겠어.

이 마음을
알아줘, 백작.

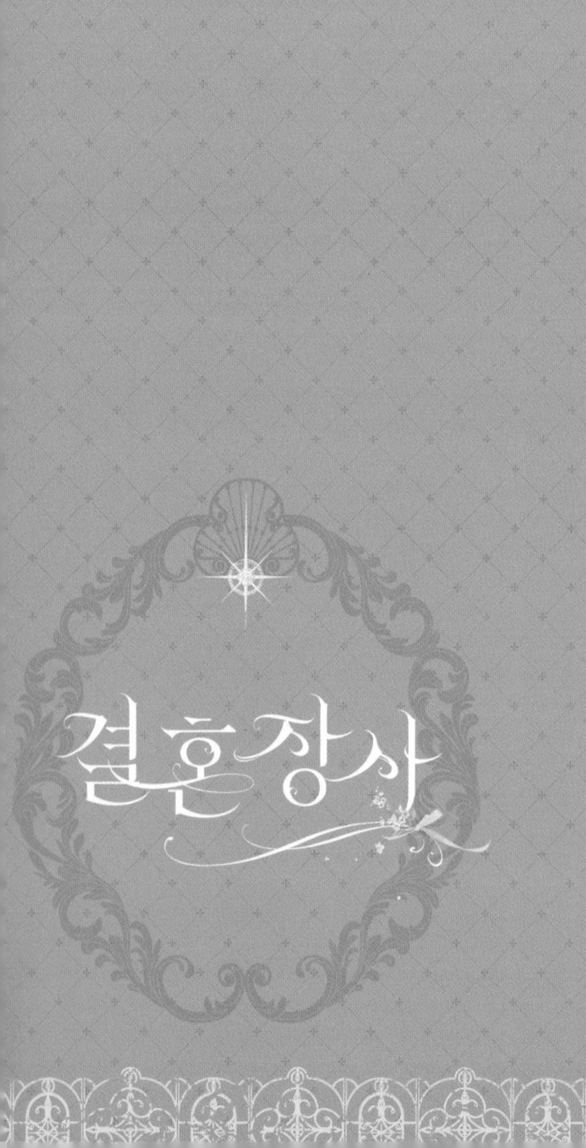
결혼장사

Chapter 38

왜 아무 말도
없지…?
'고맙다', '좋다'…
뭐 그런 것들
있잖아.

아, 저기…
그러니까…
제가
지, 직접 만든
손수건이거든요.
…그대가 직접
만들었다고?

울먹
아…
별로구나,
백작….

그러니까…
별 기교 없이
하얀 실로
만든 건데도…
너무…
요란하죠?

스윽
그럼 다시
가져갈게요….

아니.

꽈악

…그게
아니라.
슥

정말…

너무
기뻐서…

기뻐서
어쩔 줄을
모르겠어.
조옥
절걱

가문에
맹세하건대,
그대에게
우승을 바치겠소.

반드시….
쯔즉
아, …이 눈높이.

…백작을
사랑하기
시작한 게

언제부터인가
했더니…
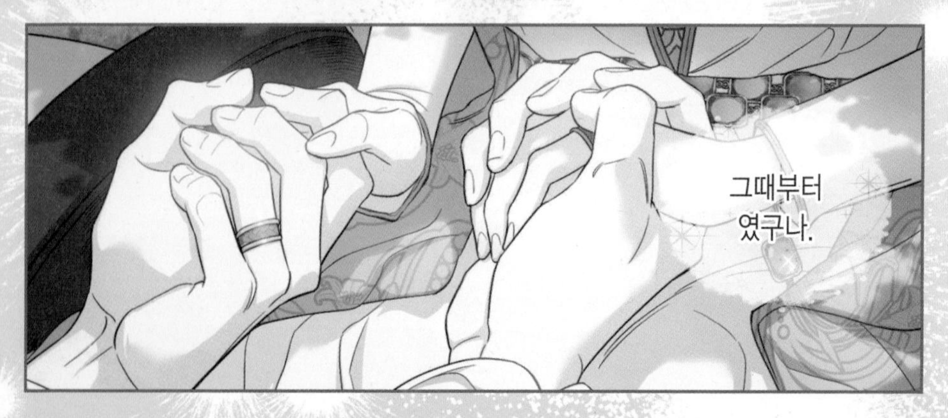
그때부터
였구나.

당신에게
축복을,
승리를,
영광을.

백작님,
노아의 준비를 마쳤습니다.

금방 나가지.
스윽

폭

두근
두근
다녀오겠소.

신이시여.
저에게
두 번째 생의 기회를
주신 것이 정말
당신이라면…

꼬옥

아르노의
영지민들에게는
앞으로도
안정을 줄 수 있는
영주가 필요합니다.

아라곤의 침략에서
세브랑을 지킬 영웅이
아직 필요합니다.

…저에게도
백작이
필요합니다.
그러니 부디
나의 백작이…

제게
무사히 돌아올 수
있도록…
안전하게
지켜주세요.

뿌
우
우
우

세브랑 왕국의 주인,
빅토르 드 세브랑 폐하의
손자이자
고티에 드
세브랑의 아들,
알베르 경과—

카스티야 왕국의 주인,
가르시아 카스티야
폐하의 딸.

짝 짝
짝
나바라 왕녀의 약혼을
축하하기 위한 토너먼트에
찾아주신 여러분,
감사합니다.

첫 번째
경합을 벌일
용감한 기사—

…페르낭.

이쪽으로는
오지 마라, 제발.
으르릉

마님,
마님.
스윽…
알베르 왕세손 전하와
나바라 왕녀님은
어떤 분이실까요?

…자리에
안 계신 것
같구나.
아, 그럼
저분들은….

국왕 폐하의
왼쪽에 앉으신 분은
고티에 1왕자
전하시고,
그 오른쪽에
계신 분은…

오델리 공주 전하
갈구나.
산뜻한 금발에
푸른 눈동자.
소문대로
아름다운
분이시네요.
주인공은
알베르 왕세손과
나바라 왕녀지만…

파악
이랴~!

이런 걸 보기엔
너무 어린 분들이시지
않을까?
그렇네요.

소뵈르,
이 거짓말쟁이~~~

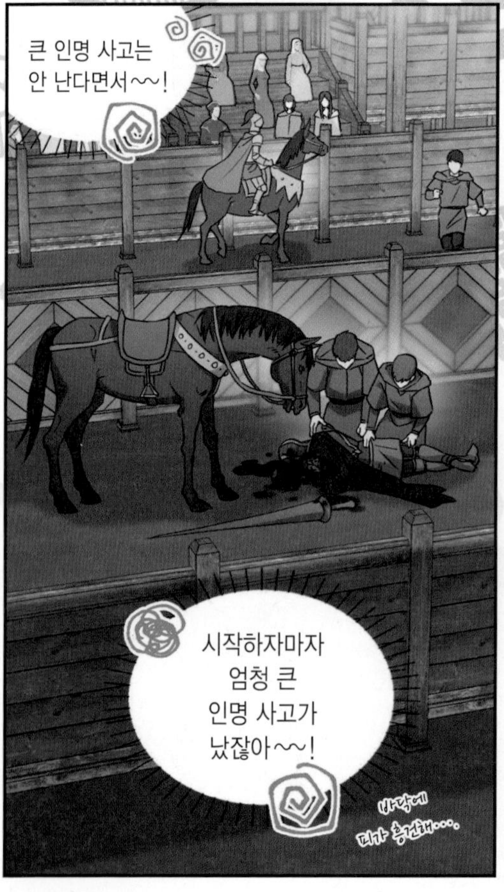
큰 인명 사고는
안 난다면서~~!
시작하자마자
엄청 큰
인명 사고가
났잖아~~!
바닥에
피가 흥건해….

저
영애…
어떻게
저런 행복한 웃음을
지을 수 있지…?

두근
두근
연인의
목숨이 걸린 도박을
지켜보는
중이잖아.
반대의 입장이
될 수도 있는 일
아닌가?

두근
꽉
두근
다음
경합을 벌일
용감한 기사—

귀스타브 드
블랑쉐포르 백작의
아들,
흠칫
푸르르
일각수를 타고 온
하게모니아의 후예,
홱
조아생 드
블랑쉐포르 경
입니다!

철컹
조아생?!
벌떡

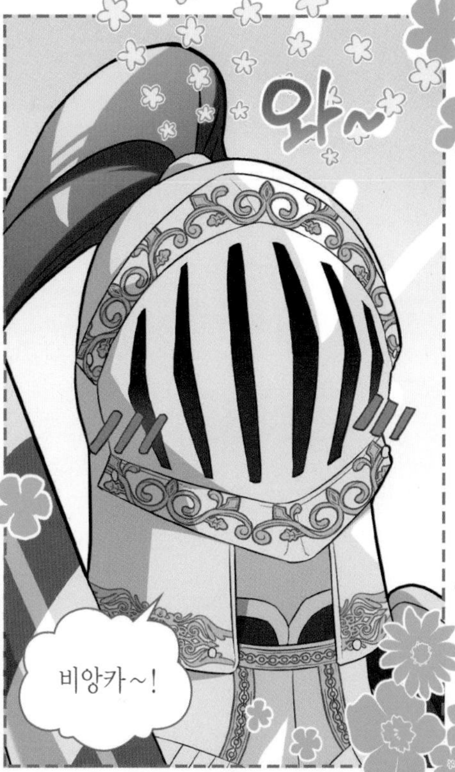
와~
비앙카~!

말도
안 돼….
실력 있는
기사들만
경합한다고
했는데….
흔들
응원해줘~
흔들

조아생이
무사할 리가
없잖아!!

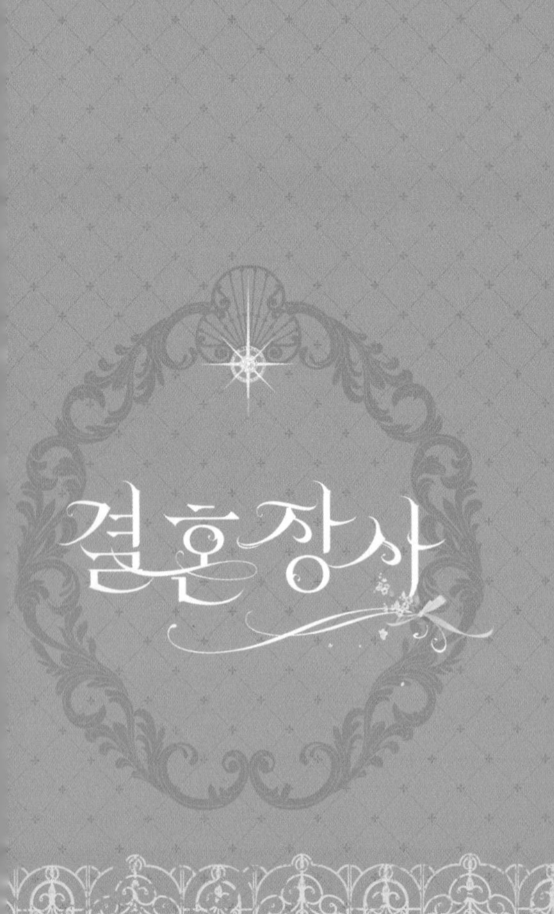
결혼장사

Chapter 39

마님의 친정인
블랑쉐포르
백작가는
걸출한 기사를
많이 배출한
집안이었습니다.

그러나
마님의 아버님이신
블랑쉐포르
백작님께서는
무예보다는 글에
더 능하셨지요.

그런
블랑쉐포르 백작을
쏙 닮은 영식,
조아생 경.
조아생 경이 무예를
겨루는 자리에서
절대 살아남지
못할 것이라
마님은
생각하셨답니다.

실력 있는 기사들만
경합한다고
하는데,
조아생이
무사할 리가
없잖아.

푸릉
푸르르
조아생,
제발….

펄럭

탓
다각
다각
다각
제발
기권해!!
다각

두두
두두두두
콰직
움찔
쿵!

기사님이
낙마하셨다!
웅성
들것을
가져와!
바들
웅성

승자!
깜짝

와아아아

아.
아
아

와아아
조아생 드
블랑쉐포르 경!
와아

조아생…!
이렇게
강했단 말이야?

와아아아아

비앙카.
괜찮아,
조아생?
그럼 그럼,
괜찮고말고!
다그닥
다각

이 오라비의
장미를
받아주겠니?
아까
그 여인도 이런
기분이었구나.
심장이
조이는 것 같은
긴장이 풀리니
비로소 장미를
건네는 자의
표정이 보인다.

승리를
거머쥔 자만이
가질 수 있는
자신감이
가득 찬 눈빛이.
목숨을 걸고
선물하는
최고의 영예를,
기쁘게
받지 않을 수
없잖아.
또 이길게~

첫 장미예요,
마님!
조아생 경도
너무 멋있으셨어요!
응,
그렇구나.

주변의 시선은
조금
민망하지만….
소곤
소곤

으라차!

승자!
아르노의
소뵈르 경!
와아아아아아
부인!

호호호
질색
키여워라~
쪽
쪽
쪽
쪽
쪽
쪽
핥
핥
핥
핥
다음
경합의 승리도
부인께
바치겠습니다!
이제
그만!!
알겠네, 알겠어!
축하하네,
소뵈르 경!

쿵
승자!
와아아아
꺄악
아르노의
로베르 경!
꺄악

후들
바…
받아주십시오,
부인.
후들

바들
바들

긴장한 것
봐.
내가
장미를 거절할까
염려했다는 게
진짜였구나.

축하하네.
다음 경합도 꼭 승리하길 바라네.

다음 장미도 기대하겠네,
로베르 경.

파앗

부인이 내 이름을 기억해 주셨어…!
이게 뭐라고 이렇게 황송하게 느껴지냐….

다음은
가스파르 경
차례로구나.

저,
마님.
가스파르 경…
괘, 괜찮겠죠?
걱정 말거라,
이본느.

네.

훅
후욱
훅
둥

둥…
푸릉
두둥…
푸르릉
다음 경합을 벌일
용감한 기사—

둥
검은 늑대
아르노 대의
거산(巨山)—
둥
척
두둥
그그그
후욱
후욱
가스파르 경!
그극
후욱

오들
오들
푸히흥…

펄럭
와아아―

불쌍해…
수군
어머…
수군
기 싸움에서는
벌써 이겼구나.

쿵―
꽉
우와…

승자!
아르노의
가스파르 경!
다각
이겼다….
가스파르 경이
이겼어요, 마님!
다각
다각
다각

스윽

마님,
어서 받으셔요!
어서,
어서요
꾸욱
꾹
잠깐,
이본느.
내 것이 아닌 것
같구나.

받아주시오,
이본느.

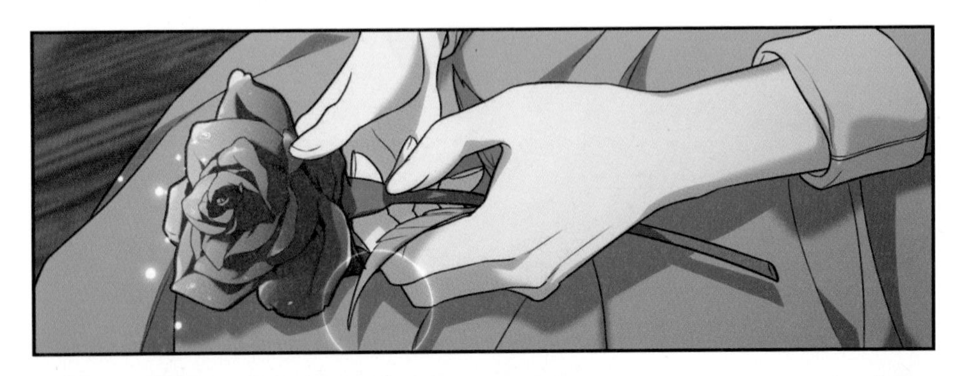

내가
모르는 사이에
용기를 냈었나
보구나.
키득
헤헤….

우리 영지의
기사들은
모두 이겼고…

곧 백작의
차례…
…인데.
촤악ㅡ

승자들의
사랑을 듬뿍 받고
계시는군요,
장미를
건넨 자 중에
부군이
계시는지요?
귀부인.

도대체
왜 여기까지
기어 온 거야….
찡긋
페르낭~~!!

결혼장사

장미를
건넨 자 중에
부군이
계시는지요?
대체 왜
여기까지 온 거야,
페르낭…!

아까 그 영애인지
귀부인인지랑
같이 있을 것이지…!
호호호
까르르륵

지금은 너랑
말 섞고 싶지
않다고…!
방싯
방싯

다음 경합을 벌일
용감한 기사!
훽

이번 토너먼트의
유력한
우승 후보이자

두근
두근
백작?
백작인가?
두근

덜컹
빅토르 드 세브랑
국왕 폐하의
아들이신

다각
다각

자코브 드
세브랑!

2왕자였나.
쳇...
이런,
누가 2왕자 전하와
겨루시려나요?

만일 2왕자께서
지기라도
하신다면,
국왕 폐하의
체면을 구기게
되지 않겠습니까?
맞붙을 기사님께서는
기권하는 것이
마음 편하겠군요.
타닷
푸릉

기권!
승자,
자코브 드
세브랑!
척

역시
부전승을
하시는군요.

왜 이쪽으로
오지?

설마…?
훅

다각
다각
다각
내 장미를
받아주겠소,
부인?

보는 눈이
이렇게나
많은데…
꾹…
설마
내 장미를
거절할 셈인가?
이런 행동이
오히려 뜬소문을
낳는다는 걸
알고 있는지…?

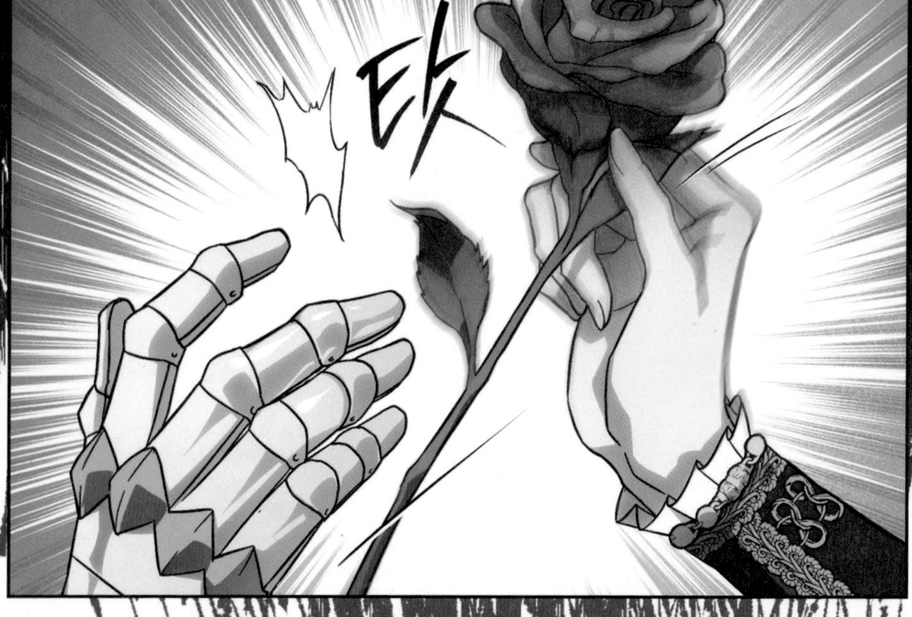
탁

꽈아악
반드시
그대에게 승리를
바치지.

요즘 2왕자가 만나는 여자가 없다더니….
이 여자에게 공을 들이고 있어서였나?

털썩

세상 물정 모르는 어린 귀부인인 줄 알았더니…
꽤 여기저기 여지를 주고 다니나 보군?

남편이 얼마나
호구 같았으면
이런
공식적인 자리에서
2왕자가 대놓고
들이대는 거지?
씨익
그런 남편을 둔
여자라면
줄을 서봐도
되겠군.

그
호구 남편
쿠구구구구구
비앙카에게
또 쓸데없는 게
들러붙었군.

수군
저 부인은 누구길래 전하까지 장미를 갖다 바쳤대요?
수군
아르노 백작 부인이라고 하던데요?
수군

수군
어머, 최근 왕실 정원에서 호위들과 대놓고 데이트를 했다던 그 부인이요?
수군

가스파르와 소뵈르 얘기인가?
산책이 어쩌다가 데이트가 되었지?

우리 남편에게도 단단히 일러둬야겠네요.
수군
원래 저렇게 대단치도 않은 여자에
수군
남자들이 더 꼬이는 거 알죠?

남편이
세브랑의 영웅
아닌가요?
수군
저 비싼 옷도
남편이 전쟁에서
고생한 덕에
사 입는 걸 텐데….
수군
염치없는
여자예요.
그렇죠?

수군
수군
수군
수군
꽈악
비앙카가 왜
저런 이야기를
들어야 하지?
툭…
마님은 단지
백작님을 응원하러
오셨을 뿐인데….
마님의 성정을
아는 사람이라면
누구라도
마님을 향한
악의적인 말들을
믿지 않았을 거예요.
특히 저는
눈물이 날 정도로
분했답니다.

아니,
안 돼.
붕
흡
붕
마님도
참고 계시는데,
내가 울면…!

귀부인들의
수군거림 정도야,
뭐.
그러려니 하고
흘려보낼 수
있지.

지난 생에서부터
충분히
단련되었거든.
그래,
그래
마음껏
지껄여라.
뒷담화를
자장가로 여기며
살았다고.
그래도
이럴 줄 알았으면
이본느가
장미를 받았을 때
가스파르에게
잠시 다녀오라고
할 걸 그랬다.
이본느에게는
기쁜 기억만 남아야
하는 날인데….
이본느에게도,
가스파르에게도
미안하게 됐어.
부인?

방긋
방긋

아름다운 귀부인을
시기하는 목소리가
너무 크군요.

저 헛소리들이
가려지도록,
제가 더 크게
부인의 아름다움을
노래하겠습니다.
왜 지난 생에서
남자 보는 눈은
단련하지
않았던가!!!
아니.
노래에는
흥미 없네.
곧 내 남편의
차례가 돌아오니
정신 산만하게 말고
사라져주겠나?

이런이런…!
부군의 차례가 아직이라니, 얼마나 조마조마 하시겠습니까!

자, 제 손을 잡고 함께 기도드립시다.
부군의 무사 승리를 바라면서 말입니다!
류트를 연주하는데도 손에 굳은살 하나 없네.
정말 고생 한번 해본 적 없구나.

달라.
거칠지만
다정한
나의 백작의
손과 달라.

방긋

이 손은
남편에게만
허락하고 있으니
거절하겠네.

두근

미안하지만,
꼬옥...

휙

2왕자가
이 부인에게
달라붙은 이유를
알겠군.

부인,
당신…
사내의 소유욕에
불을 붙이는
재주가 있어.

그래서,
호구 남편의
순서라고?
실력을 한번
보실까?

여러분,
참으로 오래
기다리셨습니다.
오늘의
마지막 토너먼트
참가자—

벌써 마지막
순서라고?

잠깐…
저
가문(家紋)은…!

자신의 것을
탐하는 자의 목을
자비 없이 물어뜯는
전장의 검은 늑대!
세브랑의
영웅이자
철혈의 백작!
자카리 드
아르노
백작입니다!

와아아아—
!!

홱
그래,
맞아.
그대가 아는
그 자카리 드
아르노.
와아아아—

내 남자야.

결혼장사

Chapter 41

스윽
훅
후욱

훅
훅
푸륵
훅
훅

역시
마지막 경기는
강력한 우승 후보의
시합다웠답니다.
꿀꺽
경기장에는
성난 말들의
거친 숨소리와
발굽 소리밖에
들리지 않았어요.

하지만
마님께서는
다른 시합을
관전하실 때처럼
침착한 모습으로
앉아 계셨지요.

꽉...
고개
돌리지 말자.

백작이
무사한지,
끝날 때까지
지켜봐야 하니까.

핫!
탓
다그닥

다그닥
다그닥

다그닥

승자!

와아아아
아아
아르노의
자카리 경!

마님!
백작님이
이기셨어요!!
이겼다.
백작이
무사해…!

다각
다각
옆에 있던
기생오라비
같은 녀석은
사라졌나 보군.
눈가가
붉어졌다.
설마
울었나?
진심으로
걱정하고
있었구나.

내가
쓸데없는 것에
시선을 뺏긴 동안

비앙카는,
계속 나만을
걱정하고
있었다.
스윽
비록 내
착각일지라도
지금은…
그렇게
믿고 싶다.
…왜 이렇게
안 잡혀?
휘적

흘끔

팍ㅡ

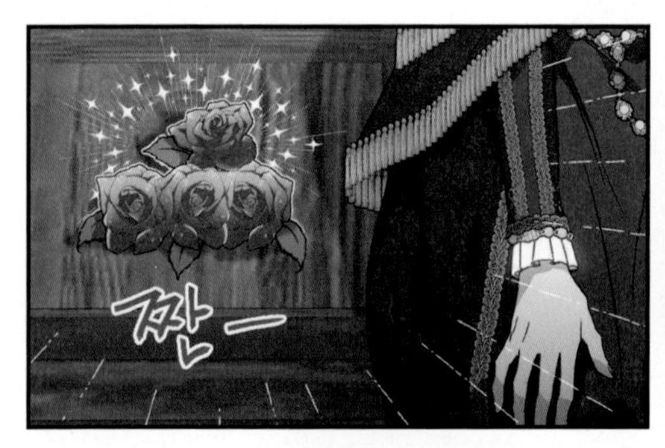
짠ㅡ

…당분간은 토너먼트를 관전하러 오지 않았으면 좋겠군.
?
네?

그대 곁을 맴도는 날파리들이 신경 쓰여서 집중할 수가 없어.
스윽

어찌 되었건
내가 우승할
것이니,
그날만
보러 오시오.

어찌 되었건
우승한다니….
진심이에요?
자기
입으로….
당연한 것
아니오?
스으-.
당신 말대로
할게요.
꼬옥

그리하여
마님께서는
토너먼트
둘째 날,
셋째 날을
고요하고 평안히
레이스를 짜며
보내게 되셨답니다.
…저는
그러지
못했지만요.

마님….
파들
파들
어쩌죠,
저….

헉

이렇게
좋은 실을
제가 망쳤어요!!
우아아
너덜…
죄송해요!!

이본느….
이런 쪽은 영
소질이 없구나….
괜찮단다.
이렇게
잘 풀어내면
되니까.
검열

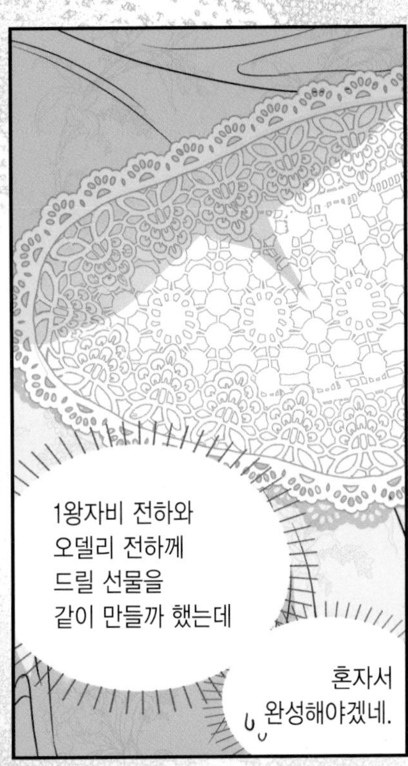
1왕자비 전하와
오델리 전하께
드릴 선물을
같이 만들까 했는데
혼자서
완성해야겠네.

어쩜 좋아요,
마님….
하아아…
이렇게
잘하는 것 하나 없는
저 같은 것과
누가 결혼하려고
할까요?

뭐가 걱정이니,
이본느.
가스파르 경이
있는데.

펑
아, 아뇨!
그건 마님께서
오해하시는
거예요!!

레이스 만드는 법을
가르쳐달라고 할 때부터
알아봤어야 했는데~~
너도 손수건을 만들어주려고
한 모양이구나~?!
그래서,
가스파르에게
고백은 받았고?
아니~~
이미 공식적인 자리에서
꽃을 건네줬으니
동네방네 소문낸 거랑
마찬가지 아니니?
빨리
말해 봐
빨리~
마님~~!
ㅠㅠ

저는
마님께 솔직하게
말씀드릴 수
없었답니다.

그 이후 며칠간
가스파르 경을
피해 다니고
있다는 것을요.
뚫어져라...
마, 마님이
찾으셔서 이만...

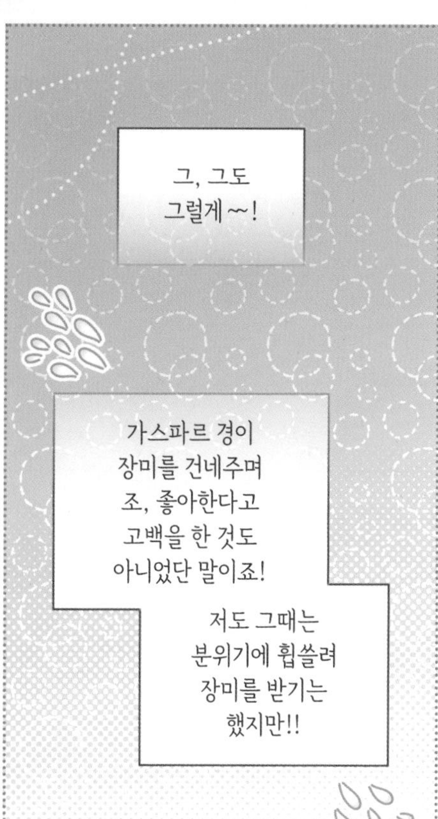
그, 그도
그렇게~!
가스파르 경이
장미를 건네주며
조, 좋아한다고
고백을 한 것도
아니었단 말이죠!
저도 그때는
분위기에 휩쓸려
장미를 받기는
했지만!!

하긴….
가스파르 경은
괜찮은 남자지만,
전쟁터에
불려다니는 이의
반려로 산다는 건…
쉬운 일이
아닌 것 같구나.
그도 결국
기사 아니니.

마님….
누구와
결혼을 해도 좋고
안 해도 좋단다.
있고 싶은 곳에서,
살고 싶은 대로
살렴.
그런데,
손재주가 좀
없으면 어떠니?
네게는 다른
빛나는 장점이
훨씬 많은데!
그걸 못 알아보는
남자가 복을
걷어차는 게지!
지금도 넌
충분히 훌륭하게
살아가고 있잖니?

그리고
잊지 말렴.
네 뒤에는
언제나 나,
비앙카 드 아르노가
있다는 걸!
흣!
꺄악
마님~!!

달칵
부인,
이본느 양.

깜짝
소,
소뵈르 경?

시합은 벌써
끝난 건가?

오늘
시합에서…
꽈악
사고가
있었습니다.

말도 안 돼….
어째서
그런 일이….

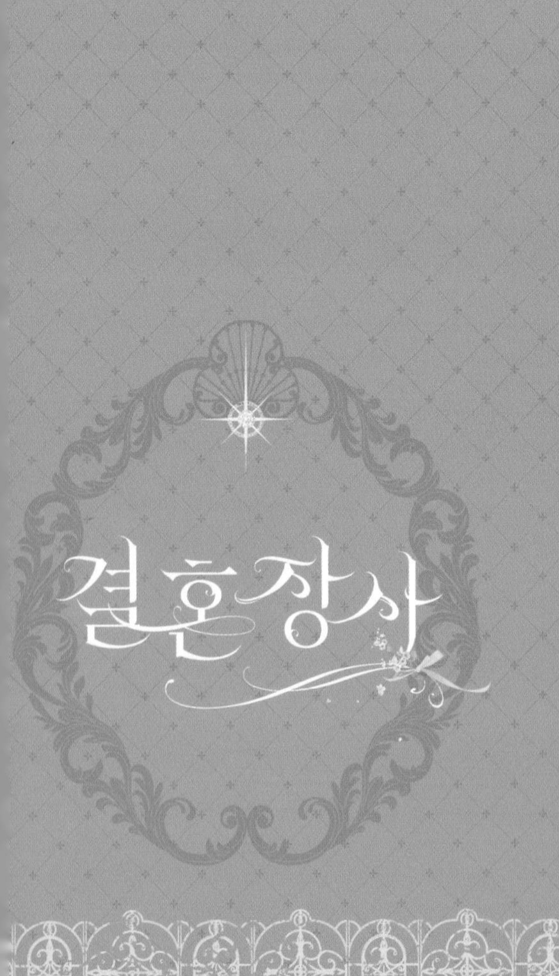
결혼장사

Chapter 42

부인.
오늘…
시합에서 사고가
있었습니다.

토너먼트
둘째 날까지는
예선전이
치러졌습니다.
와아아아
셋째 날인 오늘은
결승전을 치를
기사들을 추리는
날이었지요.

다각
다각
두두두두
다각
승자!
아르노의
자카리 경!

우와….

백작님은 블랑쉐포르 공자도 봐주지 않으시는구나.

부인의 오라버님인데…
우와…
가차 없네.
무서워
백작님이랑 대진표 안 겹쳐서 다행이다.

블랑쉐포르 공자가 백작께서 전력을 다할 만큼 자질을 갖춘 기사이기 때문이지.

아직 어려서
미숙할지 몰라도,
훌륭한 기사의
지도가 있으면
크게 성장할 거야.

그런데 로베르,
괜찮냐?
3차전 상대는
자코브 2왕자잖아.
2왕자는
부전승으로 올라와서
쌩쌩할 텐데?

어,
그렇지….

너도
기권해.
2왕자와
겨루지 않아도
손가락질할 사람은
아무도 없을 테니까.
2왕자 상대로는
절대 기권하지
않을 거다, 소뵈르.
감히 아르노의
안주인을 희롱한
그자의 죄는
계속
마음에 담아두고
있었다고.

?!
쿠궁
소뵈르 뇌내 일보
2왕자에게
투지를 불태우는 게
부인 때문이었어?
흥
2왕자의
부인 초상화 절도
사건!

언제부터
부인을 그렇게
생각했다고….
아르노가
모욕당해 화내는 걸
이해 못 하는 건
아니지만,
진짜 전쟁도 아니고
축하 기념 경연에
이 정도까지 임전 태세를
갖추는 건 왜지?

아...

하긴, 전쟁이
일어나도
2왕자와
칼을 맞댈 방법이
없긴 하구나.
같은
편이니까...

비록
경연이지만,
이렇게라도
부인의 명예를
지키고 싶은 건가?!
번쩍

로베르,
너 이 녀석….

꼭
이겨라!
2왕자를 박살 낸
무용담은
내가 부인께 꼭
전해드릴 테니…!

…뭐?
그럴 필요는
없는…
아냐!
오늘의 승리는
네 마누라, 아들, 손자에게
널리 전해야 할
업적이라고!

주인의 명예를
더럽힌 자를
응징하는 전투!
크으ー!
불리한 상황에서도
한계를 돌파하려는
뜨거운 기사도 정신…!
크흑!!
젠장,
무훈시에 나오는
이야기 같아서
멋지잖아!
피식
하….
스윽

그렇게까지
말하면 엄살도
못 부리겠네.
비틀…
…로베르?

그날,
로베르 경은
2왕자님과의
경합에서
방패가 부서져
팔을 크게
다쳤습니다.

로베르 녀석,
그래도 끝까지
잘 버텼습니다.
왼손잡이라
그만큼 올라간 것도
대단한 거예요.

어째서
그런 일이….
그래서,
로베르 경의
상태는 어떠한가?

의원이 당분간
검은 쥘 생각도
말라고 했습니다.
다른
사람이었으면
상관
없었겠지만….

로베르 경은
기사 신분이라
상관이 있는 거군.

뼈가 부러진 건
아니지만
걱정입니다.

죄책감
갖지 말게.
로베르 경의
부상은 자네의
잘못이 아니니.
꼼질
꼼질
네….

안절
부절
경과
가스파르 경은
어떻게 되었지?
아!
가스파르는
4강에
진출했습니다.

백작님을 제외하고는
아르노 대(隊)에서
가스파르가 제일
마술이 뛰어나니까요.

우승은 당연히
백작님이시지만
삼부장 모두
준우승 후보네
어떠하네
소문이 돌아도,
저희 중에
진짜 준우승 후보는
가스파르밖에
없어요.

전 그리고
완전 졌습니다～!
우헷♡
훌륭한 상대였어서
딱히 분하지는
않아요.
저와 경합을 벌였던
카스티야의 기사가
진짜 굉장했거든요!
아시다시피 카스티야는
해군(海軍)이 강한
나라지 않습니까?
그래서 솔직히
쪼금 얕본 감이
없잖아 있었는데
코가 납작해졌습니다!
암초같이 단단해서
넘어가지를
않았어요!
국왕 폐하께서
백작님께 간곡히
부탁한 이유를
알 것 같더군요.

아무튼 그런고로,
마지막 결승
토너먼트 날은 제가
부인을 호위합니다!
훗
재미와 감동을
보장합니다!
옆에서 야무지게
짚어드릴 테니
이 소뵈르만
믿어주십쇼!

아니,
조용하고 차분하게
관전하고 싶네만.
질색
으이잉~
부인~
아는 만큼 보이는 게
토너먼트란
말입니다~~

소뵈르 경….
기분이 좀 풀렸나.
로베르는 아마 나의 명예보다 '아르노'의 명예를 지키고 싶었을 것이다.
예전의 나였다면 아르노의 명예나 로베르의 부상엔 관심이 없었겠지만,
지금은 느껴진다.

패배하고 싶지
않았던 상대에게
상처 입었다는
수치심과 분노가….

오델리 전하께서
라호즈에서 가장
고결하신 것은 맞지만,
아르노의 기사로서
주인께 장미를
바치는 것은
당연합니다.
부인께서는
저희의
주인이십니다.

로베르 경에게
그런 말을
들었는데….
주인 된
자로서
이 패배가
분하지 않을 리가
없잖아…!

결국 그날 마님은
아주 늦은 밤
얕게 잠이 드셨습니다.

악몽을 꾸고
놀라서
일어나셨을 때는…

짹짹
짹짹
짹짹
짹짹
짹짹
헉…!
헉…!
이미 토너먼트
결승전 날의 태양이
떠오른 뒤였지요.

웅성
웅성
웅성이야~
웅성
역시 결승전이라 열기가 더 뜨겁네요.

두리번
객석에서 보는 건 처음이야.
…이본느, 혹시 아침에 백작님이 나가시는 걸 봤니?
!
네, 마님.
식사를 챙겨드릴 때 뵈었답니다.

어때
보이시던?
마님의 눈가는
아침부터 붉은 기가
가시지 않았답니다.
그런 꿈을 꾸고 난 뒤에
백작님을 뵙지 못하셨으니
염려가 되셨던 것이지요.

걱정 마세요,
마님.
평소의
백작님이셨어요.

로베르,
몸은
좀 어떤가?

염려 마십시오,
백작님.
오늘 백작님을
보필하는 데는
전혀 문제가 되지
않습니다.
스윽...

철컥
그 명예로운 삼익(三翼) 중의 한 명을
이렇게 종자처럼 부리다니.
그래도 무리는 말게.

역시 세브랑의
전쟁 영웅은
격이 다르군!
나도 한 수
배워야겠어.
아르노
백작.

어제는 말 위에서
승부를 겨룬
로베르 경이었는데,
아르노에서는
패배한 가신을
이리도 명예 없이
대하는 줄 몰랐군.
꾸깃

제 위치는
말 위나 말 아래나
어디든
관계없습니다.

백작을
섬기는 게
제 명예입니다,
2왕자 전하.

기사치고 말이
청산유수로군,
로베르.
피식

자네는 기사보다는
음유시인이나
흥정하는 장사치로 더
성공했을 수도 있겠어.

꾸욱...

로베르,

자네가 흥분할
필요 없네.
흠칫!

2왕자 전하께서는
날 도발하러
오신 것뿐이니.
3일차 때는
보이지도 않더니,
오늘은 비앙카가
관전을 왔더군.
오늘 시합으로
우리 둘 중 한 명이
비앙카에게 장미를
건네게 되겠어.
꾸욱
둘 중
하나가 아니라

제가.
피식
그러니
2왕자께서는
제 아내의 이름을,
제 아내에게
승리의 장미를
건넬 겁니다.
사사로이
입에 올리지
말아주십시오.
백작은 참으로
고지식해.

요즘 궁정연애가 왜 유행한다 생각하는가?
남편 외에 다른 남성과의 정서적 교류는 귀부인들에게도 좋은 경험이야.
스윽
남성들이 아내가 아닌 다른 여성과 정서적 교류를 하는 것처럼 말이지.
저벅
저벅
저벅
백작 정도면 꽤 많은 여성과 교류했을 텐데.
그때마다 비앙카와 비교를 해봤을 것 아닌가?

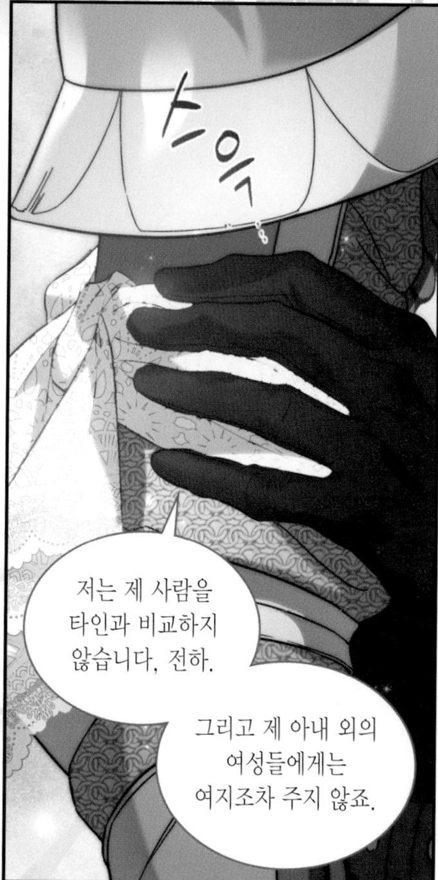
스윽
저는 제 사람을
타인과 비교하지
않습니다, 전하.
그리고 제 아내 외의
여성들에게는
여지조차 주지 않죠.

타인이 모두
2왕자 전하와
같다고 생각하신
않으시겠죠.

…그래?
비앙카도 자네와 같은 생각일까?

쿵

전하.
저는
늑대입니다.

적으로 간주하는 자의
목을 물어뜯고
절대 봐주지 않는다는 걸,
모르시는 분이
아니지 않습니까.
저를
도발하셔봤자
득이 없음에도
이러시는 이유를
모르겠군요.

빙긋
역시
아르노 백작!

그대도 결국엔 사람 아닌가?
눈앞에서 거슬리게 굴면 흥분해서 실수하지 않을까 했지.

자네가 시합에서 약점을 드러내면 나에게도 이득이니 말이야.
전하께서는 기사치고 말이 청산유수시로군요.

아까 제 권속에게 무어라 하셨습니까.
음유시인이나 장사치였나요?

백작님….

신앙도, 사상도,
원한도,
기사는
창끝으로
말할 뿐입니다.

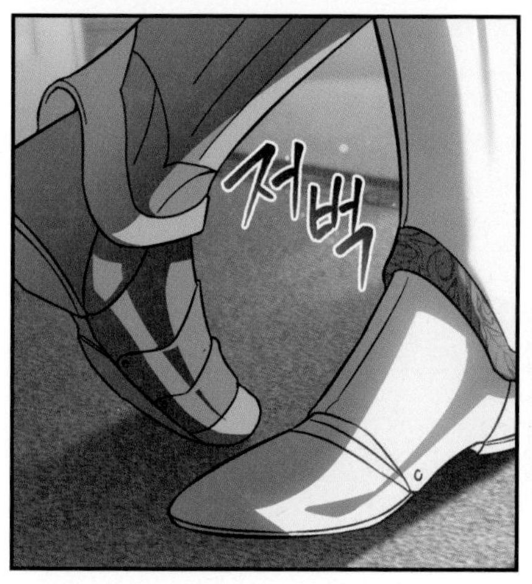
저벅

펄럭

하.
아르노 백작,
너무 거슬려.
내 말로 삼으려다
놓친 것도
거슬리고,

그런 주제에
아들인 나보다 부왕께
더 총애받는 것 같아
거슬리고,
제 아내를 건드려서
심기를 불편하게
만드는데도

도발에
넘어오지 않는
그 평정심조차도
끄덕
심히 거슬려.

인간 병기와 다름없는
자카리 드 아르노에게
이길 리가 없는 건
나도 안다.
가능하다면
비앙카에게
한 번이라도 더
장미를 건네고
싶었을 뿐.
경멸하는
눈빛으로 날
바라볼지라도
비앙카와
마주할 수 있는
방법이니까….

…어쩌다
이런 감정이
생긴 거지?
시작은 분명
아르노 백작과
블랑쉐포르 백작을
긁을 생각으로
가장 쉬운
방법을 건드리려던
것뿐이었는데….
하,
이건 뭐…

이제 막
사랑에 눈뜬
풋내나는 애송이
아닌가…?

그리고
곧
결승전이
시작되었습니다.

앗!!
부인!
저자입니다,
저자!
제가 맞붙었다는
카스티야의 기사!

…경이 고전했다는 이유를 어쩐지 알 것 같군.
딱 봐도 세보여….
그래서 저자의 상대는 누군가?

잠시만요, 아직 방패가 걸리지 않아서….

검은 늑대…!
아르노의 방패입니다.

아르노의
기사…!
백작인가?
아니면….

꽈악
카스티야의 암초와
맞붙게 될
세브랑의 거산!
꾸욱…

아르노의
가스파르 경!

결혼장사

Chapter 44
소뵈르의
<알아보자,
토너먼트!>
안녕,
자기들~?
토너먼트!
오늘은 그중에서도
마창 시합에 대해
알아볼게!

가장 기본적인
규칙은 상대의
머리, 어깨, 방패에
들고 있는
창을 정확하게
명중시키는 거야!
한 경연당 세 번의
시합이 벌어지고,
그중 두 번을 이기는
기사의 승리!
즉,
3판 2승제!
탁
단, 상대가
낙마했을 경우는
바로 시합이
끝나게 돼!
쾅
그러지 않았을 경우엔
누가 더 정확하게
명중시켰는지를
점수로 매기게 되는데,

정확하게 맞췄다면
창은 부서지게
되어 있거든.

선승은
가스파르가
땄지만

저
카스티야 기사,
역시 만만치
않아요.
가스파르는
덩치가 커서
속도가 붙은 상태로
무섭게 밀어붙이면…
웬만한 기사들은
낙마할 수밖에
없거든요.

하지만 지금 상대도
그에 지지 않는
체격으로 버티면서…

가스파르를
낙마시킬 타이밍만
노리고 있는 것
같아요.

상대방이
낙마하면
승부가 빨리
나니까요.

낙마….
질끈

머리…!
가스파르 경…!

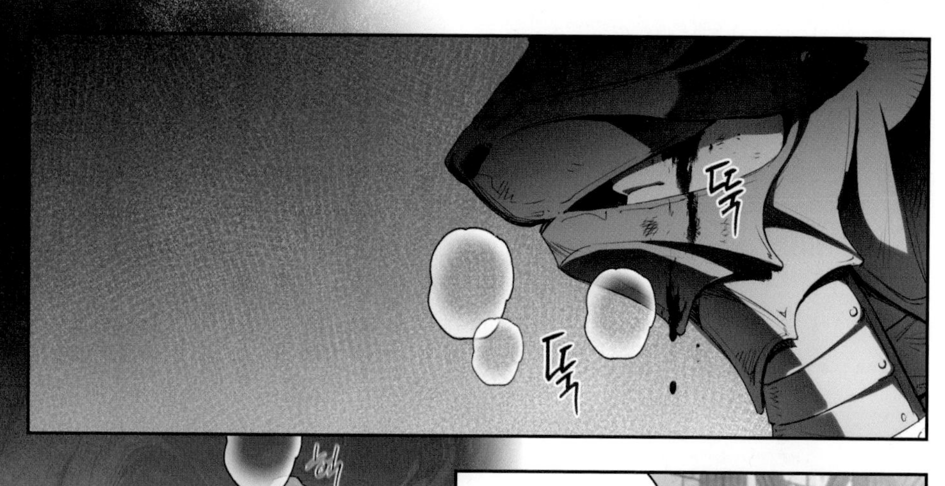
뚝
뚝

헤
헉
헤
비틀
…가스파르,
낙마는 하지 않았는데
위험해 보이네요.
비틀거리는 걸 보니
뇌진탕이 온 것
같아요.
꼬옥

그리고
가스파르 경과
카스티야 기사님의
마지막 시합은...
비틀
헉
헉
창과 방패가
대파(大破)된
가스파르 경의
패배였습니다.

비틀
비틀
비틀

이본느,
다녀오렴.

네? 마님,
하지만….

명령이야.
!

감사합니다,
마님.
다녀올게요.
끄덕
탓

다각
다각

슥
제 장미를
받아주십시오,

어억…!
까악~
카스티야 기사가
오델리 전하께
장미를…!
오델리
공주 전하.
동맹국의
공주님께 장미를
건네다니…!
동화책에서나
나올 법한 정석적인
이야기잖아…!

두 분은 원래부터
아는 사이인가?!
장미를
받으실 때 무어라
말씀하시려나?

뽁

스윽
다각
다각

이렇게나
무미건조할
수가…!

2왕자와
백작 중에
한 명이…
가스파르를 이긴
저 카스티야인과
겨루겠구나.

꽈악…
백작…

사락

스윽

스윽
깜짝
꾸욱
가,
가스파르 경!

말로…
표현하는 건
서툴러서….

두근
두근
두근

…언제부터?

누구야,
저 귀여운
하녀는?
백작 부인이
친근하게
행동하시는데?
…글쎄,
시녀인가?
내 이름도
모르셨는데,
저 사용인의 이름을
정확히 아시는 걸
보니….

제가
부인의 호위가
되겠습니다.

…오늘도 장미를
주고 싶었소.

와락
…하나로도
충분해요.

웅성
이본느 양이 늦네요.
웅성

시녀의 연애 사정까지 신경 써주시고 자상하시네요, 부인.
아직 시간이 좀 남았으니 백작님을 뵈러 다녀오시겠습니까?

되었네.

백작께서는
반드시 승리하고
돌아오실 것이니
경거망동하고
싶지 않네.

아~
부인~
저어쩌죠?
푹
저, 부인이
점점 더 좋아질 것
같아요!

결혼장사

Chapter 45
저, 부인이
점점 더 좋아질 것
같아요!
내가 좋다….

그 말은 즉,
주인이자
사람으로서 좋다는
의미로군.
정답!
솔직히
예전의 부인을
그렇게 좋아하지
않았거든요.

울컥
재작년 즈음인가
저희, 그러니까
저랑 로베르가

백작님께
정부(情婦)를
들이시라고
한 적이 있어요.

정부….
꾸욱…
다른 귀족 부부였다면
백작님의 나이에
자제분이 너덧쯤은
있었을 텐데,
부인께서 너무 어리시니
언제 백작님과
합방을 하실지도
확실하지 않았으니까요.

사생아가 생기면
그건 그거대로
나쁘지 않다고
생각했어요.
어떤 식으로든
백작님의 대를 이을
사람이 생기면 아르노도
안정이 될 테니,
그러니
부디 정부를
들이시라고요.
예전의 나는
백작을 대신할 사람이
아니었다는 뜻이겠지.
그 시절의
나와 백작의 관계를
객관적으로 본다면…
백작의 주변인들이
그런 말을 할 수밖에
없었을 거야.

지금의 나도…
그렇게
생각하니까.
…부인은 화내지
않으시네요.
백작님은 엄청
화내셨는데.

잡일은
나랑 안 맞아!
기사가
되겠어!
전 맨몸으로
고향을 뛰쳐나온
그날부터
스스로를
어른이라고 생각하고
있었는데요.

어른이 되고 나서
그렇게 무시무시하게
혼난 건 처음이었어요.
백작님이
진심으로 화내니까
진짜 무섭더라고요.
덜
덜
덜
덜
덜
덜
차라리 전쟁터로
보내달라고 조르고
싶을 정도로….

…뭐, 지금의 부인께서는 아르노의 좋은 구심점이세요.
부인에 대한 아르노 사람들의 인식이 바뀌고 있고,
부인을 주인으로 받아들이고 의지하는 사람들도 생기고 있어요.
…그러고 보니,
그때 정원에서도 비슷한 말을 하지 않았었나?

그래서
기회가 된다면
사죄드리고
싶었어요.
정부나 사생아 같은…
부인께 실례되는
말을 한 것을 계속
후회하고 있었습니다.
스윽
용서를
바라지는
않습니다.
벌을 주시겠다면
달게 받겠습니다.

그래도 이것만은
알아주세요.
백작님은 결코
부인께 부끄러운 일을
벌이지 않으셨습니다.

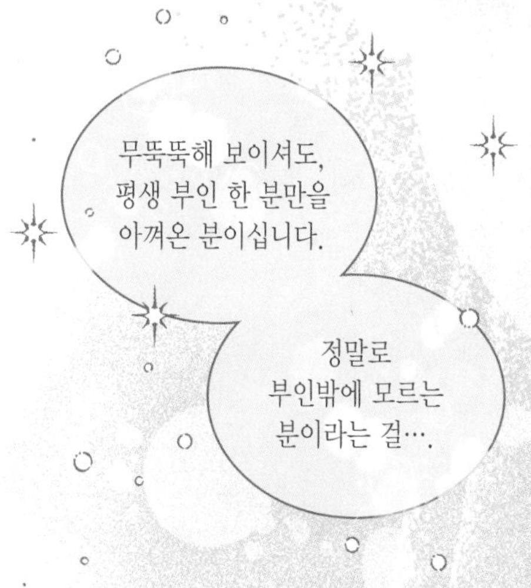
무뚝뚝해 보이셔도,
평생 부인 한 분만을
아껴온 분이십니다.
정말로
부인밖에 모르는
분이라는 걸….

그건,

나도
알고 있네.

그랬군요~
꺄악

제가
괜한 참견을
했네요~
두 분
요즘 매일매일
따끈~
따끈하신데~
부들
낄낄
낄낄

핫…!
꽈악

이건
벌이야.
꾸아아아악
부흐흥네!
달게 받기로 했으니
참겠습니다!

……
부인,
손이 엄청
매우시네용!
꾸아아아악
~남들의 눈에는
이렇게 보여요~
호호호
하하
소뵈르, 이
재간둥이~★

저,
저게
뭐 하는….
쿠구구구…
아르노
백작….
도발하러
갔을 때보다
훨씬 감정적인
모습이군.
쿠구구구

…지금이라면
백작이 실수하는
행운을 바랄 수
있을까?

뿌우우우
토너먼트
4강전,
두 번째 경합!

자코브 드 세브랑
2왕자 전하와—

자카리 드 아르노
백작의 경기!

비앙카를
혼자 둘 수 없어서
소뵈르를
붙여놓긴 했지만…
막상 저 둘이
친한 모습을 보니
마음이 진정되지
않는다.
철컥

생각해보면
블랑쉐포르 영식도
감정을 잘 드러내는
편이니까.
첫만남에 호형호제 할 수
있을 것 같은 두 사람

말도 잘하고
호오(好惡)가
분명한…
비앙카는
그런 성향의 남성을
더 편하게
생각할 수 있다.

나같이
나이 많고 덩치 큰
남자보다
항상 비앙카를
즐겁게 웃게 해줄 수
있는 남자가 더….

탁

파
악

두두두두
다각
다각
제길.
빨리 이 경기를
끝내버려야지….
다각

이성의 끈이
끊어질 것 같다.

승자!
아르노의
자카리 경!

전하!
크…!

젠장!

역시
아르노 백작!
활짝
결승에 올라온
카스티야 기사는
분명 아르노 백작이
쓰러트리겠군요!

…자코브 또한
짐의 아들인데…
이잉…
저리 바닥에
내동댕이칠 일까지
없지 않았는가.

짐을
업신여기는 듯하여
유쾌하지는
않구나.
폐하,
그것은….

…맹수는,
상대를 가려
행동한다고
하지요.
아르노 백작이
저렇게 진심을 다해
상대한 것을 보면…
만만하게 볼 상대가
아니었다는 뜻이지
않았겠습니까?
폐하.
픙
오호라~
오델리~
딸바보
네가
자코브를 그리
높이 평가할 줄은
몰랐구나!

흐뭇
오델리의
말대로입니다,
폐하.
아르노 백작의 충심은
폐하께서 더
잘 알고 계시지
않습니까?

허허,
고티에.
아르노 백작이
네 사람이라고
이리 챙기는 게야~?
하하하
하하
하하~
제 사람이 아니라
폐하의 충성된
가신이랍니다!

소곤
고맙다,
오델리.
빙긋
이자는
톡톡히 쳐서
받을 거예요,
고티에
오라버니.

꺄아
백작님~
꺄
백작님,
이쪽 봐주세요!

하아…
그런 부인 말고
저에게 장미를 주세요,
백작님~!
얼른 토너먼트를
끝내고 이곳을
벗어나고 싶다.

하지만
토너먼트가
아니었다면,
비앙카의
저런 표정도
볼 수 없었겠지.

승리를 핑계로
꽃을 건네는 일 따위는
더더욱 하지 못했을
일이고….

솔직한 마음을
표현하는 것이
서툰 내게는…

어쩌면
이 토너먼트가
좋은 기회일지도
모른다.

그래도…
스윽
조금만 더 기다리시오.
어서 이곳을 벗어나
비앙카를 아무도 볼 수 없는 곳으로 데려가고 싶다.

전부 끝내고
그대 곁으로
돌아오겠소.
나의 마음을
있는 그대로 전할 수
있는 곳으로….

결혼장사

Chapter 46
처음 결혼식장에서
비앙카의 손을
잡았을 때를
떠올렸다.
이토록
작은 손을 가진 이와
평생을 함께할 수
있을까….
그때는 스스로도
자신이 없었다.

요즘은
어떤 것 같나?

비앙카의…
기분… 같은 건.

특별히 좋지도
나쁘지도 않으신 것
같습니다.
장신구들을
펼쳐놓고
들여다보시다가
모양이 조금 다른
새로운 장신구를
구매하시지요.

아,
특히 목걸이를
좋아하십니다.
목이 곧고 길게
자라고 계시거든요.

'자란다.'
다른 귀족 집안은
어린 신랑과 어린 신부가
함께 자라지만,
우리는
그러지 못했다.

그렇게
먼저 성장해버린
내가 전쟁터를
전전하는 동안,

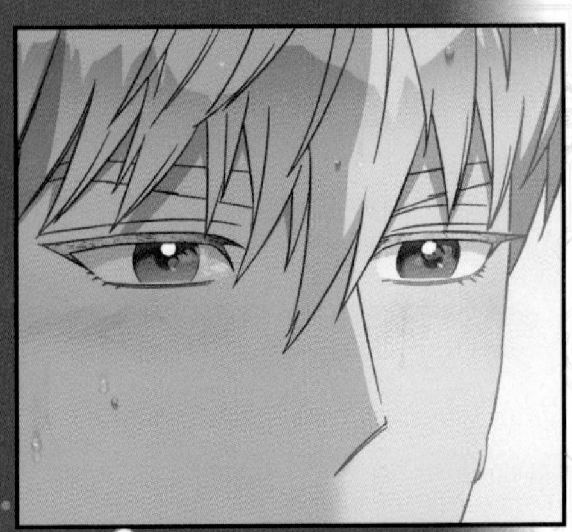

어린아이의
모습은
온데간데 없고
아내는
여인이 되어가고
있었다.

언젠가 저
하얗고 고운
목덜미에…
저 작고 붉은 입술에
입을 맞추는 날이
오게 될까…?

…이런 생각이 들 때면
떨리는 작고 어린 손을
잡았던 기억이
선명히 떠오르면서,

영문도 모른 채
원치도 않던 남자의
소유물이 되어버린
작은 이에게

그래서는 안 될
나쁜 마음을 품는
기분이 들었다.

책임감
정도여야만
한다고
스스로의 감정을
외면하고
비앙카의 나이만큼
함께 자라는
나의 감정이
사랑 같은
고결한 감정이
아니어야 한다고
더 외면했다.

억누르고,
숨기고,

드러내지
않고,

책임감으로만
대했다.
탁

다소
형식적인 관계여도
괜찮다며
얼마든지
감출 수 있는
감정이라고
여겼는데….

방패와 같이
단단했던
그 결심은
산산이
부서지고 말았다.

다각
다각
토너먼트
우승자!
자카리 드
아르노 백작!!

깨닫고 나니
알 것 같았다.

내가 모르는 사이에
비앙카에게 내 마음을
표현하고
있었다는 것을.

말로 표현하지
않으면 모를 것들을
온몸으로 외치고
있었다.

그대를
지극히 아끼고
있다고.
와아아아
내가 줄 수 있는 건
그대에게 전부
주고 싶다고.
와아아아
그대가 원한다면
온 힘을 다해서.

스륵
여전히
말로 표현하는 것은
서툴러서
지금 이 감정을
제대로 표현할 방법은
이것뿐이다.

…기다렸어요,
백작님.
두근
두근
두근
백작님 덕분에
제가 이런 영예도
누려보네요.
그대의
가호 덕분이오.

…이 승리는
전부, 그대가 여기
있어준 덕분이오.
정말
고맙소.

그렇게
고마우면
말로만 말고
고맙다고
입이라도 맞춰주면
좋을 텐데.

아차, 너무
적극적이었나?

그렇군.

와락
그대가 원한다면
기꺼이….

백작 부부를 둘러싼
헛소문이 무성했던
토너먼트였지만,
그 입맞춤으로
모두에게
확실한 메시지를
전달하였지요.
사랑하는 아내에게
위해를 가하려는 자는
그 누구도
용서치 않겠다는,

철혈의 백작,
자카리 드 아르노의
선전포고라는
것을요.

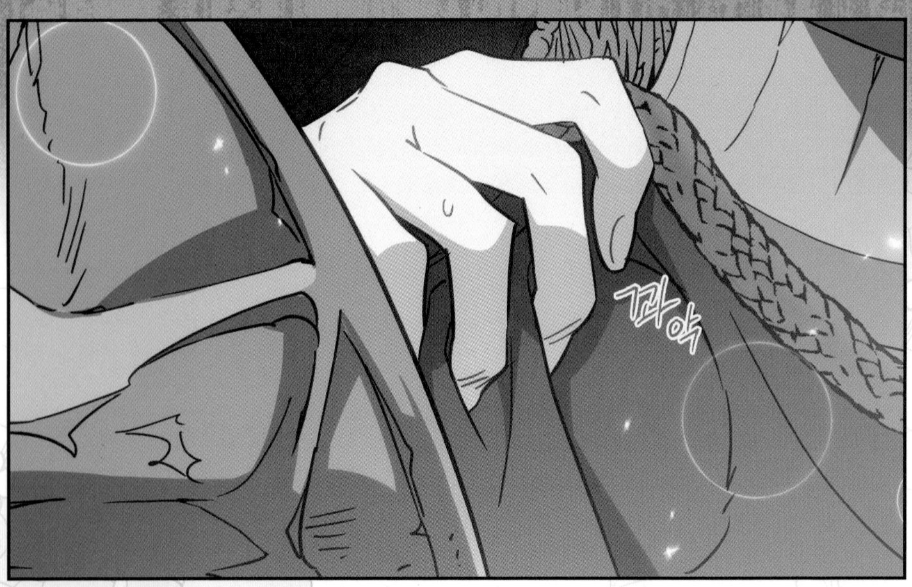

뜨겁고,
집요한데…
한편으로
섬세해.
어쩜 이리도
백작 같은
입맞춤일까….

하아—
…후계자를
원한다는 그 말,
아직도 유효하오?
…네?
…그건,
언제나….
…그럼
오늘 밤,

그대를
찾아가겠소.

결혼장사

Chapter 47

꿈과 같던
토너먼트가
끝이 나고,

수도 라호즈는
다시 일상으로
돌아갈 시간이
되었어요.

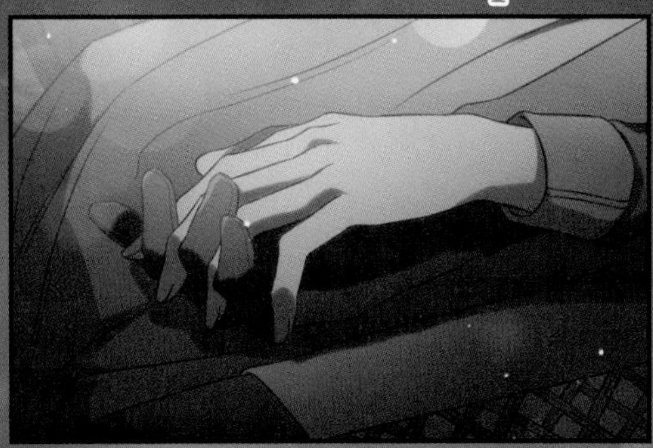

그때의
토너먼트는

서로의 마음을
확인하는
마법 같은
시간이었고,

동시에 자신의
눈치 못 챘던 마음 탓에
혼란스러워하는 이도
생겼던 때였지요.

웅성
웅성
웅성

특히
오랜 전쟁으로
지쳐 있던 백성들은
하하하
하하하
토너먼트에서 본
백작님의
압도적 승리에
한껏 들떠 있었어요.

역시
철혈이야!
그가 있는 한
세브랑은
늘 승리할 테지!
카스티야의
그 거대한 기사를
한 방에
밀어냈다고!
철혈이 나서면
아라곤 놈들을
죄다 곤죽으로
만들어 놓을 게다!

와하하하하

그리고…

기억나요!
그 하늘거리던 손수건 말이지요!
호호
호호호

어디서 그런 특이하고 아름다운 물건을 구했을까요?
얼마를 주고서라도 갖고 싶더라고요.
아르노 백작 부인이 부럽네요.
대륙 최고의 기사인 남편이 그런 물건도 턱턱 사 바치잖아요.

게다가 그 열정적인 입맞춤이라니요~!
꺄아아
오늘 아르노 부부는 잊지 못할 밤을 보내겠네요!
아~
아주 꿀이 떨어지다 못해 쏟아졌지요?!

두 분에게
정말 잊을 수 없는
밤이 찾아오고
있었어요.
여전히
서로의 마음을
확인하지 못한 채
동상이몽 중이었지만

후우

들어가겠소,
비앙카.

끼이이이...

어느 때보다
서로를 간절히 원하고
계셨으니까요.

…놀랐소?
오늘 밤에 그대를 찾아오겠다고 갑작스레 말해서….
…그 때문만은 아니었어요.
보는 눈이 많은 곳에서 진짜로 입… 맞추실 줄은 몰랐으니까요.

진심
아니었소?
반쯤은
농담이었다고요.

내가 그대를
곤혹스럽게
만들었군.

하하,

딱히 그렇지도
않았어요.

…백작님과 전,
부부잖아요.

백작이 오늘 밤 나를
찾아오겠다고 했던 건…
내가 생각하는 그런 게
아닐지도 몰라.
괜히 기대했다가
실망하고 싶지
않은데….

끼익…
…그동안
나는 스스로를
굉장히 인내심이 강한
사내라고 생각했소.
그대가
준비될 때까지
참을 수 있을 거라
자부했지.

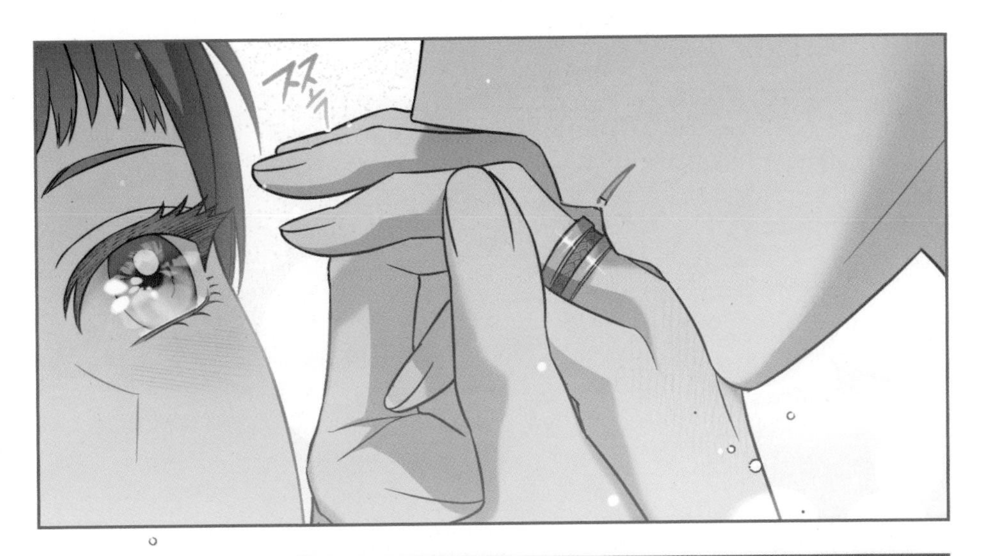
쯔즈

한데
자랑하던 인내심도
몸이 달아오르니
바닥을 보이더군.

…모르겠어.
이렇게
애태우지 말고
그냥 원하는 걸
전부 말해줬으면
좋겠어….

아니,
아냐.
말하지 말아줘,
백작.

당신과 이대로
밤을 보내고 나면
난….
와락
배,
백작님.

…백작 말고,
이름으로
불러주시오.
곧 서로를
여보라 부르는
관계가 될 테니….

…거부하고
싫다면
지금이 기회요.
그대가
날 밀어내지
않으면,
지금
그대를 안겠소.

내가 지금
백작을
밀어내면
두 번 다시는
이런 기회가
찾아오지 않는 게
아닐까,

무서워.

처음엔
나의 안위를 위해
빨리 후계자를
보려 했는데,

지금 백작에게
안기면…

겨우 틀어막았던
백작을 사랑하는
마음이
뚝
지금보다
더 커질 것 같아서
너무 무서워….
끄덕
…하지만,
꽈악
거부하고 싶지
않아.

그럼
그대의 옷을…
벗겨도…
되겠소?

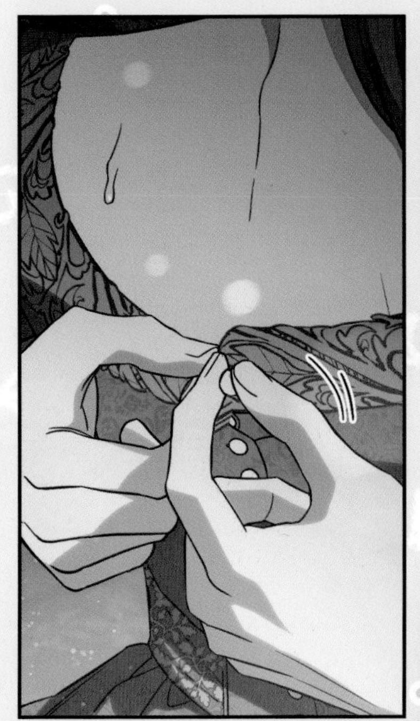

톡
톡
톡
꾸물
토옥…
꾸물

…….
미안해요….
너무
차려입었네요.

아니, 이 정도가 적당하오.

조금이라도
흐트러져
있었으면
그대에게
양해조차 구하지
못했을 게요.

아….

비앙카.
꿀꺽
이제
내 옷도…
그대 손으로
직접

벗겨
주겠소?

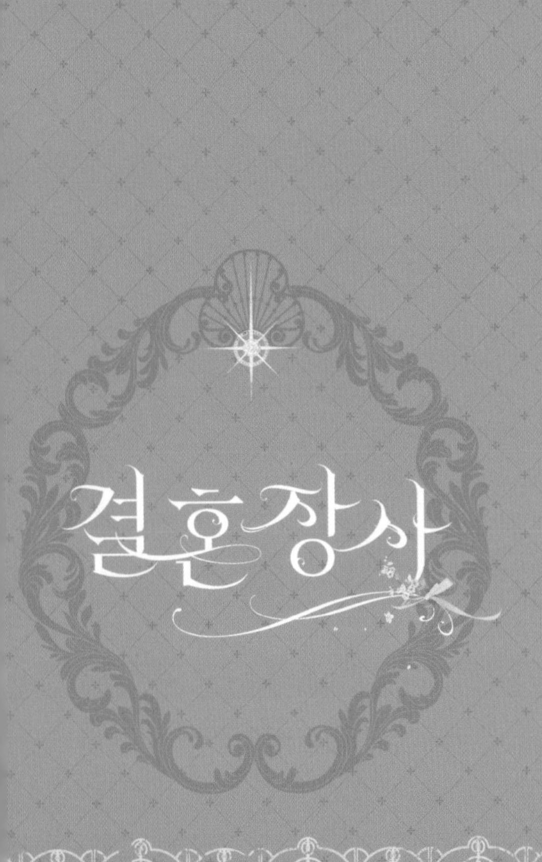
결혼장사

Chapter 48

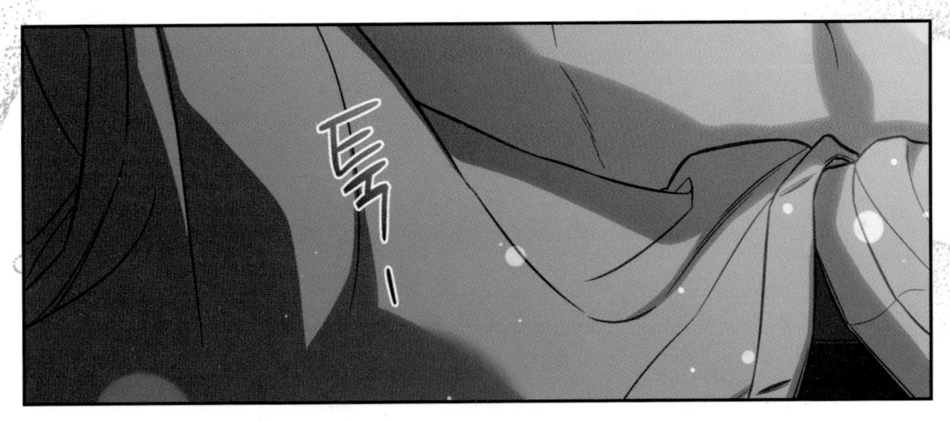

…달라.
지난번에는
어두운 곳에서
내가 무슨 일을
겪고 있는지도
알지 못한 채
백작을
받아들이기만
했었는데…

배,
백작님?!
지금
뭐 하는,
아…!

…응…
하아….

아읏….
움찔
움찔
아…!

이렇게
하지 않으면,
그대를
상처 입힐 것
같아서….

앗,
쯔욱
쯔욱
으응…

아….
아,
백작님….
쑤욱…

헉!
하아
비앙카.
하

비앙카….
헉
하아
하
하아
헉
아….

…여보.
움찔

자카리.
자카리….

여전히
버겁긴 하지만…

하아
이렇게나
기분 좋을 줄은
전혀 생각
못 했는데….

그때랑
왜 다르게
느껴지는 거지?

백작을 향한
내 감정이
달라져서?
내 목적을 위해
백작을 이용하는 게
아니라…

그와 함께하는
미래를 꿈꾸기
때문에?

그랬구나….
나는 정말
내 남편을…
자카리를.
그를 깊이
사랑하고 있구나.

…비앙카.

내가 아무리 눈치가 없어도,
그대가 날 사랑하지 않는다는 것 정도는 알고 있소.

아니야….

난 내가
생각했던 것
이상으로
꼬옥-!
당신을
사랑하고 있어.

스윽

그대가 바라는
것이라면
광대 짓을
해서라도 전부
이뤄줄 테니….

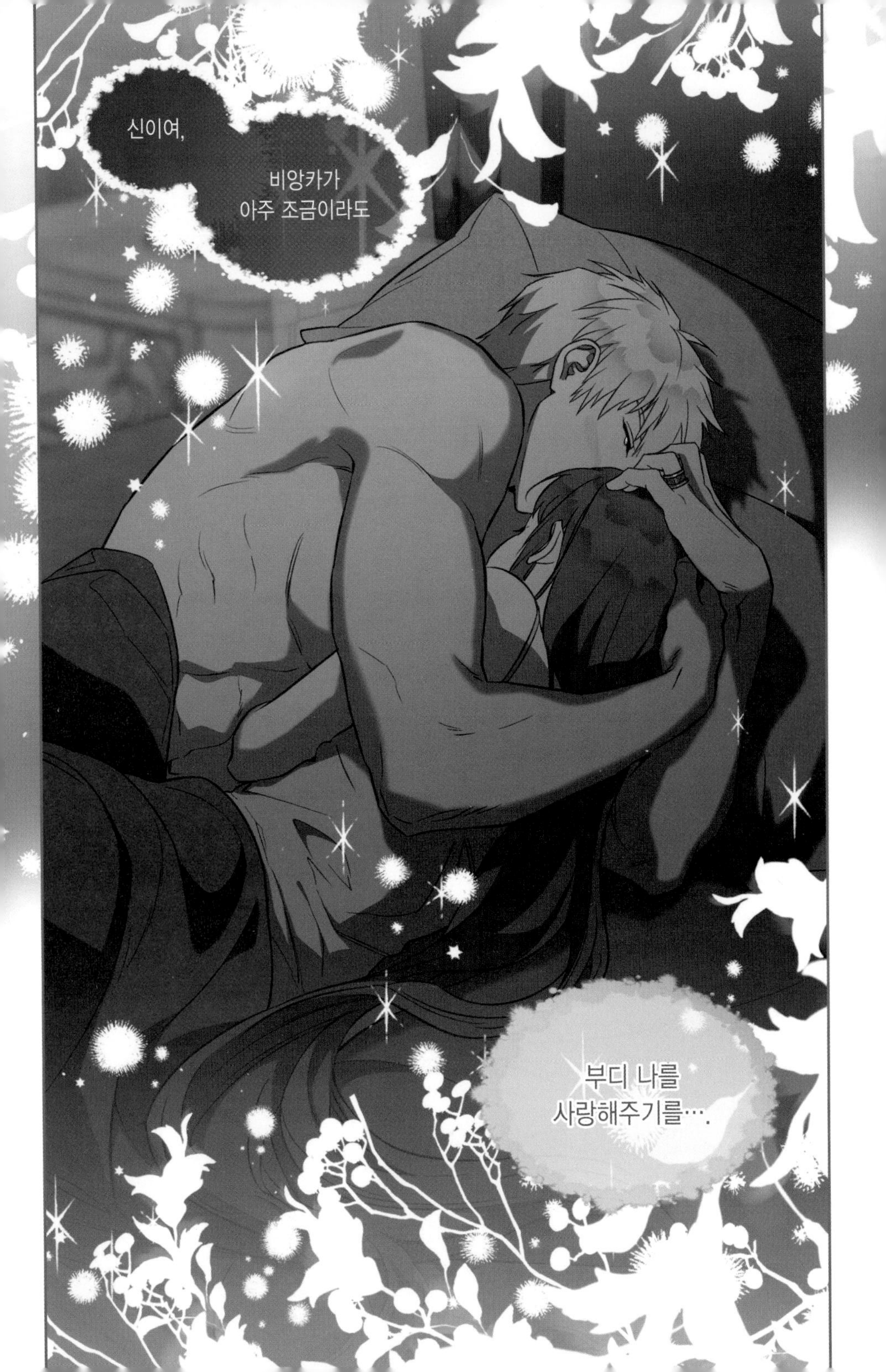
신이여,
비앙카가
아주 조금이라도
부디 나를
사랑해주기를….

타다닷

탁
헉
탁
헉
탁
탁

후우…
젠장.
헉
헉
헉

술 마시러 나간
남편이 갑자기
돌아올 줄이야.
후우

그러니까
토너먼트 때
괜찮은 물주를
잡았어야 했는데~

그 귀여운 여자가
아르노 백작 부인인 걸
알자마자
도망쳐버려서
다른 물주를
물색할 시간도
없었고….

내일 저녁은
누굴 따라 연회에
들어간담…?

깜짝
하루 만에
괜찮은 여자를
찾을 수 있겠나?
샤삭-
나, 나리는
뉘십니까?

아르노
백작 부인.
움찔

아, 하긴.
아르노 백작의
눈에 띄어 좋을 게
없긴 하군.
살아 있는
인간 병기나
마찬가지니까.
하하

저번에 보니
그 여자에게
꽤 공을 들이는 것
같던데.
왜
포기했나?

하지만…

맛보기로
마음먹은
과실이라면,
한 번 정돈
나무에 올라가
봐야지.

흠끔

저 마차에
계신 분께서도
아르노 백작을
꺼리시나 봅니다.
저 같은
미천한 자에게
이런 일을 맡기실
정도면요.

…혀가 길면
화를 입는다는 걸
잘 모르나 보군?

이래 봬도
이 긴 혓바닥으로
빌어먹고 사는
놈이라서요.
재능이라면
재능
아니겠습니까?

피식
…하긴, 저런
말주변머리는
없었지.
자카리
녀석은.

네?
스윽

짤랑

묵직

내일 저녁
승전 연회에도
참석할 수 있게
손을 써두지.
자네가
연회에서 할 일은
하나일세.

아르노
백작 부인을
꾀어내는 것.
나아가
그 어린 계집이
자네에게 빠지게
만든다면,
더 이상
그 재능으로
빌어먹는 일은
없게 해주겠네.

…나리,
자랑은
아니지만.
스윽…

저한테
푹 빠져서
영지에서 내쳐진
부인도 있었습죠!

빌어먹지 않게
해주시겠다는
그 약조,
핫하
꼭 잊지 말아
주십시오!

끼익
명하신 대로
준비해
두었습니다.

저런 사내여도
괜찮으시겠습니까?
2왕자
전하.

물론이지,
위그 자작.

씽긋
내가 준비한
승전 기념
선물을…

아르노 부부가
마음에 들어 했으면
좋겠군.

결혼 장사 ❹

2024년 12월 18일 1판 1쇄 인쇄
2024년 12월 25일 1판 1쇄 발행

그림 AntStudio | **각색** 한흔 | **원작** KEN

발행인 황민호
콘텐츠4사업본부장 박정훈
책임편집 이예린 | **편집기획** 신주식 최경민 윤혜림
표지디자인 Gnoeyi
본문디자인 레드아이스 스튜디오(조유진, 강바다, 이새연, 천다희, 박은지)
에이블
마케팅 조안나 이유진 | **국제판권** 이주은 한진아 | **제작** 최택순 성시원 진용범
발행처 대원씨아이(주) | **주소** 서울특별시 용산구 한강로 3가 40-456
전화 (02)2071-2071 | **팩스** (02)749-2105 | **등록** 제3-563호 | **등록일자** 1992년 5월 11일
www.dwci.co.kr

ISBN 979-11-423-0383-8 07810
979-11-7288-610-3 (세트)

그림 AntStudio 각색 한흔 원작 KEN

V
결혼장사
그림 AntStudio
각색 한흔 원작 KEN
대원씨아이

Contents

결혼장사

Chapter 49

좋은
아침이에요,
마님!
끼이익

오늘도
날씨가 무척
좋아요.
연회에
참석하기 전에
산책을 나가보시면
어떨까요?

…오늘은,
깜
짝

충분히
쉬게 두는 게
좋겠군.
스륵

어제 꽤
무리했으니까.

죄, 죄송합니다.
백작님….
달
달
달
달

어제 마님을
찾으실 것이란
이야기는
드, 들었는데….
삐질
삐질
삐질
당연히 아침에는
돌아가셨을 줄
알고….

아내가
일어나면
내가 준비를
돕겠네.
자네는 일단
돌아가게.

넷!
탁
타다
다닷
그, 그럼
자리를 비켜
드리겠습니다!

참, 목욕물을
준비해두었으니
필요하면
불러주세요!

탁
으음….

이본느?
…들어왔니?
부스스
스윽
움찔
??
!!?!
깜짝
좀 더
누워 있어도
괜찮은데….

…백작님.
쪽-

아니면
목욕은 어떻소?

촤아악

스르르
하아아….

삐죽
목욕,
같이하는 줄
알았는데….

하하….

화끈

그러고 싶지만
발을 들이면
오늘 연회 참석은
어려울 것 같군.
욕조에서
맛볼 즐거움은
다음으로 미루는 게
좋을 것 같소.

삶을 되찾고
벌써 반년.
지난 삶에서는
하지 않았던 일을
잔뜩 했다.

레이스,
살림, 승마,
라호즈 상경.
그리고 백작을
사랑하게 된
것까지….

어쩌면
내가 다시 삶을
얻은 이유는
원래 이렇게
되어야 했었기
때문은 아닐까?

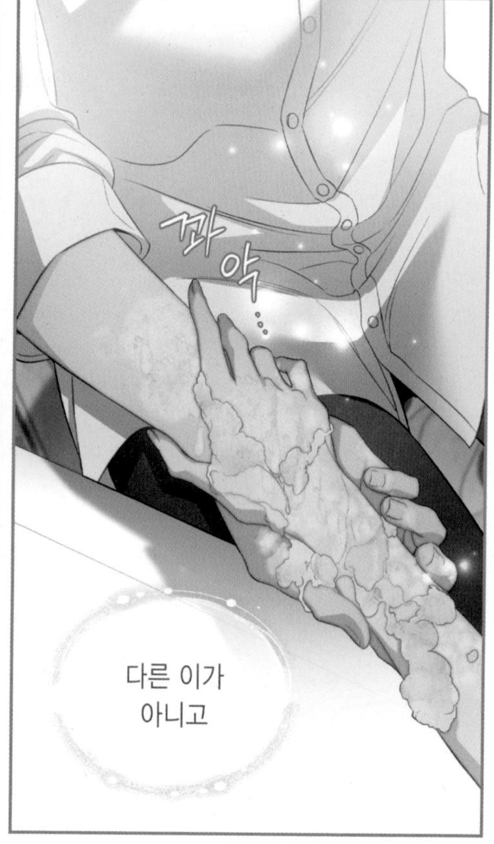
꽈악
다른 이가
아니고

스윽

나였어야만
하는 이유.
자카리를
살리기 위해….

마님!
너무 멋져요!

마님의
머리카락 색과
잘 어울리는
녹색 드레스!
움직이실 때마다
금사로 수놓은
덩굴이 생명력을
얻는 것 같아요!
짠~
짜
까아~
거기에
검은 오팔로
포인트까지~!
쏘 엘레강트!!
잔~

제가 화가라면
마님의 이 모습을
화폭에 담겠어요!!
고맙구나,
이본느.
날이 갈수록
네 솜씨가 좋아져서
내가 덕을 보는구나.

결국 전부
안 가려졌네….
똑똑

부인,
백작님께서 곧 모시러 오실 겁니다.
고맙네, 가스파르 경.

늦었지만 4강에 오른 것 축하하네. 다친 곳은 어떤가?
그저 긁힌 상처일 뿐입니다.

…가스파르 경, 잠깐만요.

빙긋

이본느,
잠시 이쪽으로
와보겠니?
네,
마님!
이 진주는
내 유모, 잔의
것이었단다.
달칵
앞으로는 네가
가지고 다니렴.

네?
하지만
마님…!!

드레스가
조금 아쉽긴
하지만,
이 정도는
걸쳐야
내 시녀답지
않겠니?
자,
가스파르 경.
어서 목에
둘러주게!

고마워요, 가스파르 경.
우후후….
놀리고 싶지만 참아야지.

비앙카.

많이
기다렸소?
아니에요.

근사하네요,
당신.
무척
잘 어울려요.

그렇다면
그대가 골라준
이 옷 덕분이오.

…그대는 오늘도
아름답군.
쪽

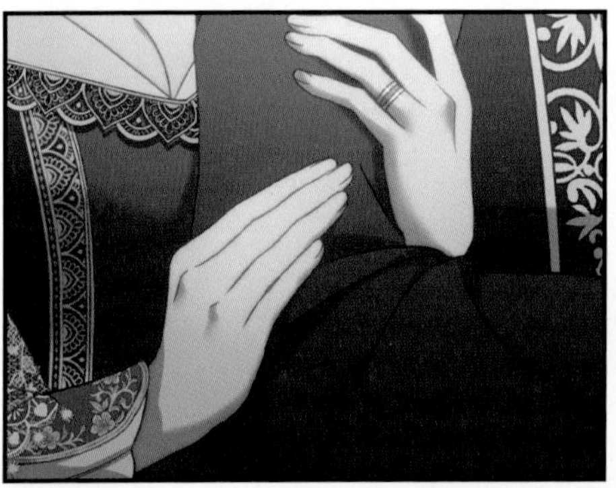

할 줄 아는 일이라고는 겨우 옷을 고르고, 레이스를 짜고,
승마조차 약간의 구보뿐인 내가….

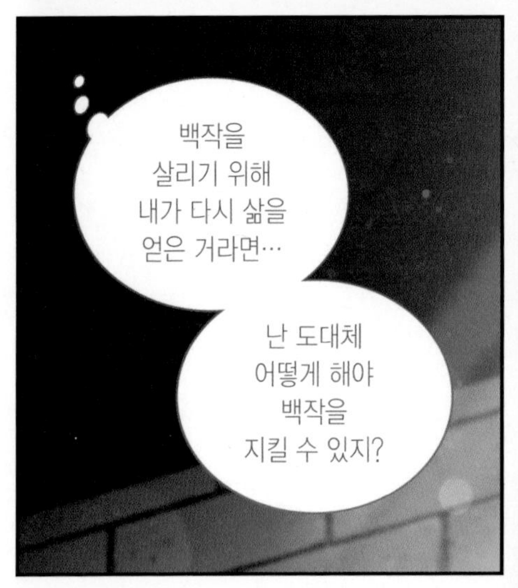
백작을 살리기 위해 내가 다시 삶을 얻은 거라면…
난 도대체 어떻게 해야 백작을 지킬 수 있지?

??
쯔욱-

무슨
고민인지는
모르겠소만,
오늘은 잠시
내려놓고
즐깁시다.

그래,
그의 승리를
즐기자.
혹시
볼이 아팠소?
전혀요.
조금 놀랐을
뿐이에요.
오늘은,
아무 일도
없을 테니까.

결혼장사

Chapter 50

어느 때보다도
활기가
넘쳤답니다.

이번에
입장하실
내빈은
슬렁
토너먼트
우승자이신
자카리 드
아르노 백작,
그리고—
슬렁
저벅
슬렁
슬렁
비앙카 드
아르노 백작
부인이십니다.

우와….
역시
왕성 연회장은
규모부터
남다르군….

돌아가면
아르노성에
참고해야겠다.
흠

백작님, 부인.
어서 오십시오.
먼저들
와 있었군.

반짝
반짝
반짝

…자네, 그것도
내 옷인가?
화들짝
서, 설마
또 벗기시려는 건
아니겠지요?!
웅성
어머
또?
웅성

방긋
…자카리?

이제는 알겠다.

저 옷, 비앙카가 마음에 들지 않으니
소뵈르에게 내어주었다는 걸.

금방
알 수 있었을
텐데….

소뵈르,
자네에게
잘 어울리네.
화기 애애
그춘, 이제 꽤
잘 맞는다고요~!

국왕 폐하와
오델리 전하까지
입장하시며
본격적으로
연회가
시작되었어요.

하지만
그 자리에 모인
사람들의 관심은
여전히
속닥
속닥

백작님 부부의
일거수일투족에
쏠려 있었답니다.

스윽

짠-♥

페르낭….
저 구닥다리 마술로
나를 꼬드겼지.
지난 날의 나, 반성해라….
즐거워 보이는데,
영지에도 마술사를
부르면 어떻소?

아뇨, 별로
흥미 없어요.

저 여자를
꾀어내야
하는데…
칫
남편이
딱 달라붙어서
떨어지지를 않네.

그 아르노 백작께서 이렇게나 자상한 분이실 줄이야!
모든 남편의 귀감이에요~

아르노 부인이 어떤 분인지 궁금해하는 사람이 많았는데,
이리도 아름다우신 분이라면 꼭꼭 숨겨두고 싶으실 만합니다.
하하
하하하

하하하
하하
그러고 보니 분명 이번에 장미를 더 많이 받은 것도
아르노 백작 부인 아닙니까?
이 대화 분위기… 마음에 안드네.

맞습니다! 지금껏 세브랑의 장미는 오델리 전하셨지만,
하하
이제는 그 자리를 아르노 백작 부인께 양보하셔야 하지 않겠습니까?

누가 봐도
나는 세브랑의
미의 기준과는
맞지 않는데도,
오델리 전하를
깎아내리려
나를 추켜세우는
것뿐이다.
세브랑의
표준 미인도
풍만한 가슴·잘록한 허리
산뜻한 금발·푸른 눈동자
아름다운 미소
오델리 드
세브랑.
국왕 폐하께서
가장 총애하는
자녀이시자
가장 아름다운
세브랑의 장미.

그러나
공주 전하는
견고한 철벽을
가진 분이었어요.
많은 남성이
공주 전하께
구애했지만
냉정하게
거절당했지요.

스윽
그러니
앙심을 품고
저런 치졸한
짓을 하지.

꼬옥

미안하오.
그대의 첫 연회가
더 즐거운 경험으로
남길 바랐는데….
소곤
왕성의 연회는
흡사…

전쟁터로군.

전쟁터….

화기애애하고
즐거운 대화
속에 숨은
날이 서 있는
말들….
언제든 상대를
찌를 수 있는 칼을
혀 속에 품고
누군가를
깎아내리기 위해
다른 이를
추켜세운다.
이런
불온한 기운이
가득한 곳이
전쟁터라면…

자카리는 언제나
이런 기분 나쁜 곳의
최전선에
서 있었구나.
어떤 순간에,
무엇이 목숨을
앗아갈지 모르는
그런 곳에….

아니,
아예 비천하고
한미한 집안으로
시집을 보내

수치스러운
말년을 보내도록
하는 게 나으려나?

그러고보니
2왕자 전하께서도
토너먼트에서
아름다운
아르노 백작 부인께
장미를 건네셨지요?

빙
긋
아르노
백작 부인을
숭배하고 있다네.
부인이 내 마음을
가져가버리셔서
말이야.

2왕자…!
또 시작이야….
으득

하나
2왕자 전하,
이제는
궁중 연애보다
결혼을 하실 때가
아닐는지요.

궁중 연애는
성인끼리 부담 없이
즐길 수 있다는 게
장점 아닌가.
상대만
괜찮다면,
…나는
결혼에는
관심이 없어서
말일세.
나는
즐기는 것만으로도
족하다네.

하하,
그렇지요.
연애라는 것은
그저 잠시 스치듯
즐길 뿐인 유희가
아닙니까.

하하
하하하

지금 뭐라고
씨불이는 거냐?
저런 이야기를
이런 곳에서까지
잘도….
마님….

위그 자작….
이미 내가
2왕자와 궁중 연애를
하고 있다는 식으로
몰아가는구나.
이번에는
내 차례다,
이거야?
으득..

…!
움찔

꽈
악

분수에
맞지 않는 것을
탐하면
전장에서는
목을 몇 번이나
내걸리고도
남는다는 걸…

경험하고도 잊은 모양입니다,
위그 자작.

꾸깃

이곳은 전장이 아니라 왕성 아닌가, 아르노 백작.

글쎄요.

어떤 이들이
카스티야와의
화친을 위해 모인
이 자리를

경솔하고
음험한 말로
더럽히고 있지
않습니까?

이곳은
이미 충분히
전장 한복판입니다,
2왕자 전하.

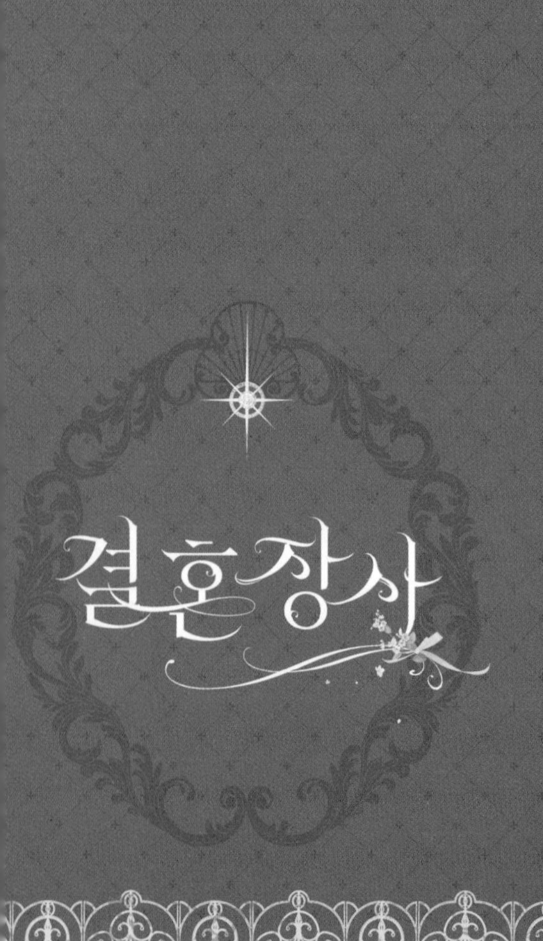
결혼장사

Chapter 51

…….

그런 말들이
헛소문을 만들어,
누군가를
상처 입힌다는 걸
모르시겠습니까?
숭배라는
말 속에
교묘히 감춰진
헛된 집착과
무신경함
말입니다.

…숭배.
완전
2왕자 들으라고
하는 소리잖아.
흣
내 남자….
이렇게 말을 잘 하는
사람이었나?

토닥
토닥
수군
무슨
일이야?
수군
2왕자 전하와
아르노 백작 부인이
궁중 연애 중인가
본데,
남편인
아르노 백작이
단단히 화가 난
모양이야.
수군
수군
아르노
백작 부인?

그 부인이라면
호위 기사들이랑
돌아가면서
연애 중이라지
않았어?
푸
웁

도, 돌아가면서
연애 중이라니,
가스파르 말고
또 누구와?
꿀꺽
설마
이본느 양
얘기인가?
소뵈르 경도
몇 번인가 호위로
함께 계셨거든요.

1왕자비 전하의
정원이랑
토너먼트 경기장
말이지?
나 참,
우리 부인은
호위조차 편히
못 쓰겠네.
사내놈들이랑
나란히 서 있기만 해도
저딴 헛소문이
돌잖아.

…자카리.

난 내 아내를
모욕하는 말에
귀를 닫을 만큼…
꽈악

수치를 모르는
사내가 아니오.

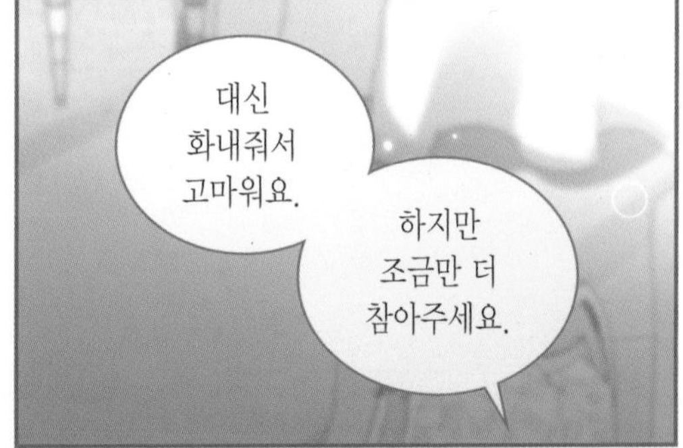
대신
화내줘서
고마워요.
하지만
조금만 더
참아주세요.

부빗

톡

수확은
무르익었을 때
하는 법이니까요.

마님 또한 결코
귀를 닫고 계신 것은
아니었답니다.

누군가
소문을 악의적으로
왜곡하고 있고,
그 근원지는
분명

우리가 아는 사람의
입일 것이라고
생각하셨지요.

최근
왕실 정원에서
호위들과 대놓고
데이트를 했다던
그 부인이요?

본래 소문이라는 게
없던 것에서 생기는 건
아니거든.

분명
여기 있을
것이다.

가스파르,
소뵈르와 함께
1왕자비 전하의
정원에 갔던 날,
우리를 봤던
사람들이.

…그래서,
아르노
백작 부인께서는
취미가 어떻게
되시나요?

그래, 생각보다
멀지 않은 곳에
있을 것이다.

자카리가 선물해준
페리도트를
업신여겼던
이 무례한
여자처럼.

취미….
부끄럽게도 딱히 취미라 할 만한 것이 없답니다.

설마요! 남편이 다른 분도 아니고 아르노 백작님인데,
백작님과 사냥을 다니지 않는다는 말씀이신가요?
부군께서 지난 사냥 때 곰도 잡으셨잖아요!

곰?
사냥하면서 그런 위험한 동물도 맞닥뜨린다는 거야?
앞발로 맞으면 얼굴이 날아간다는 그…?

전쟁이나
토너먼트만
문제가 아니구나.
그런 일상적인
일에서까지 백작이
위협을 받고 있다니….

하지만 걱정은
조금만 미루자.

지금은
목표물을 낚는 데
집중해야 해.
제가 몸이 약해
야외 활동이
전무했답니다.
승마도 이제 막
시작했거든요.
대신
뜨개질을 하거나
자수를 놓으며
시간을 보냈지요.
어머~
자수라니요.
호호
호
참 알뜰하시네요,
아르노 백작 부인.
오늘 입고 오신
그 드레스의 자수도
직접 놓으신
것인가 보죠?

아르노 영지의
'장인' 들은
수놓는 실력이
무척 훌륭하답니다.
이 로브
또한…
살풋
그들이 만든
물건이지요.

'장인' 이라고
표현하시기에
어느 정도인가
했더니….

백작 부인.
혹시 토너먼트 때 부군께서 팔에 매고 계셨던 물건과 같은 것인가요?

싱긋
아뇨, 남편의 손수건은 제가 직접 만든 것이에요.
제가 저희 영지의 침모들에게 직접 이 '레이스' 짜는 법을 가르쳤거든요.

레이스!
이런 형태의 제품을 레이스라고 부르는군요!
웅성
웅성
웅성
그것을 직접 만들고 가르치셨다니!
백작 부인께서 이토록 재능 있는 분인 줄 몰라뵈었습니다.

지금은 저희 장인들이 저보다도 더 훌륭한 물건들을 만들고 있으니
청출어람 이지요.

스륵…
…하지만.

제 남편이 목숨을 걸고 창을 겨누는 자리에 들려 보내는 물건만은…
무슨 일이 있어도 꼭 제가 직접 만들고 싶었어요.
그래서 제가 라호즈에 있는 동안 부지런히 만들었지요.

이토록 훌륭한 마음가짐을 지니신 백작 부인께 어째서 그런 소문이….

여, 여보, 그 말은…!

그 소문 말인가요?

움찔

제가 몸이 약하고
사교적이지 못해서
그런 일이
생기는 것 같아요.
하지만 저를
잘 알고 계시는
분이라면
누구보다
잘 아시겠지요.

제가
제 남편을 생각하는
마음을요.

부군을
생각하는 마음이
저리도 크시니…

가련한
백작 부인을 둘러싼
또 다른 소문은
진실인 것 같네요.

어떤 진실
말씀이신가요,
영애?

'아르노
백작 부인은
의부증 환자랍니다.'

'백작께 눈길을
주는 하녀들을
시기하고 질투해서,
한겨울에 호되게
매질을 당하고
쫓겨난 이도
있었답니다.'

볼네 영애,
마치 직접 들은 것처럼
말씀하시는군요.
지금 그 말
책임질 수
있으십니까?
안절
부절
그래요,
아르노 백작 부인의
명예가 걸린
일인걸요.
물론이죠!
탁
증인도
있다고요.

그렇지요,
다보빌
백작 부인?
깜
짝

…자카리,
기뻐하세요.

수확이
코 앞이니까.

결혼장사

증인?
화
악

카트린, 증인이라니?
볼네 영애가 왜
그대에게 저런 말을
하는 거요?
홱
설마
그대가….

아니에요!
그게… 이번에
새로 들인 시녀가
해준 이야기인데….

그 시녀를
불러오세요!
당장요!

소문이라는 건
이유 없이 생기지
않는다 하셨던
마님의 말처럼,
뚜벅
뚜벅

연회장에
등장한
'소문의 근원지'는
뚜벅

이본느 양.
소곤
저
사람은….

역시나 익숙한
얼굴이었어요.

앙트….

놀라실 만도
하지요.
아르노 백작 부인께
무자비하게 폭행당하고
쫓겨난 장본인이
나타났으니까요.
세상이 얼마나
좁은지!

자, 앙트!
우리 앞에서 했던 이야기를 다시 해보렴.

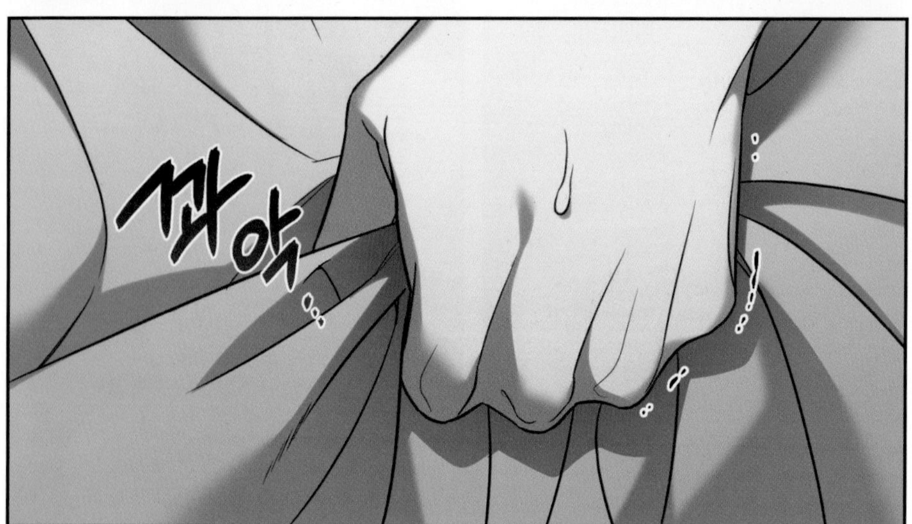
꽈악

백작 부인의
의부증으로
피해를 본 하녀들이
얼마나 많은지,
네가
무슨 모욕을
당했는지!

…역시
너였구나.

움찔
마,

마님….
이 결과는
네가 입을 가벼이
놀렸기 때문이라고
봐도 좋겠지?

덜
덜

…앙트?
덜덜
덜

볼네
영애는…

그 아이가
내 남편에 대한
헛된 마음을 품고
많은 사람 앞에서
나를 모욕했기 때문에
아르노에서 내쳐졌다는 걸
알고 있나요?

네?
그,
그게 무슨….

게다가
다른 영지의 내부 사정을
재미있는 소문인 양
퍼트리고 다니는 모습,
경솔하기
그지없군요.
이런 이를 시녀로
두고 계시는 건
현명한 처사로 보이지
않는답니다,

다보빌
백작 부인.

하지만
새 사람을 들일 때는
지난 행실이 어땠는지
확인해보시고,
어울려 지내실
부인들이나 영애들의
품격도 한 번쯤은
고려하시는 게
어떨까요?

…….
부인이 사려 깊은
분이라는 건
알 것 같아요.

토닥

치워라.

수군
저벅
수군
수군
저벅
질 질질...

그리고 실례지만
영애는 어느 가문의
여식이신지.
깜짝

보,
볼네…
볼네 자작가의
셀린느 드
볼네입니다.

타국 분들도
계시는 경사스러운
자리에서

영애의
방금 전 행동은
보기 좋지 않았다는 걸
알고 있지요?

이미 성인인 영애가
확인되지 않은 소문들로
국왕 폐하와 국빈이 계신
이 자리를 어지럽힌 것.
이는 볼네 자작가에서
영애에 대한 교육을
미흡하게 하여 생긴
문제처럼 보이는군요.

연회의 주최자이신
국왕 폐하께 누를 끼친
이 일을 어떻게
사죄하실 건가요.

볼네
자작님?

배, 백작 부인!
말씀이
과하십니다!
폐하께
누, 누라니요!

건방진…!
기껏해야
계집애들끼리의
말다툼에 폐하를
끌어들이다니!

아르노
백작 부인의
말이 옳다.
폐하?

이런
경사스러운 자리에서
판단력이 흐트러지는
영애는
볼네 자작가에서
책임지고 다시
교육하도록 하라.

그리고,
재교육 동안
영애의 라호즈 방문을
금하도록 한다.

폐…
폐하!
털썩
제 딸은
아직 혼약자도
없습니다!
수도 출입을
금지시키시면
정혼자도 찾지 못한 채
혼기를 놓치게 됩니다!
이 어리석은
아이를 불쌍히
여겨주십시오!

…제 자식의
긁힌 상처는
아프다고 말하면서
다른 자의
손을 벤 것은 가볍게
넘기시는군요.
깜짝

자작가에 돌려보내봤자
영애가 무얼 제대로
배울 수 있을지
모르겠네요, 폐하.

고,
공주 전하….

폐하, 라호즈 방문을
금지하신 것은
마땅한 처사라
여겨집니다만.
볼네 영애의
처분은
저에게 맡겨주지
않으시겠습니까?

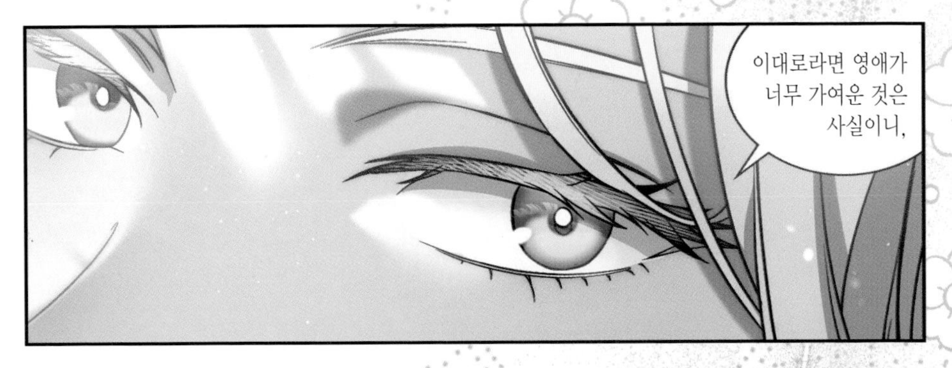
이대로라면 영애가
너무 가여운 것은
사실이니,

제 시녀로
곁에 두면서
올바르게
교육하고
싶습니다.

공주 전하….
쿨쩍

공주 전하께서
이런 식으로
나서는 건
처음 보는데….

물론 영애의
경솔한 행동에
마음고생했을
아르노
백작 부인이
괜찮다면 말이지요.

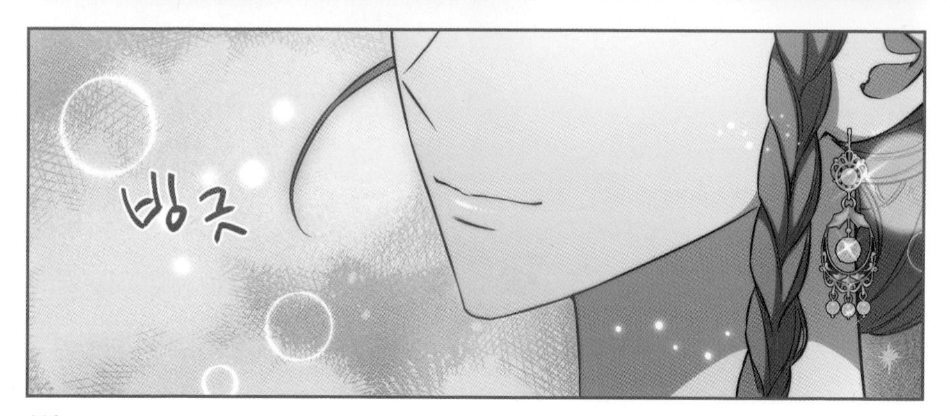
방긋

부디 공주 전하의
세심한 배려를
볼네 영애가 잘 배우길
바랄 뿐입니다.
마님을
둘러싼 헛소문이
그 자리에서
정리가 되자
우르르
여러 귀부인이
레이스에 대해
앞다투어 물어오기
시작했습니다.
저, 부인.
아르노 백작가에
서신을 보내도
괜찮을까요?

물론이죠.

레이스를 구매할 수 있겠느냐는 서신이겠지.
많이많이들 보내라고~

스윽

수확은
잘 끝났소?
소곤
후후
그럼요,
풍년이에요.
내가 잠시 자리를
비워야 할 것 같은데
괜찮겠소?
물론이죠.
설마
지금 같은 때
무슨 일이
일어날까요?

맞아요.
마님은 헛소문도 성공적으로 잠재우고
레이스에 대한 관심도도 한껏 높여놓으신 그날,
더 이상의 큰 사건은 일어나지 않을 것이라 방심하고 계셨어요.

이게 지금
무슨 짓이야….
페르낭!

결혼장사

Chapter 53

그럼
잠시 기다리고
있으시오.

스륵…

저벅
저벅

하아아아~…
휴…
말을 너무
많이 했더니
피곤하다.
1년 동안
만날 사람들을
여기서 다 만난
기분이야.

바람을 좀
쐬고 싶은데….
빼꼼

어제 보니 자네
굉장히 힘이 좋더군!
소싯적의 나를
보는 것 같아!
아가씨가 장미를
받은 사람이지?
둘이 정혼한 사이인가?
시끌
시끌
이, 아니,
저희는 아직….

로베르 경,
다친 팔은 좀
어떠신가요!
경의 방패가
부서질 때
제 심장도 부서지는 줄
알았답니다!
지, 지금은
괜찮습니다.
와구
와구
소뵈르 경은
어쩜 이렇게 드시는 모습도
늠름하신지…!
까아~
까~
흠…
로베르 경은
인기가 정말
많군.
소뵈르 경,
닭이나 뜯고 있을
상황이 아닐 텐데….

…다들
즐거운 시간을
보내고 있는데
스윽
방해하고
싶지 않아.
타다다다
다다
타닷
빙글
연극의
막이 올랐군요,
2왕자 전하.

부디
즐거운 관람
되시길.
드디어
둘만의 시간을
보낼 수 있게
되었군요.
이
목소리는…!

기뻐요,
마님.

2왕자
전하!

씨익
씨익

오,
볼네 자작.
수도에서의
연회는 충분히
즐기고 있는가?

어찌 저를
외면하십니까,
2왕자 전하!
아까 같은 일이 생길 때
저를 도와주십사
그 많은 돈을
내어드린 것인데….

볼네 자작.
그 돈들은 그대의
작은 성의라고
하지 않았었나?

움찔...

게다가 아까는
부왕께서 가담하셔서
내가 낄 수 없었어.

알고 있겠지만
내가 가족들에게
워낙 미운털이 촘촘히
박혀 있는 터라.
하하 하하
하

셀린느가 저지른
멍청한 짓 때문에
나까지 수도 출입을
금지당할 수도 있다….
어떻게든
줄을 대놓은 2왕자의
확실한 지지를
받아야 해.
으윽

제, 제 여식이
오델리 전하의
사생활을 캐내도록
명하겠습니다!

측근 시녀로서
오델리 전하의
일거수일투족을 아는 건
일도 아니니까요!

버둥
버둥

쌰아아아아아
…수치당하는 꼴을 보면 생각이 바뀔까 했더니.
다른 사내 품에 갇힌 걸 보니 오히려 확실해져 버렸군.

…네?

그 제안은 거절하지, 자작.

아무래도
내가…
애송이처럼
사랑에 빠졌다고
인정해야 할 것
같거든.
??
스윽
그대가
제안한 일은
내가
숭배하는 여인에게
미움받을 일이라,
못 들은 걸로
하겠네!
탁
출렁

뚜벅
저,
전하!
뚜벅

2왕자
전하!!
뚜벅
뚜벅

덜
덜
덜
어쩌지…?

2왕자에게
이렇게
버림받으면
라호즈에서의
내 입지는 앞으로
어떻게 되는 거지?
덜
덜

볼네 자작.
깜짝
떠오옹
덜
덜
아,
아르노 백작….

…나는,
알려진 것만큼
인내심이 있는 편이
아니오.

성가신 것들을
타이르는 것보다
없애버리는 것이
편한 사내거든.
덜덜덜덜
덜덜
덜덜

오, 오해요,
아르노 백작.
내 여식이
입방정을 떨어 백작을
불쾌하게 만든 것은
이해를 하는 바이오나….

…그렇다면
이것도 이해를
해야겠군.

볼네 자작령이
아라곤과 내 영지의
접경지였지?
아라곤은
언제나 북에서
내려오지만…
어쩌면
조만간 남에서부터
침범할지도
모르겠소.

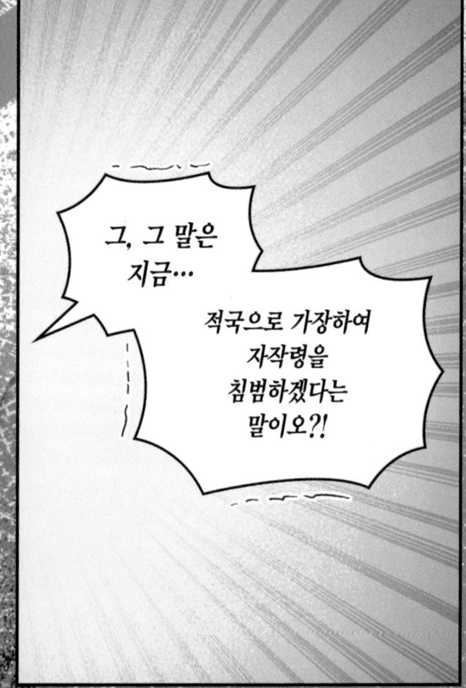

자작의 영지 주변에는 ※변경백령도 없어

군사적인 도움을 받을 수 없으니 곤란하지 않겠소?

※변경백령: 타국과 영토가 맞닿은 영지. 보통 외침에 대비한 군사권과 자치권이 인정된다.

어느 쪽에서
적이 침입하더라도
영지가 초토화되지
않게 하려면…
쿠구구구
돌아가서 제대로
내실을 다지도록
하시오.
구구구
죄송합니다,
백작… 각하.
앞으로
죽은 듯이
지내겠습니다.
덜덜
덜
덜덜

터덜
터덜…
저런 자는
이 정도 위협이면
먹힐 것이다.
뚜벅
…어서
비앙카에게
돌아가야겠군.
뚜벅

…자네,
제정신인가?
까득
내가 소리를
지르면….
지금 마님께서
소리를 지르시면

모든 이들이 마님과 제가 궁정 한복판에서 밀회를 갖는 장면을 보게 되겠지요.
저, 자존심이 많이 상했답니다, 마님.
꽈악
이 몸뚱이 하나는 자신이 있는데
쪽
정작 저를 봐주셨으면 하는 분은 눈길조차 주지 않으시니.
그러니 이렇게라도 마님의 관심을 끌고 싶어 하는 제 마음,
알아 주시겠어요?

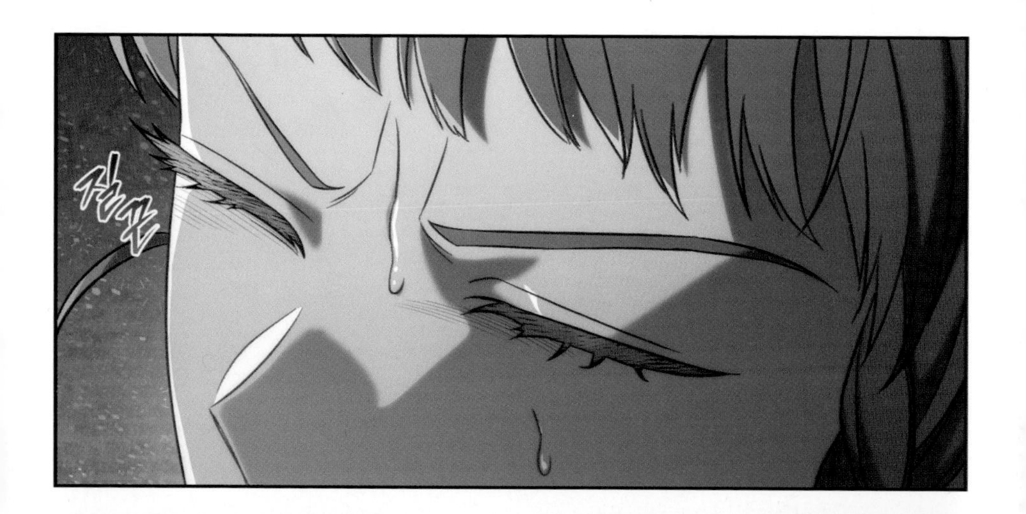
질끈

파르르
제발 누가
도와줘…!

펙
털썩
마님에게서
떨어져!
와락
이본느…!

우두둑
으으….

…피?
내 얼굴에
상처가…?

감히
내 아름다운 얼굴에
상처를 내다니!!

건방진
것들이…!

결혼장사

감히
내 아름다운 얼굴에
상처를 내다니!!
건방진
것들이…!
Chapter 54

건방지다고?
이… 잘게 다져
개 먹이로 줘도
아깝지 않을 놈이!

말이
험하시네요,
마님.
스윽...
내숭은
그만두기로
하셨군요.
저를 밀어낼 수
있었음에도 그러지
않으셨잖습니까?
내심
저의 입맞춤을
원하고 있었다는 거,
다 알고 있습니다.

…….
제정신이
아니야….

사박
가,
가까이 오지
마세요!

걱정 마.
내 얼굴에 상처를
입힌 당신은
특별 대우해줄게.
천천히
갚아줄 테니까
기다리고 있어.
이런.
라호즈성에서
고용한
음유시인인가?

아….
2왕자
전하?!

스릉
이런 귀한 날, 왕성에서 음유시인 따위가 귀부인을 희롱하고 있다니.
세브랑 왕실의 품위를 벌어트린 죄를 이곳에서 바로 묻겠다.

털썩
왕자 전하, 요, 용서를…!

우리 마님에게도 용서를 구해야 하는 것 아닌가요?!
닥쳐!

자비를
베풀어주십시오,
2왕자 전하!
저,
저는 단지 돈을 받고
아르노 부인을
꾀어내라는 명령을
받았을 뿐….

그 간사한
세 치 혀를 함부로
놀리는 꼴이라니.

그대 말대로
개 먹이로 줘도
아깝지 않은 자야.
스윽

데구르륵!
아...!
꺄아아아악!!

그렇지?

비앙카.

두리번
두리번

…!

멈칫
가스파르!
백작님!

비앙카는
어디 있지?

잠시 한눈을
판 사이에 부인이
사라지셔서
모두가
찾는
중입니다.

사아악…!
…죄송합니다,
제 불찰입니다.

타악

타다다닥

아…!
꺄아아아악!!
멈칫

이
목소리는…?

쿵
…이본느!

개 먹이로 줘도
아깝지 않을
자라니….
원색적인
단어 선택,
무척 마음에 들어.
그대는
만날 때마다
새로운 모습을
보게 되는군,
비앙카.

그리고 매번
그대에게
반하고 있어.
스릉…

저벅
저벅
파삭
저벅

척
아, 안 됩니다,
2왕자 전하!
마님께선…
영주님께
돌아가야 해요!

후욱
감히 나와
비앙카 사이를
가로막지 마라.
파악
시녀
주제에.

이본느!

덥
석

확

제발 이 손
놔주세요…!
2왕자
전하…!

…어제
아르노 백작이
그대를 안았나?

한데
그대의 남편은
그대를 만족시키지
못했나 보군.
그러니 하찮은
음유시인 따위와
밀회를 가지려
했겠지.
내가
저 개 먹이보다는
그대에게 훨씬
잘 어울리는 사내야.

남편보다 그대를
훨씬 더 만족시킬
사내라고.

그러니
날 사랑해,
비앙카.

2왕자가 나를
사랑하고 있다?
아니.

잡힌 손에서
느껴지는
그의 감정은…

집착,
광기,
분노뿐.
…이런 건
사랑이라고
할 수 없어.
…뭐?

비앙카!
화악
여기예요!
나 여기
있어요!!
버둥
버둥

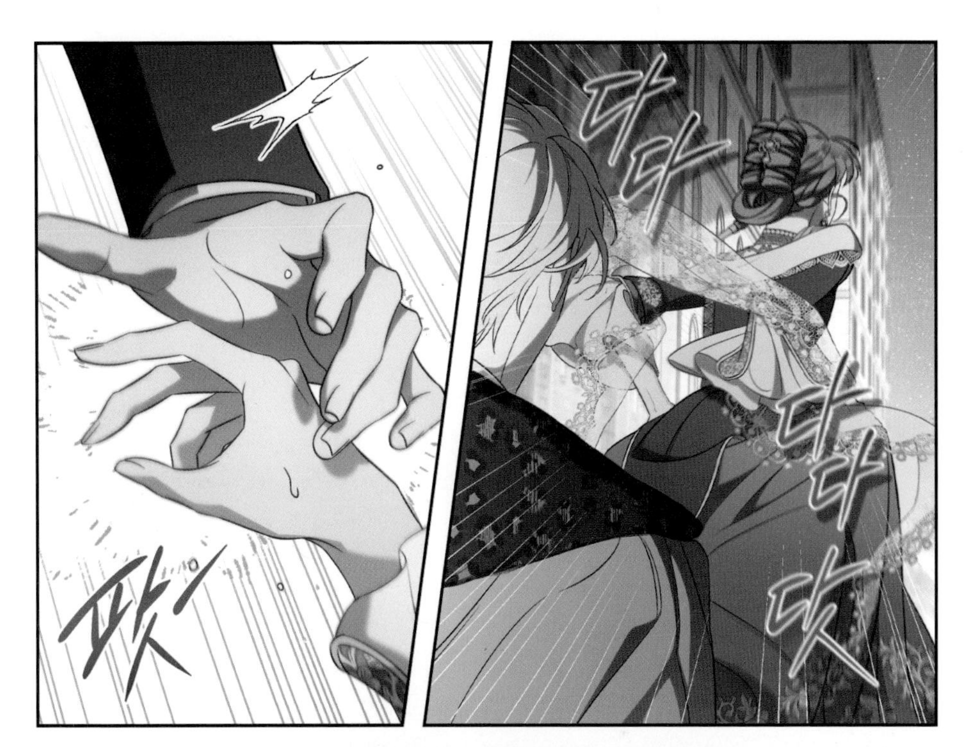
팟
다다
다다닷

비앙카!

자카리!

와락

미안하오.
그대를 두고 자리를 비우는 게 아니었어.
하아
덜덜덜
덜
덜덜
꾸욱
…도대체 이게 어떻게 된 일입니까.
2왕자 전하.

결혼장사

Chapter 55

타다다닷

깜짝

이본느!
탁

으으…
마님….

휴우

윽…!
움찔!

이게
무슨….
웅성
웅성

이쪽으로
오지 마십시오!
아르노가의
일입니다!

죄송합니다.
물러서주세요!
웅성
웅성

2왕자
전하.
덜덜
제 아내가
어째서 이토록
겁에 질려
있는지…
설명을
해주셔야
할 겁니다.

비앙카와
시녀를 희롱하던
음유시인을
처단했을 뿐이네.
힐끗
이자가 하려던 짓은
세브랑 왕실을
모독하는 행위이기도
했거든.

물론,
내가 비앙카에게 점수를 따고 싶었던 것도 있고 말이야.

큭…!
부들

…제발.
절 그렇게 부르지 말아주세요.

샤아아아…

제 이름을 부를 수 있는 사람은…

제가 허락한,
제 가족들
뿐이에요.
휘이이이
이이…
…하.
…가족?

정치적인 이익을 위해
딸의 의사는 무시하고
결혼을 밀어붙인
그대의 아비?
그리고
팔려가듯 넘겨져서
짝지어진 남편
말인가?

필요 없어지면
버려지는
그런 관계?
꽈
악..

'가족' 일 텐데,
비앙카.
파국을 맞게 되면
부서질
그 얄팍한 것이…

아버지!

싫어요!
수도에 가고 싶지 않아요!

찰싹

자코브, 너는
세브랑 왕인
빅토르 폐하의
아들.

지금까지는 한낱
자작의 아들로
살아왔지만
네 뿌리를
잊지 말렴.

너는
세브랑의
왕자.
이 어미가
진심으로 폐하를
사랑해서 가진
아이니까.
이제
진짜 가족들과
사는 거야.
진짜
사랑하는

가족,

사랑한다
해도,

핏줄이
이어져 있어도,

결국
아무것도 아니게
되는 것이
가족이지.

비앙카.

홱—
돌아가요, 자카리.

너무 피곤해요.
꽈악

…그럽시다.

스윽

저벅
저벅

콰
앙
나는 그대를
포기하지 않을 거야,
비앙카!!

절대로!

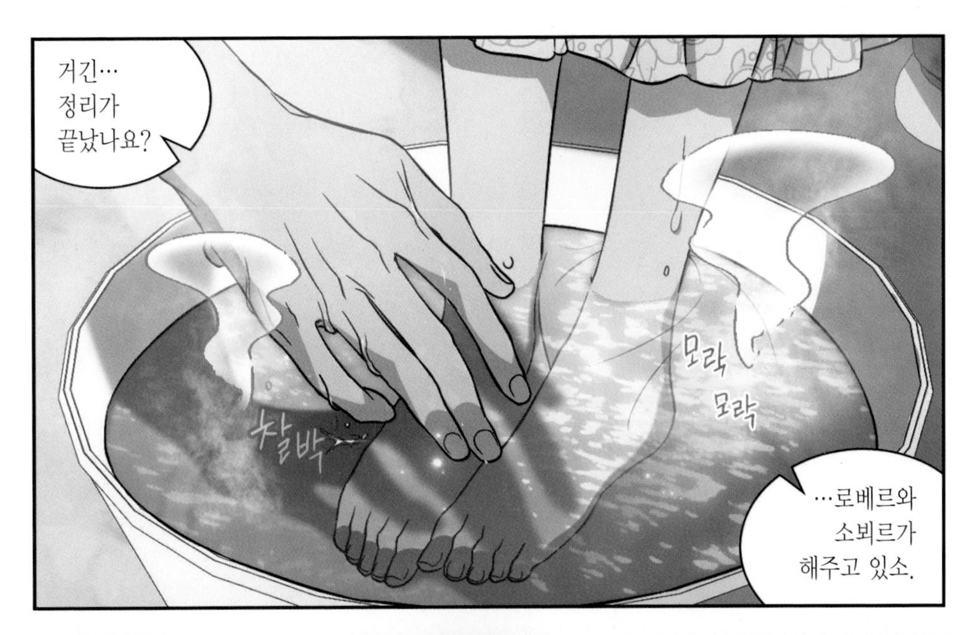
거긴…
정리가
끝났나요?
찰박
모락
모락
…로베르와
소뵈르가
해주고 있소.

찰방
찰방

…나 때문에
고생이 많네요.
찰박
찰박
경들도,
당신도….
…이본느도.
스슥…

그 사람,
기분 나빠요.
내 눈앞에서
사람을 죽이고,
이본느까지
다치게 하고….

다시 생각해도
소름 끼쳐.
그런 짓을 하고도
아무렇지 않게 웃으며
사랑 고백하던
그 모습….
꽈아악
2왕자는 앞으로
무슨 짓을 벌일까.

그는 지금도
아라곤과
내통 중일 테고,
몇 년 안에
전쟁을
일으켜…
그로 인해
자카리가
죽게 될 거야.

내가 자카리를
사랑하게 된 것만
바뀐 게 아니야.
2왕자와
접점이 생겨,
그가 나를
사랑하게 된 것도
지난 생과 달라.
앞으로
벌어질 무수한
일들이
내가 알고 있는
미래와 완전히
달라질지도 모른다.

…그렇다면 나는,
앞으로 어떻게
해야 하지?
스윽
비앙카….

미안하오.
꽉
아직도 이렇게 두려움에 떨고 있는데
내가 해줄 수 있는 게 없어서….

두렵기도 하지만…
스윽
화가 나요.

앞으로
지켜야 할 건
너무 많은데…
현실은
내 몸 하나
지킬 힘조차
없다는 게.

그래서 당신에
이런 부탁을
해야 하는…
나 스스로에게
너무 화가 나요.

와락

당신이
원하는 건 뭐든지
말하시오.

…….
죽여버려요.

그 남자
죽여버려요,
자카리.

결혼장사

Chapter 56

그대의 부탁이
아니었어도
그럴 생각이었소.

고오오오

오오

전부터 진심으로
죽여버리고
싶었으니까.

자,
자카리?
성큼
성큼

아니,
아니!
지, 지금
죽이라는 게
아니구요!
꽈악

씨익
씨익
워-
워-
잘 들어요,
자카리.

전쟁이 벌어졌을 때, 적군의 짓으로 가장해서
그 남자를 죽이면 돼요.

지금 죽이면 전쟁이 일어날 때까지 기다리지 않아도 되오.
자신 있소
절대 안 돼요.

지금 죽이게 되면,
푹
당신이 감옥에 들어가잖아요.

그럼 이렇게
안고 싶을 때
안을 수 없단
말이야….
사락

…그래.
훅
포옥

왕족 시해죄로 감옥에 들어가면
그대와 이런 시간도 보낼 수 없겠지.
툭
그대가 원하는 대로,
전쟁이 벌어지면…
반드시 죽여버리겠소.

우리도 참…
이런 얘기를
아무렇지도 않게
하고 있네요.
화기
애애
후후
그것도
왕궁에서.

…당신은 내가
원하는 모든 걸
다 들어줄 거죠?
하나만 더
부탁해도 돼요?

예전에 호위를
붙여줬을 때,
당신이 그랬죠?

훈련받은 기사와
집안일을 하던 하녀,
누가 더 그대를
잘 지키겠소?
하녀는
그래봤자
하녀요!

당신 말이
맞았어요.
이본느는
날 지켜줄 수
없어요.
그런데도
그 아이는
온 힘을 다해서
날 지켜줬어요.
나를 두고
도망쳤다면
그런 끔찍한 일은
겪지 않았을 텐데….

이본느에게
힘이 없었던 게
문제가 아니에요.
철저하게
나의 문제죠.

난 힘이
필요해요.
언젠가
지켜야 할 것이
생기면
스스로의
힘으로 지키기
위해서.
뭔지는 몰라도
내가 탐탁지 않아 할
제안인 건 알겠군.
말해보시오.
뭐든지 들어주기로
약속했으니.

검을,
제게 검을
가르쳐주세요.

짹짹

짹짹
짹짹짹
짹짹

깜박

…언제부터 잔 거지?
비틀

마님은…
마님은 어떻게 되셨지?

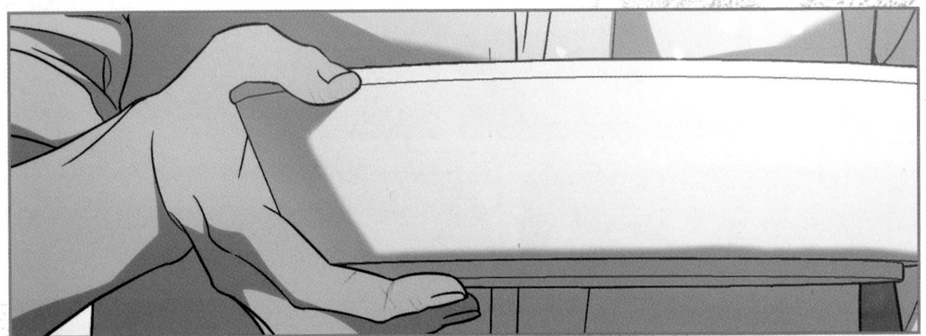

가…
가스파르 경.

찰랑
탁

스윽

사락

쓰담
쓰담

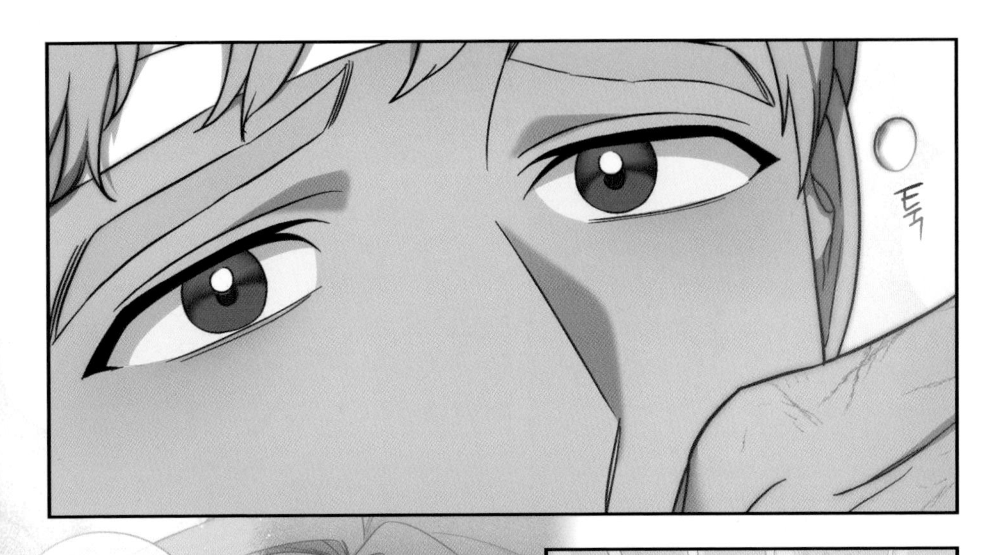
툭

마님은?
마님은 좀
어떠세요?
나는
괜찮아요.
투둑
정말
괜찮아요….

다친 곳은
없으시죠?
제가 기절하고
무슨 일이
생기신 건….
뚜벅
이본느.
홱
마님!

죄송해요,
마님….
으아아앙~
제가, 제가 마님을
끝까지 지켜드리지
못해서….
괜찮단다,
이본느.
보다시피
네 덕분에 나는
멀쩡하니까.

…나야말로
널 지켜주지
못했구나.
무서웠지?

히끅
마님…
그런 말씀을….
히끅
히끅
내 걱정 말고
회복에만
전념하렴.
다른 하녀들도
잘해주고
있으니….

그래도
빨리 쾌차했으면
좋겠구나.
역시 나는
네가 아니면
안 되겠어.

가스파르 경,
잠시 내 호위를
쉬어도 좋네.
상냥한
마님...
이건 백작께서도
허락하신 일이니.
대신 이본느를
부탁하네.
나는 당분간
호위가 필요 없을 것
같으니.

뚜벅
뚜벅
뚜벅
솔직히
많이 놀랐어요.
뚜벅

호위 문제 때처럼
목청 높여가며
싸울 각오를
하고 있었는데,
너무 쉽게
허락해줘서요.

그대가
지금부터 열심히
검을 배운다 한들
여차할 때
사용하리란
기대는 하나도
안 하고 있소.
냉정
뭐라고요?!

우씨…
…하지만,

힘이 들어도
불가능하다는 건
아니니까.
그대가 승마처럼
해낼 수 있을 거라
생각하오.

승마 선생님
다음은
검술 선생님….
당신에게 붙은
호칭이 벌써
몇 개예요?

…안타깝게도
검술 선생님 호칭은
내 것이 아니게
되었군.

네?
그럼
누가….

좋은
아침입니다,
백작님, 부인.

오늘부터
부인께 검술을
지도할
로베르
입니다.

결혼장사

오늘부터 부인께
검술을 지도할
로베르입니다.

스스슥
속닥
속닥
자카리.

로베르 경의
다친 팔은…
괜찮은
건가요?

그렇게
걱정하지 않으셔도
됩니다.
검술 지도는
오른손으로 할
예정이라
다친 팔은
관계없습니다.
들렸구나.
로베르 경은
정석적은 검법을
구사하는 기사요.
이보다
좋은 선생은
없지.
크흠

그리고 부인과
체격 차이가 큰
소뵈르나
가스파르보다
뚜벅
뚜벅
제가 가장
나을 것입니다.

자,
그럼…
스릉-

시작할까요?

끄덕

이야기 들었네,
아르노 백작.
곧 영지로
돌아간다고.

네.
본래 포도 추수
끝물까지는
지내려고 했지만….
토너먼트도 끝났고,
왕세손 저하의
약혼식이 끝나면 바로
돌아가려 합니다.

그랬군.
언제 또
비앙카를 만날 수
있을까요….

언제든지
방문해주십시오.
자네는 전선에
나가 있을 때가
잦을 텐데,
주인 없는 영지를
찾아가는 건 조금
예의가 없지 않나.

제가 없을 때는
비앙카가 아르노의
주인입니다.
그러니 부디
편하게 비앙카를
찾아와 주십시오.
비앙카가
기뻐할 겁니다.

그러고 보니 비앙카는 어디 있나요?
여기에서 같이 만나기로 했었는데.

지금 오델리 전하의 정원에서…
꽃꽂이를 배우고 있거든요.
곧 올 겁니다.

사람의 몸은
생각보다
단단합니다.
자칫 잘못하면
손목이 꺾여
이쪽이 다치게
되죠.
부인께서는 손목에
힘이 없으시니
더 잘 감싸 줘셔야
합니다.

배에 힘을 싣고
팔을 뻗는
느낌입니다!
검을 잡으신
손에는 힘을 너무
주지 마십시오!
??
??
??
??
배에
힘을?
배에 힘을
실으라는 게
무슨 말이지?
손에는
힘을 빼고….
슉
슉
슈슉
슉

팟
슉

그렇다고 손에
힘을 너무 빼셔도
안 됩니다!
검을 놓치는
검사가
어디 있습니까!
버럭
화끈

챙
챙강
차가가각

…하아.

로베르….
따라 다니면서 잔소리할 것 같다는 생각, 역시 틀리지 않았어.

지는 처음부터 잘했나…!

오늘은 여기까지 하시지요, 부인.
백작님과 아버님께서 기다리실 테니까요.
1왕자비 전하의 정원까지 모셔다 드리겠습니다.
스륵

…로베르 경.

혹시 나를 가르치는 게 싫으면 그만둬도 좋네.

남편이 자네에게 무리하게 나의 검술 교습을 맡겼을 것 아닌가.

…오해하지 마십시오, 부인.

제가 부인의
검술 지도를
맡겠다고,
백작님께 직접
부탁드린
것입니다.
…그,
제가 불편하시면
소뵈르나 가스파르로
바꾸셔도 괜찮습니다.
…그러고 보니
소뵈르 경이
그랬지.
토너먼트가
치러지던 때
로베르 경이….

감히 아르노의
안주인을 희롱한
그자의 죄는
계속
마음에 담아두고
있었다고.

결국 설욕도
하지 못하고
다쳐서 돌아온…
스스로에 대한
죄책감
때문인가?

내 명예를
지켜주지
못한 걸
속죄하고
싶었던 걸지도
모른다.

손에 힘을 빼고,
배에 힘을 싣는다는 게
정확히 어떤 건지
모르겠네.

슬슬
…배에 힘을
싣는다는 건

어떤
건가?

승마를
배우셨으니
어떤 느낌인지
아실 겁니다.
말에서
떨어지지 않으려고
배에 힘을 주던 감각을
떠올려보십시오.
허리와
옆구리에도
힘주시고요.
그렇군.

뚜벅
나를 가르칠 때는
좀 더 상냥하게
대해야 하네.
설명도 명확하게
해주는 걸
선호하지.

상냥하지 않은
선생에게는
반항심이 생겨
엇나가고
싶어지거든.
싱긋
로베르 경이라면
앞으로 잘 부탁한다는
말을 하지 않아도
알아
들었겠지.

뚜벅
네, 부인.
꾸벅
뚜벅

바스락

…거기,
누구십니까?

죄…
죄송합니다,
아르노
백작 부인….

…볼네
영애?
뭐지, 아까….
이 사람이
왜 여기서….

우물
쭈물

흘끗
설마 또
우리를 보고
이상한 소문을
내지는 않겠지?

달그락

어머, 아직
계셨군요.
아르노
백작 부인.

오… 오델리
공주 전하?

꽃꽂이는
즐거우셨나요?

결혼장사

Chapter 58

오델리
공주 전하….
공주 전하께서
촌부와 같은
행색으로
나타나시다니….

그럼에도
무서울 정도의
우아함…!
와아…
우아
역시 라호즈에서
가장 고귀한
여성이라 불리울
만하구나.

고티에 오라버니께서 제 정원을 빌려달라 하셨지요.
아르노 백작 부인의 꽃꽂이 강습소로 사용하겠다고.

꽃꽂이 선생님은 로베르 경이었군요.
움찔

오랜만에 만나네요.
몇 해 전에 토너먼트에서 내게 장미를 건넸었죠?
스윽

네, 공주 전하. 제 이름을 기억해주시다니 영광입니다.
물론이지요.

그동안 장미를
건넬 주인이 없어
나에게 바쳤었죠?

그랬겠구나.
그전까지는
내가 토너먼트를
관전할 일이
없었으니….

참! 이렇게
만난 것도
인연인데,
좀 챙겨
가겠어요?

뭘…
챙겨가죠?

토너먼트에서
부군께 영원히
지지 않는 장미를
받으셨지요.

하지만
제가 애정으로 키운
장미도 오래도록
아름다울 거랍니다.

기사님께는
순백의 장미가
잘 어울리겠네요.
가,
감사합니다.

이 정원의 장미들은
공주 전하께서 직접
가꾸고 계셨군요.
그럼요.
지금은
일손을 돕는
시녀도 있지요.
뽁
뽁

어떤 꽃이
피고 지고…
또 살고 죽는지.
내가 정확하게
알고 있어야 하지
않겠어요?
나의
정원이니까요.
내일도
이 시간에 꽃꽂이
강습인가요?
그러면
내일도 만날 수
있겠군요.

네,
공주 전하.
장미도 정말
감사합니다.
공주님께
꽃을 받은 귀부인은
저밖에
없을 거예요.

공주님께
꽃을 받은
기사도….
후후, 말을
타고 와서 바쳤으면
더 좋았을 텐데.

깜짝
퐁
그리고
저 아이는 이제
걱정하지 않으셔도
된답니다.

꺄아아악
파닥
포롱
파닥

나의 시녀는
나의 정원에서
일어난 일을
바깥에서
아무렇게나
발설하지 않지요.

오델리
공주 전하….

부드러움과
단단함을 겸비하신
분이구나.
이곳에
피어 있는
장미처럼.

손위 왕자
두 분이
계시지만
오델리 전하
또한
국왕 폐하의
핏줄.
왕재로서
손색이 없는 분
아니실까?

조아생,
아버님!
늦어서
죄송해요.

비앙카!
비앙카,
어서 와!

꽃꽂이가
즐거웠나
보구나.
괜찮아,
괜찮아~
네, 선생님이
훌륭한
분이었어요.
드륵
훌륭한 분

장미는…
스윽…
누구에게
받았소?

라호즈에게
가장 고귀한 분이
이렇게나 아름다운
장미를 주셨어요.
호오~

흐뭇~
저리도 부부가
사이 좋은 걸 보니
내 마음이
놓이는구나.

내게 무슨 일이 생겨도
이제 비앙카 곁엔
아르노 백작이
있으니 든든하네.

아버님.
지금은
세브랑과 아라곤이
휴전 중이지만…
조만간
다시 전쟁이
일어날 거예요.

조만간 다시
전쟁이 일어날
거라고…?

그때…
조아생도…
아버님도…

블랑쉐포르도
참전하라는 압박이
내려온다면…
출전하게
되겠지요?

비앙카?

혹시라도
출전 명령이
떨어진다면,
그럼에도
될 수 있으면…

제발 출전하지
말아주세요.
그건
들어줄 수 없는
부탁이야,
비앙카.

물론 내가
아르노 백작보다
훌륭한 기사가
아닌 건 알아.

조아생,
그런 의미가….
블랑쉐포르는
세브랑 왕국을
섬기는 가문이니
국가가
어려움에 처했을 때
봉사하는 건
당연한 거야.

그건 기사로서의
우리 가문과 나의
긍지이기도 해.

슬슬

아내는 제가 전쟁터에 나가 있는 동안 항상 불안했을 겁니다.

제게 문제가 생기면
비앙카에게
의지할 사람은…
여기 계신
두 분
뿐이니까요.
부디 비앙카의
바람대로
해주십시오.

…아르노
백작이 그렇게
말하니
전쟁이 난다면
블랑쉐포르는 최대한
출전하지 않고
기다리겠네.
그래야
제가 마음 놓고
전쟁에 나서지
않겠습니까.

꾸벅
고맙습니다,
백작 각하.

꼬옥…
나도…
고마워요,
여보.

비앙카.
조만간 전쟁이
일어날 거라는
이야기는…

어디서
들었소?
철렁

휙

나에게
뭔가
할 말이
있는 것 아니오?

결혼장사

Chapter 59

레이스?

대륙을 넘어
전 세계에
엄청난 영향을
끼치게 되지요.

값싼 재료로
만들지만
결과물은 값비싸고
가치 있는 아름다운
물건이에요.

이번에는
필사적이기까지
하다.

일어나지 않은 일이
비앙카의 입을
통해 나오면

언젠가 진짜
현실이 될 것 같다는
본능적인 확신이
든다.

특히 아라곤의
움직임에 관해서는
나도 보고받은 것이
있기에…
비앙카의 간절함이
막연한 걱정이라고
받아들이긴
어려웠다.

여기
내가 모르는
비앙카의 모습이
있다.

나에게 뭔가
숨기는 것이
있다는 건…
나를
온전히 신뢰하지
못한다는 뜻인가.

꽈악...

비앙카.
나에게 뭔가…
할 말이 있지 않소?

훽

망설이고
있다.
비앙카가
날 신뢰하기를…
망설이고
있어.

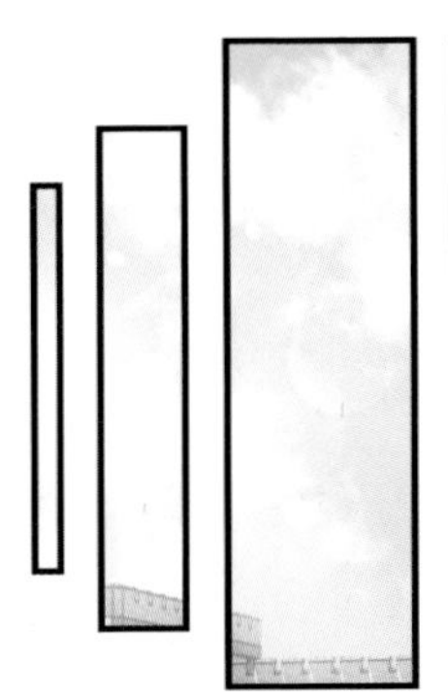

끼익

오,
어서오십쇼!

쉿-...
…?

툭....

저벅
저벅
응??
무, 무슨 일이야?

로베르 경, 이 꽃 좀 부탁하네.
휙
네, 부인.
내, 내일 뵙겠습니다.
파삭

끼익…

쿵

정원에서
무슨 이야기를
나누신 건지.

…두 분,
싸우신 거야?
잘
모르겠다….
돌아오는 내내
대화를 일절
안 하셨어.

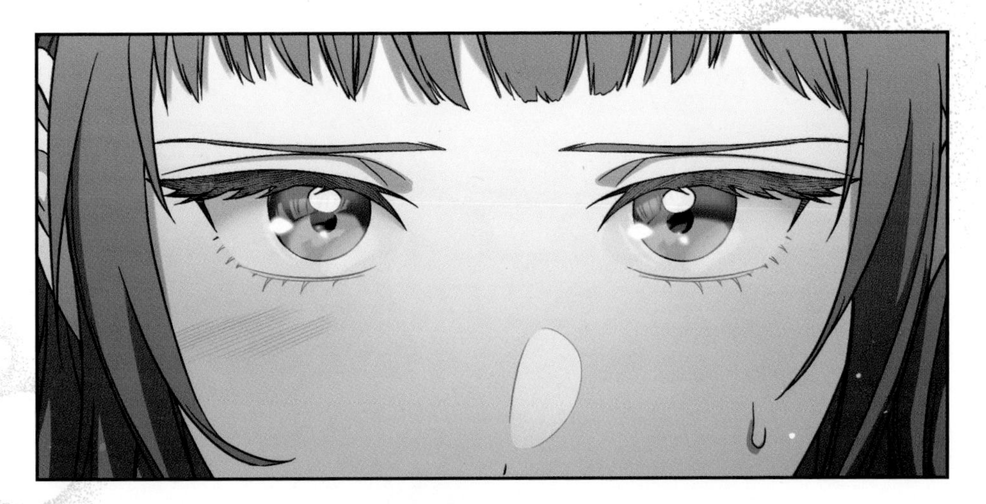

대답할
타이밍을
놓쳐버렸다.

백작이
뭔가 눈치를
챘어도,
내가 말하지
못한 것들이
어떤 일인지는
상상도 못 하겠지.

전부
믿어줄까?

내가 미래에서
죽은 뒤에
두 번째 삶을
살고 있다는 것,
두근
두근
2왕자 자코브가
아라곤과 내통하고
있다는 것…,

절대 죽지
않을 것 같던
백작 자신이 허무하게
죽는 것까지.
두근
두근
두근

전부
믿어줄까?
슥
두근
백작은
나를 배신했던
페르낭과는 전혀
다른 사람인 걸
누구보다
내가 제일
잘 아는데.
두근
두근
우습네
나….
백작을
사랑하지만,
신뢰할 수는
없는 걸까…?
두근
하지만
백작의 반응이
내가 예상한 형태가
아니라면…
두근

분명
상처받을
거야.

꿀꺽
상처받을
각오가…
되어 있을까?

탁

자카리…
있죠.
척

비앙카.

나는 참을성이 많은 사내라는 걸 그대가 잊어버렸을 수도 있겠소.
사락
아직 마음의 준비가 되지 않았다면
긁적
나는 더 기다릴 수 있다는 얘기를 해주고 싶었는데…
타이밍이 너무 늦었다면 미안하오.

나, 지금
당신을 안고
싶어요.
아,
아직 해가
중천인데?
응.
펑
와락
빨리 당신과
더 가까워지고
싶어요.
아직
신뢰할 수 없다면
내가 백작을 더
사랑하면 돼.

끼익

비앙카….

하아
하아

스륵

계속
불러줘요,
내 이름….
하앗
하아
하ㅡ

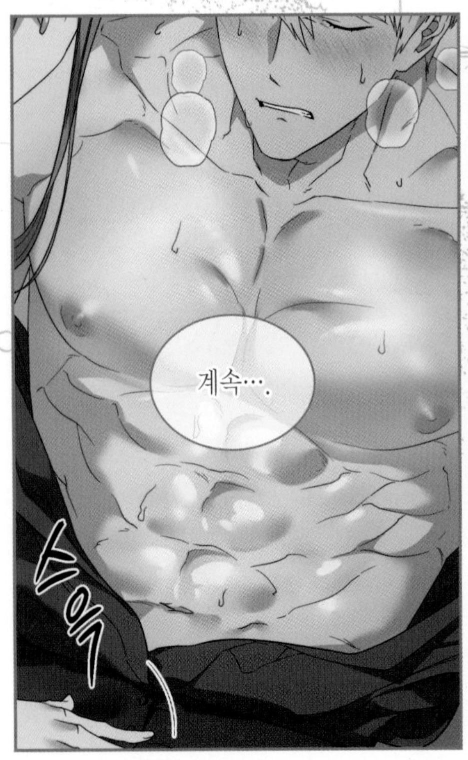
계속….
스윽

꽈악

더
닿고 싶어.

우리가
가까워져서
더 이상
마음의 빈틈이
존재하지 않게
되면…
더
가까워지고
싶어.
그때는
망설임 없이 전부
말할 수 있겠지.

어머.

이게 소문의
그 물건이군요.

부인이
직접 장인들에게
가르쳤다고 하신,
레이스…
였나요?

네.
지난번 장미꽃에
대한 보답으로
드리고 싶었어요.
혼자서 여러 개를
만들다 보니 시간이
좀 걸렸네요.
공주 전하와
1왕자비 전하…

그리고 공주 전하가 아끼는 사람들에게 나눠주세요.

혹시 하나는

초롱
초롱
초롱
저 아이에게 선물해도 괜찮을까요?

갖고 싶다...
갖고 싶다...

COOL-
제 손을
떠난 것이니
공주 전하께서
어떤 분께 선물하시든
상관하지
않는답니다.
으쓱

빙긋

참,
부인.
이번 주말
시간을 내주실 수
있나요?

나랑
데이트하지
않을래요?

결혼장사

Chapter 60

언제쯤
마음 편히
만날 수 있을까.
내가 유일하게
눈과 귀를 심어두지
못한 곳이
오델리,
그 계집의
정원이라는 걸
어떻게 알고.
많이
보고 싶어.

나의
비앙카.

나랑
데이트하지
않을래요?

부인, 아직
라호즈 대성당을
가보지
못하셨지요?

…네.
그동안
정신이 없어서
아직 방문하지
못했네요….

곧 영지로
돌아간다고
들었어요.
돌아가시기 전에
대성당 구경도
하고,
축원도
올리는 게
어때요?

※축원…
이요?
※축원(祝願) : 신적 존재에게 자기의 뜻을 아뢰고 그것이 이루어지기를 바라는 일.

나는 항상 국왕 폐하의 안녕을 위해 축원을 올리지요.
샬랑

내 유모였던 이는 항상 나를 위해 축원을 드렸고,
1왕자비 전하는 오라버니와 알베르를 위해 축원을 드려요.

부인에게도
있지요?
축원을 올리고
싶을 만큼
소중한 사람들이.
꽈악...

그래서,
주말에 오델리 전하와 대성당에 다녀오고 싶다고…?

으응….

안 그래도 한 번쯤은 대성당에 데려가려고 했는데, 나는 돌아가는 날까지 시간이 없구려.
공주 전하께서 함께 가주신다면 고맙지.
고마워요, 여보.

오델리 전하와 마음이 잘 맞나 보군.

꽃꽂이 수업도
지쳤을 텐데
잡초 정리까지
도와드리고.

신기하죠?

공주 전하도
하시는 일이니
나도 할 수 있을 것
같았거든요.

고티에
전하께서요?
어릴 때부터
의복에 관심이
많았거든요.

아름다운 분이어서
그런 걸까요?
그만큼 외견에
자신이 있다는….
그럴지도요.

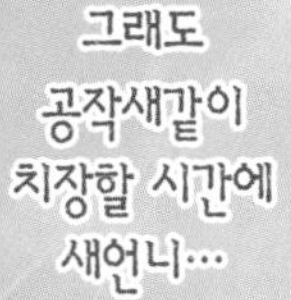
그래도
공작새같이
치장할 시간에
새언니…
1왕자비에게
더욱 신경 써주면
좋을 텐데
말이죠.
그런 남편을 둔
새언니에게
미안해서라도
내가 더 챙길 수밖에
없어요.

…하긴,
그런 경박함은
세브랑 왕가의
내력이겠네요.
경박….
둘째 왕자도
그러하고,
나도
치장하는 것을
좋아하거든요.
세브랑에서
처음으로
안경을 쓰신
1왕자 전하
라호즈에
레오파드 바람을
불러일으킨
2왕자 전하
세브랑
영애들의
워너비
공주 전하
오라버니
흉을 볼 일이
아니었네요.

2왕자는
오라버니라고
안 부르시는구나.
전하 같은 분이
아름다움을 맘껏
드러내셔야
세브랑이
빛날 수 있는 것
아니겠어요?
부인,
전부터 느꼈지만
달변가시네요.
저도 그 말에
크게 동의해요.
탈
탈
감사합니다.

…사내들은
말이죠.

아름답고
잘 가꿔진 여성을
아내로 들이고,
결혼이라는 제도로
묶어둔 뒤에는
소홀히 여겨요.
그나마 연회같이
자신을 뽐내야 하는
자리가 있을 때나
집안의 체면이
깎일까 두려워
아내를
치장시키잖아요?
그런 제 아내를
옆에 두고
다른 여인을 탐내며
찬양하는 꼴이란….

그게 지금의
세브랑에서 일어나는
결혼 장사의
폐단이랍니다.
쪼르르-
출세를 위한
결혼이었으니
아내가 무엇을 원하는지
관심은 없고,

사내들은
의복이나 공적처럼
저를 드러내
보이는 것에 더
관심이 많지요.
탈 탈
결혼에 대한 환상만
가득했던 영애들이
결혼 생활에
실망하게 되고
자신을 위로해주는
다른 남성의 친절함에
의심 없이 마음을
내어주다

불륜의 죄를
뒤집어쓰고
영지에서 쫓겨나기도
하고요.
뜨끔

내가
결혼을 미루는
이유기도
해요.
결혼을 해도
외로운 건
마찬가지 같은데,
심지어
사치를 부릴 때는
남편 눈치를
봐야 한다니.
그럴 거면
영영 부왕 곁에서
어리광 부리며
사치하는 게 낫지요!
아, 이런 건
셀린느 너의
환상을 깨는
이야기겠구나!
하하
아하하
아, 아닙니다
오델리 전하!

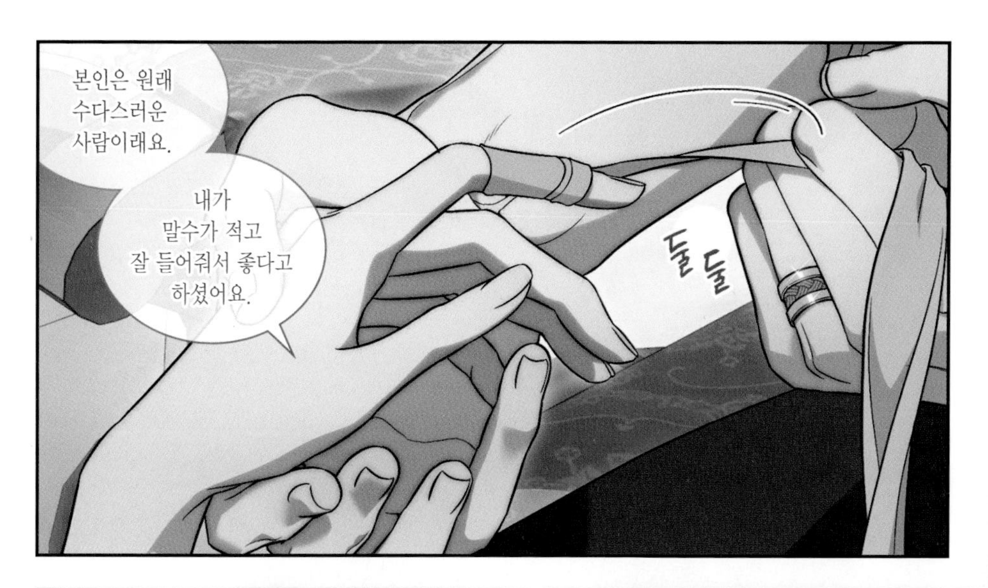
본인은 원래 수다스러운 사람이래요.
내가 말수가 적고 잘 들어줘서 좋다고 하셨어요.
둘둘

오델리 전하께서 그대와 비슷한 나이였을 때
굉장한 말괄량이였다고 고티에 전하께서 종종 말씀하셨지.
그랬구나….

승전 연회의 밤에
불쾌한 일로 사람들의 이목이 집중되었는데도 당황하지 않고

오히려 상황을
잘 뒤집어
레이스를
홍보하는 장으로
만들었던 걸
인상 깊게 보셔서…

그래서 나랑
더 친하게 지내고
싶어지셨대요.
…….

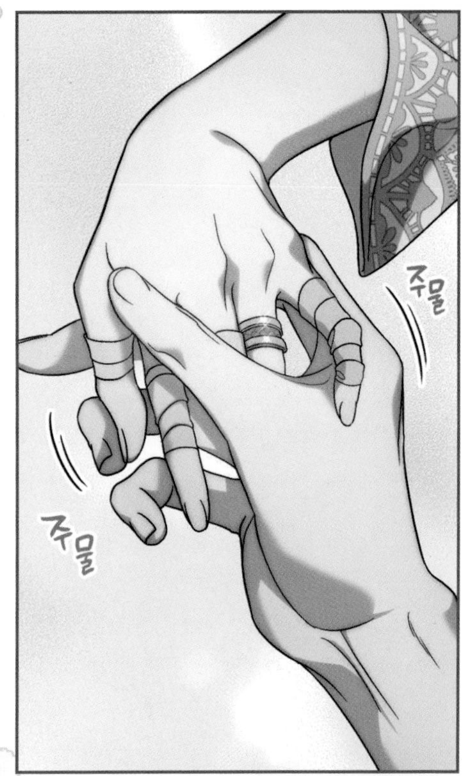
주물
주물

…오델리
전하와 보낸
시간이
정말
즐거웠나
보오.

흐음~..
쪼물
쪼물
쪼물
쪼물
쪼물
쪼물
쪼물
쪼물
쪼물
쪼물
나는
그런 이야기를
나눌 만한 자매가
없었잖아요.
꼬옥
오델리 전하께선
나이 차이는
전혀 신경 쓰지
않으시니…
저 또한
앞으로 좋은
말벗으로 지냈으면
좋겠거든요.

스윽
그러니까,
질투하지 말아요.

내게는
어떤 확신이
필요해.

내가 겪었던 일들을
자카리에게 전부
이야기할 때가 오면
그 이야기를
뒷받침할 증거가
내 기억밖에 없어.

그러니
기억 말고
다른 확신도
필요하다.

부스ㅡ

죽기 전에
신에게
기도드렸다.
다시 한번
기회가
주어진다면
쌕-
쌕-

끼익-

자카리를
배신하고,
내 영지에 대해
무관심했던…
그런
멍청한 실수를
두 번 다시
하지 않겠다고.

드디어
확인해볼 때가
되었다.
나의
귀환(歸還)이
진짜
신의 뜻인지
아닌지….

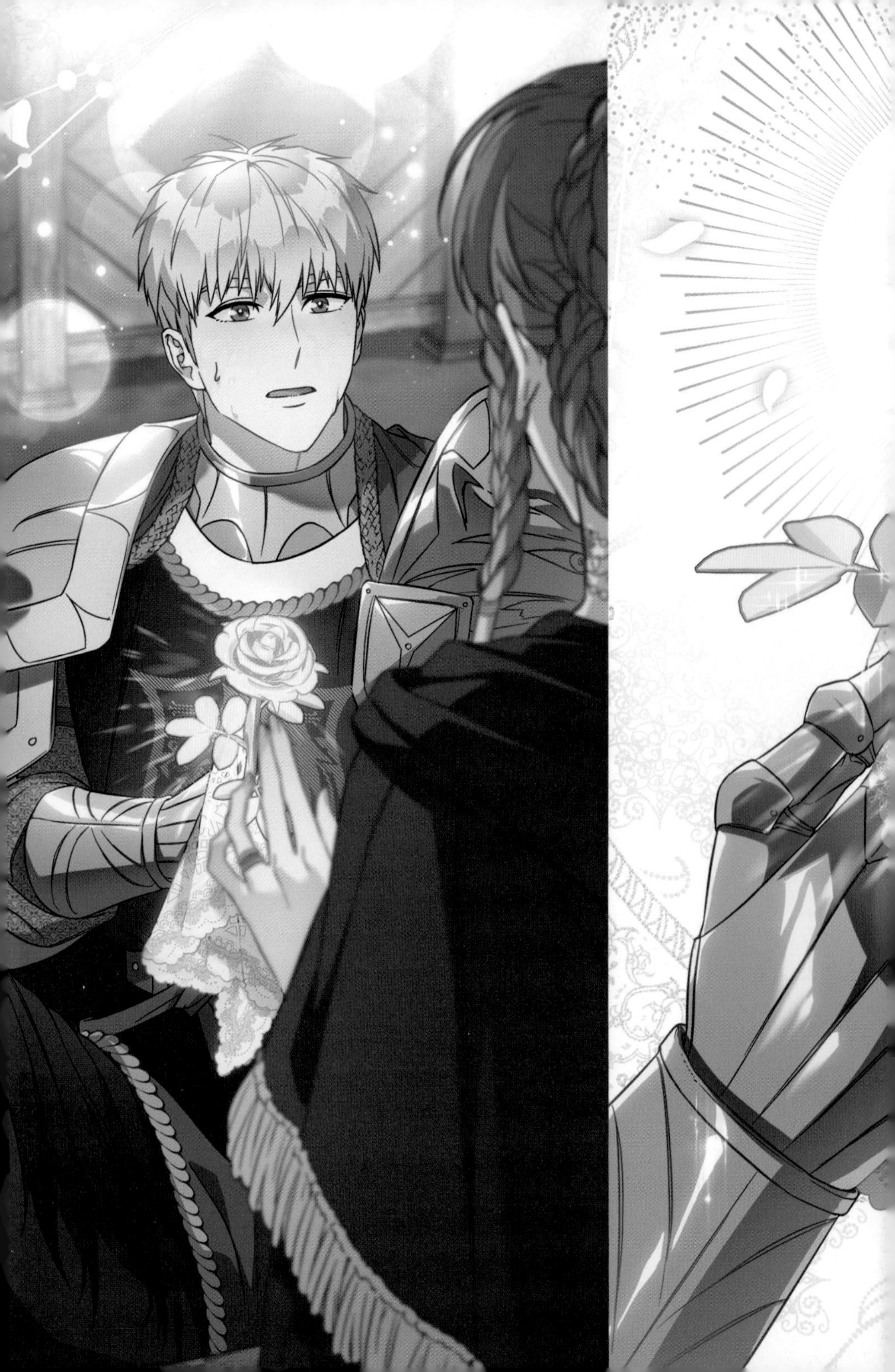

결혼 장사 ❺

2024년 12월 18일 1판 1쇄 인쇄
2024년 12월 25일 1판 1쇄 발행

그림 AntStudio | **각색** 한흔 | **원작** KEN

발행인 황민호
콘텐츠4사업본부장 박정훈
책임편집 이예린 | **편집기획** 신주식 최경민 윤혜림
표지디자인 Gnoeyi
본문디자인 레드아이스 스튜디오(조유진, 강바다, 이새연, 천다희, 박은지)
에이블
마케팅 조안나 이유진 | **국제판권** 이주은 한진아 | **제작** 최택순 성시원 진용범
발행처 대원씨아이(주) | **주소** 서울특별시 용산구 한강로 3가 40-456
전화 (02)2071-2071 | **팩스** (02)749-2105 | **등록** 제3-563호 | **등록일자** 1992년 5월 11일
www.dwci.co.kr

ISBN 979-11-423-0384-5 07810
979-11-7288-610-3 (세트)